Сериал «Виола Тараканова. В мире преступных страстей»:

Черт из табакерки
Три мешка хитростей
Чудовище без красавицы
Урожай ядовитых ягодок
Чудеса в кастрюльке
Скелет из пробирки
Микстура от косоглазия
Филе из Золотого Петушка
Главбух и полцарства в придачу
Концерт для Колобка с оркестром
Фокус — покус от Василисы Ужасной
Любимые забавы папы Карло
Муха в самолете
Кекс в большом городе
Билет на ковер — вертолет
Монстры из хорошей семьи
Каникулы в Простофилино
Зимнее лето весны
Хеппи — энд для Дездемоны
Стриптиз Жар — птицы
Муму с аквалангом
Горячая любовь снеговика
Человек — невидимка в стразах
Летучий самозванец
Фея с золотыми зубами
Приданое лохматой обезьяны
Страстная ночь в зоопарке
Замок храпящей красавицы
Дьявол носит лапти
Путеводитель по Лукоморью
Фанатка голого короля
Ночной кошмар Железного Любовника
Кнопка управления мужем
Завещание рождественской утки
Ужас на крыльях ночи
Магия госпожи Метелицы
Три желания женщины — мечты
Вставная челюсть Щелкунчика
В когтях у сказки
Инкогнито с Бродвея
Закон молодильного яблочка

Сериал «Джентльмен сыска Иван Подушкин»:

Букет прекрасных дам
Бриллиант мутной воды
Инстинкт Бабы — Яги
13 несчастий Геракла
Али — Баба и сорок разбойниц
Надувная женщина для Казановы
Тушканчик в бигудях
Рыбка по имени Зайка
Две невесты на одно место
Сафари на черепашку
Яблоко Монте — Кристо
Пикник на острове сокровищ
Мачо чужой мечты
Верхом на «Титанике»
Ангел на метле
Продюсер козьей морды
Смех и грех Ивана — царевича
Тайная связь его величества
Судьба найдет на сеновале
Авоська с Алмазным фондом
Коронный номер мистера Х
Астральное тело холостяка
Кто в чемодане живет?

Сериал «Татьяна Сергеева. Детектив на диете»:

Старуха Кристи – отдыхает!
Диета для трех поросят
Инь, янь и всякая дрянь
Микроб без комплексов
Идеальное тело Пятачка
Дед Снегур и Морозочка
Золотое правило Трехпудовочки
Агент 013
Рваные валенки мадам Помпадур
Дедушка на выданье
Шекспир курит в сторонке
Версаль под хохлому
Всем сестрам по мозгам
Фуа — гра из топора
Толстушка под прикрытием
Сбылась мечта бегемота
Бабки царя Соломона
Любовное зелье колдуна — болтуна
Бермудский треугольник черной вдовы
Вулкан страстей наивной незабудки
Страсти — мордасти рогоносца
Львиная доля серой мышки
Оберег от испанской страсти

Сериал «Любимица фортуны Степанида Козлова»:

Развесистая клюква Голливуда
Живая вода мертвой царевны
Женихи воскресают по пятницам
Клеопатра с парашютом
Дворец со съехавшей крышей
Княжна с тараканами
Укротитель Медузы горгоны
Хищный аленький цветочек
Лунатик исчезает в полночь
Мачеха в хрустальных галошах
Бизнес — план трех богатырей
Голое платье звезды

Дарья Донцова

Родословная до седьмого полена

роман

Москва
2018

УДК 821.161.1-312.4
ББК 84(2Рос=Рус)6-44
Д67

Оформление серии *В. Щербакова*

Иллюстрация на обложке *В. Остапенко*

Под редакцией *О. Рубис*

Донцова, Дарья Аркадьевна.

Д67 Родословная до седьмого полена / Дарья Донцова. — Москва : Издательство «Э», 2018. — 320 с. — (Иронический детектив).

ISBN 978-5-04-089607-3

Ничего себе пердимонокль! Оказывается, рядом с домом любительницы частного сыска Даши Васильевой расположены «графские развалины». Случайно обнаружившая их Даша наткнулась рядом с ними на надгробные плиты и труп молодого мужчины! Конечно, Васильевой к трупам не привыкать! Но это был уже явный перебор, ведь утром того же дня на пороге Дашиного дома скончалась совершенно незнакомая женщина, зачем-то заявившаяся к ней в гости. Полковник Дегтярев категорически не хочет посвящать Дашу в детали расследования, и любительница частного сыска решает распутать загадочное со всех сторон дело сама и утереть полковнику нос!..

УДК 821.161.1-312.4
ББК 84(2Рос=Рус)6-44

ISBN 978-5-04-089607-3

Глава 1

Чтобы получить истинное удовольствие от своего плохого настроения, им надо с кем-нибудь поделиться.

— Почему в кухне так мерзко пахнет? — рассердился Дегтярев.

Я сделала вид, что не слышу вопроса, а Манюня засмеялась:

— Не придумывай. Даже я ничего не чувствую. А мне теперь кажется, что от всего почему-то тухлой рыбой несет.

Юра потянулся к сыру.

— Мама рассказывала, что когда она была беременна мной, то не могла пользоваться мылом. В советские времена особого выбора не было, они дома пользовались мылом под названием «Руслан». И как только она его видела, так сразу в туалет неслась.

— Зачем бежать с мылом в туалет? — удивился Маневин. — Верочка там мылась?

Маша опять рассмеялась:

— Объясняю для непонятливых мужчин. Мать Юры тошнило. Ей становилось плохо при одном взгляде на брусок. Как я свекровь понимаю! Мне вот прямо от любого предмета воняет тухлятиной.

— Это можно пережить, — легкомысленно сказал Феликс, — человек ко всему привыкает. Ведь токсикоз не навсегда.

Манюня потрясла головой.

— Так может считать лишь тот, кто не испытывал этот самый токсикоз. Сейчас постараюсь описать свои ощущения. Представь кусок сырого лосося, который пролежал в земле лет эдак сто, а ты его выкопал и теперь на груди носишь и нюхаешь, нюхаешь, нюхаешь...

— Сильное сравнение, — засмеялась я.

— Сырая рыба никогда столько времени в почве не пролежит, — заметил Юра.

— Ну, это смотря, как ее хранить, — возразил Маневин, — помню, как на раскопках в Таджикистане, еще в советские времена в могиле одной...

— Приятного всем аппетита, — перебил моего мужа полковник, — славно всем поужинать под беседу о тошноте, вони, мыле и останках, которые Феликс из гроба извлек. В тему чудного застольного разговора у меня вопрос. Почему в кухне воняет дерьмом из помойки?

— Потому что наша домработница уволилась, новая придет только завтра, — смиренно ответила я, — прости, забыла мусор за весь день вынести в бачок.

Александр Михайлович встал.

— Ерунда. Подумаешь, не поем на ночь. Живот зато меньше станет. И вообще я сел на диету.

Все уставились на полковника, а Маша задала вопрос, который читался в наших глазах:

— Куда ты уселся?

— На диету, — повторил Дегтярев, — а то стал похож на тучного кабана, выгляжу намного старше своего возраста.

Я уронила вилку. Мафи мигом кинулась к ней в надежде слопать вкусненькое. Александр Михайлович резко отодвинул стул, бегом бросился к лестнице и исчез из виду.

— С ума сойти, — протянула Маша, — Дегтярев заговорил о диете!

— Может, он посетил врача, а тот его напугал? — предположил Юра. — Рассказал про грядущий диабет, гипертонию, бляшки в сосудах, артрит и прочие радости, которые толстяков подстерегают?

— Полковника беседами из седла не выбить, — вздохнула я, — сто раз уже про все последствия лишнего веса ему говорили, а толку нет. Вдруг Дегтярев на самом деле заболел? Сейчас жаловался на плохой запах, хотя ранее никогда не морщил нос даже на месте преступления, а там подчас вонь невыносимая.

— Фуу, — прошептала Маша, — теперь и мне стало дурно, бее...

Манюня зажала нос ладонью и выбежала из столовой, Юра поспешил за ней.

Я повернулась к Феликсу.

— Поговори с полковником. Мне он правду о состоянии своего здоровья никогда не скажет, а с тобой, возможно, поделится проблемой. Вдруг его срочно лечить надо? При каких болезнях обоняние обостряется?

— При беременности, — вздохнул Маневин, — но сомнительно, что Дегтярев в интересном положении. Возраст у него не тот.

— И вообще он мужчина, — уточнила я, — ох, не нравится мне боевой настрой толстяка. Обычно он при слове диета вопит: «Во мне нет ни грамма жира, в позвоночнике сильный прогиб, отсюда и живот».

— Не нервничай, — сказал муж, — просто полковник сегодня не в духе, а чтобы...

— ...Получить истинное наслаждение от своего плохого настроения, надо им с кем-нибудь поделиться, — перебила его я, — уже думала на эту тему.

Маневин взглянул на часы.

— Мне пора в аэропорт.

— Провожу тебя до машины, заодно и мусор выброшу, — засуетилась я и поспешила на кухню.

Мопс Хучик побежал за мной.

— Тоже хочешь выйти? — улыбнулась я. — Несмотря на декабрь, сильного мороза нет, но все равно холодно, придется попону натягивать. А ты не большой любитель наряжаться. Может, дома останешься? Вон Снап, Банди, Афина и Черри у камина спят.

Но Хучик опрометью кинулся в прихожую. Я подумала, что у него схватило живот, и, таща мешок с отбросами, двинулась за ним. Что-то не везет нам в последнее время с домработницами. Может, та, что должна завтра прийти, Женя со смешной фамилией Коробко окажется подходящей? Я не жду от помощницы по хозяйству никаких эксклюзивных талантов, требования самые простые. Она должна любить животных по-настоящему, а не прикидываться обожательницей собак. Не воровать. Не пить алкоголь. Не курить. И вкусно готовить. В нашем доме полно бытовой техники, которая облегчает труд домработницы, ей выделяется просторная комната с телевизором, пить кофе-чай, завтракать-обедать-ужинать можно когда угодно, никто ей не скажет: «Не ешьте этот сыр, он только для хозяев». Продукты предназначены для всех. Зарплата достойная, выдается точно в назначенный день. Ни Дегтярев, ни Маневин никогда не станут приставать к горничной. На мой взгляд, это нормальные условия. И что? Одна тетушка при мне целовала Мафи, Хучика и всех остальных четвероногих. Но она не знала про камеры, которые установлены в комнатах, и я, уехав из дома, увидела на экране планшета, как «любвеобильная» особа бьет Хуча тряпкой по мордочке. Ясное дело, через час ее уволили. Другая, проработав неделю, покатила на рынок за продуктами и не вернулась. И ведь она знала, где служит Дегтярев! Александр Михайлович живо нашел дамочку и задал ей всего один вопрос:

— Неужели старая таратайка, которая много лет используется для хозяйственных нужд, и деньги, которые вам выдали для покупки картошки, стоили того, чтобы лишиться хорошей зарплаты и попасть под следствие?

Третья домработница открыла охоту на самого полковника, решила заарканить холостого мужика не самого юного возраста.

Я бросила мусорный мешок в контейнер, помахала рукой Маневину, который садился в такси, и пошла к дому.

Глава 2

На следующий день после завтрака я услышала звонок в дверь и удивилась. Кто это? Гостей я не жду, молочник уже приезжал, а новая домработница должна прибыть позже. Отложив журнал, который решила почитать после того, как Маша, Юра и Дегтярев наконец-то уехали на работу, я пошла к двери и, не посмотрев на экран домофона, распахнула ее. На пороге стояла женщина в пуховике и вязаной шапочке с орнаментом в виде оленей. Вмиг мне стало понятно: новая горничная приехала раньше.

— Добрый день, Евгения! — преувеличенно бодро воскликнула я, испытывая глубокое разочарование.

Я прямым текстом сказала в агентстве: «Мне нужен человек не старше сорока лет, без проблем со здоровьем, любящий животных». Менеджер обрадовался:

— Женя Коробко идеально подойдет.

— Пусть приедет на беседу, — согласилась я. — Если понравится нам, оставлю на испытательный срок.

Но у тетушки, которая сейчас стоит у вешалки, большие мешки под глазами, они свидетельствуют, что у нее какие-то нелады или с сердцем, или с почками. А еще незнакомка бледна до синевы, губы трясутся, правая щека подергивается, похоже, у нее и с нервами беда. Мда. Сейчас из вежливости поболтаю с кандидаткой на место домработницы минут пятнадцать, отошлю ее в Москву и позвоню в агентство. Сотрудник компании «Швабра и тряпка» решил проигнорировать мои просьбы. Коробко не виновата, ей просто дали адрес не тех хозяев.

— Проходите, пожалуйста, — предложила я.

— Воды, — прошептала Коробко, — пить. Кто это? Нет! Уберите!

Я посмотрела вниз, увидела Хучика и решила прямо сейчас позвонить Анатолию, который занимался для меня поиском помощниц по хозяйству, и сказать ему: «Женя Коробко выглядит так, словно вот-вот потеряет сознание, она явно больна и трясется от ужаса при виде собаки. Это явно не тот человек, о котором я вас просила. Более не занимайтесь моей проблемой». Но воспользоваться телефоном я не успела. Коробко схватилась за горло и упала на пол, пальцы ее правой руки разжались, из них выпал грязный кругляш размером с медальон, который Феликс подарил мне на прошлый Новый год.

Я наклонилась над женщиной.

— Женя! Очнитесь!

Ответа не последовало. Я быстро сбегала на кухню, принесла бутылку воды и начала брызгать на Коробко. Никакого результата. Пришлось опять нестись к аптечке за купленным в Париже пузырьком с нюхательной солью.

Отвернув пробку, я поднесла бутылочку к носу Коробко. Та не шевельнулась.

У меня на спине стадо кошек с острыми когтями начало плясать кукарачу.

— Женя, — крикнула я, — ау! Евгения!

В прихожую выглянула наша собакопони Афина. Псинка села, задрала голову и надрывно завыла, Хуч немедленно к ней присоединился. Через секунду в голос зарыдали и другие псы. Мне стало совсем не по себе, я схватила трубку и набрала номер лечебницы «Птица».

Перед тем как купить полис, мы, конечно же, внимательно изучили состав врачей, проверили диагностическую базу и в конце концов отправились в клинику под названием «Птица». Почему именно она выиграла наш семейный тендер? Там хорошие доктора, есть томографы и расположено медицинское учреждение в пяти минутах езды от Ложкина.

«Птица» не подвела, медики появились быстро. Врач присел около Жени, нахмурился, велел мне уйти и минут через десять крикнул:

— Хозяйка!

Я снова вошла в холл.

— Ей лучше?

— Я обязан вызвать полицию, — сухо произнес доктор, — смерть до прибытия.

Я попятилась.

— Евгения умерла?

— Да, — подтвердил доктор. — Аня, оформи все как надо, и поехали. Не копайся.

— А женщина? — испугалась я. — С ней что будет?

— Ждите полицию, — равнодушно сказал врач.

Мне стало страшно.

— Я одна дома.

— И что? — удивился врач.

— Вы же не можете больную... вот так... бросить, — залепетала я.

Доктор махнул рукой и вышел во двор.

— Она не больная, а скончавшаяся до прибытия, — повторила медсестра, торопливо заполняя какой-то бланк. — Ничего не трогайте. Не перемещайте тело. Полиция вам все объяснит.

— Мне страшно, — поежившись, произнесла я.

Девушка одернула куртку.

— Бояться надо живых. Труп никому ничего плохого не сделает. Пусть себе лежит.

— Вы меня тут одну с ней оставите? — запаниковала я.

— Женщина, у нас полно вызовов, — вздохнула медсестра, — мы обязаны людям помогать. Живым. А у вас все. Капец. Доктор очень хороший, но не Господь Бог. Умей он покойников воскрешать, на «Скорой» бы не работал.

Медсестра ушла, я секунду постояла в ступоре, потом выскочила во двор и позвонила Дегтяреву.

Иномарка полковника и серо-голубой автобус с его командой примчались до появления местных полицейских.

— Эй, ты где? — заорал Александр Михайлович.

— Здесь, — ответила я, выбираясь из своей малолитражки, — в автомобиле сидела, и все собаки со мной, забрала их из дома.

— Где, что, как, с кем случилось? Объясняй кратко, но четко, — потребовал толстяк.

— Домработница Женя Коробко приехала раньше времени, вошла в прихожую, попросила воды, испугалась Хуча и упала, — отрапортовала я.

— Вечно из-за тебя неприятности, — разозлился полковник.

Не пойми почему я начала оправдываться:

— Ничего плохого я не сделала.

— Впустила в дом постороннего человека, — продолжал негодовать Александр Михайлович. — Чего встали, рты разинули? Володька, чем занимаешься?

— Мафи чипсами угощаю, — честно ответил Гусев, с недавних пор вторая правая рука полковника.

— Фу! Хаваешь всякую дрянь, — мигом осудил его патологоанатом Леня, — знаешь, из чего их делают?

— На коробке написано: стопроцентный картофель и бекон, — объяснил Гусев.

— Наивняк, — засмеялся Леня, — прессованный крахмал и ароматизаторы. Сам жри, а Мафи не давай. Собака не человек, ей пакость есть не положено.

— Прекратите болтать, ступайте в дом, — приказал полковник, — займитесь делом. Маша обещала сегодня вернуться пораньше. Девочке сейчас никак нельзя нервничать, надо все закончить и увезти тело до ее появления. Мне нужен здоровый внук! Поняли? Дарья, стой у двери! Ать-два, шевелим ногами, руками и прочими частями тела, какие еще есть.

— Головой, — услужливо подсказал Леня, — хотя Вовка, с помощью нее только чипсы ест.

Дегтярев ушел в особняк. Леня открыл микроавтобус.

— Степа, пусть псы с тобой посидят. В Дашиной таратайке им, бедным, тесно.

— Конечно, — согласился водитель. — О! Мафи! Хучик! Привет вам, ребята! Ну вы прикольные, ваще!

— Откуда шофер знает имена собак? — удивилась я, когда парень закрыл дверь минивэна.

— Он на Инстаграм Дегтярева подписан, — пояснил патологоанатом.

— У полковника есть страница в интернете? — поразилась я.

— Ты не знаешь? — в свою очередь удивился Леонид и рассмеялся. — Он там зарегистрирован под именем «Саша Крут». Такие прикольные фотки. Набрал кучу подписчиков. Думает, что никто из нас понятия об его активности в интернете не знает. Уж не помню, кто Александра Михайловича первым нашел, но теперь все на него подписались. Ой, ты там такая смешная! Слушай, купи себе новый халат. Голубой с собачками тебе не по возрасту. Жена должна дома шикарно выглядеть, а ты в каком-то дурацком дешевом сраме. Этак Маневин вмиг от тебя слиняет.

Криминалист Раиса, до сих пор молча слушавшая наш разговор, решила высказать собственное мнение.

— Дашута, не слушай Леньку! Мастак он чужим бабам советы давать. Пусть свою воспитывает. Можно подумать, его Ленка в бальном платье дома в сортир ходит. Слушай, вчера Александр Михайлович выставил в Инстаграм медовый рулет, который он к ужину испек. Можешь мне рецептик дать, а?

Я только ошалело моргала. У толстяка есть Инстаграм? Вся полиция страны любуется на меня в халате? Да, лет десять назад я купила в Париже в каком-то магазинчике в районе Сен-Жермен шлафрок. На нем были изображены собачки разных пород в красивых нарядах. Симпатичную вещь отдавали за скромную цену, на ней отсутствовал ярлык какой-либо известной фирмы. Принт со временем слегка полинял, обшлага у рукавов обтрепались, но моя любовь к халатику не потускнела. И о каком медовом рулете говорит Рая? Дегтярев вообще не умеет готовить!

— Я его спросить не могу, — трещала криминалист, — мы все договорились молчать, что в его Инстаграме пасемся, иначе он нас в блок отправит. И ты смотри, не трепись. Но рецептик-то получить охота.

Водитель открыл окно микроавтобуса.

— Да это не полковник испек, а супербэби, его невеста, он ее часто репостит.

Я окончательно перестала понимать происходящее. Что такое репостить? Про Инстаграм я слышала, но сама им никогда не пользуюсь, я не пловец в море интернета. Супербэби? Невеста? Чья?

— Чья невеста супербэби? — повторил вдруг Леня.

Сомнительно, что Кравцов способен читать мысли, наверное, я выразила недоумение вслух и не заметила этого.

— Александра Михайловича, — весело ответила Рая. — Все ждут, когда они свадьбу сыграют.

Забыв, что на улице декабрь, я села на ступеньки. Толстяк собрался заключить с кем-то брак? Я сплю и во сне брежу?

— Прошу прощения, господа, — произнес приятный баритон, и в зоне видимости появился стройный высокий брюнет в темных брюках и дубленке, — я ищу особняк госпожи Васильевой.

— Вы прямо у дома, — кивнул Леня, — а хозяйка перед вами.

Я встала.

— Добрый день. Вы кто?

— Разрешите представиться, — церемонно произнес незнакомец, — Женя Коробко. Домашний работник. Прислан из агентства. Готов приступить к работе прямо сейчас.

— Вы мужчина? — брякнула я.

— Да, — подтвердил брюнет.

— А кто тогда в прихожей у нас лежит? — жалобно пропищала я.

— Разрешите войти в коттедж? — спросил Коробко.

— Нет, — отрезал Леня, — туда пока нельзя. В холле труп. Я его еще не осмотрел. Пошли, Рая.

Евгений не испугался, а спокойно спросил:

— Кто-то умер?

— Да, — пробормотала я, — думала, это Женя Коробко. Ох, простите. Не знаю, кто скончался.

Глава 3

— До приезда Маши надо все убрать, помыть и ужинать с таким видом, будто ничего не случилось, — приказал Дегтярев, садясь в машину. — Тебе ясно?

— Конечно, — пробормотала я. — А кто эта несчастная?

— Понятия не имею, — буркнул полковник, захлопывая дверь, — документов никаких. Карманы пустые.

— Мужики обожают паспорт в брюки или пиджак засунуть, а у каждой приличной женщины при себе всегда есть сумочка, — заметила Рая, глядя вслед автомобилю Дегтярева.

— Женя пришла с пустыми руками, — вспомнила я.

— Это не Коробко, — возразил Леонид.

Я поежилась.

— Надо же как-то беднягу называть.

— Володя сейчас опрашивает охрану, — сказал Леня, — наверное, это чья-то домработница. Или няня!

— Тогда чего она к Даше приперлась? А? — тут же ринулась в атаку Рая. — Нет! Баба чужая. Не из поселка.

— Почему ты так решила? — поморщился патологоанатом.

Раиса шмыгнула носом.

— Сам подумай. Особняк Васильевой последний на улице.

— Как бы не так, — возразил Леня, — за ним еще два дома. Верно?

— Да, — согласилась я, — но вы оба правы. Семьи, которым принадлежат эти особняки, давно живут за границей. На их участках никого нет.

— Вот и я о том же, — обрадовалась Рая, — труп был в лесу. Может, грибы собирал!

— В декабре? — без тени улыбки спросил Леня. — Зимние лисички? Или новогодние белые?

Удобно, конечно, сразу замороженными их срезать и сохранить на голодный день.

— Ей стало плохо, — не обращая внимания на ехидство патологоанатома, продолжала эксперт, — бедолага пошла за помощью в поселок. Первые дома, которые ей по дороге попались, оказались закрыты, поэтому она сунулась к Даше. На подошвах сапог неизвестной иголки от елок, грязь, остатки засохших растений. Мусор из леса. Нынешний декабрь у нас без снега.

— Вокруг посмотри, — велел Леонид, — елки на каждом углу. Вон, у Даши их сколько у дома. Твои улики не доказывают, что тетка из леса вышла. И, если я правильно помню, вокруг Ложкина сплошной забор. Калитки нет. Так ведь?

Я молча кивнула.

— Едем или болтаем? — зевнул шофер.

— Гони лошадей, — приказал Леонид.

Когда микроавтобус выкатился из двора на дорогу, я закрыла ворота, решила войти в дом через другую, не парадную, дверь и услышала мужской голос:

— Ой, любезный друг, не вырывайтесь, вам туда точно не надо.

Я обернулась, увидела, что Женя несет на руках Мафи, и забеспокоилась:

— Что случилось?

— Там под деревьями перья разбросаны, — объяснил Коробко, — наверное, больная птица потеряла. А он хотел в них порыться. Еще подцепит инфекцию.

— Это девочка, — объяснила я, — зовут ее Мафи. Вы правы, попадаются нездоровые пернатые, но, скорей всего, это опять сойки подрались, они вечно выясняют отношения, только пух и перья в разные стороны летят. Любите собак?

— Да, — кивнул Женя, — от последнего хозяина я ушел, потому что тот на моих глазах ударил ногой пуделька. Бедолага ему ботинок случайно исцарапал. О! У вас еще мопс? Обожаю их. Инопланетные создания. Как вас зовут, сэр?

— Хуч, — улыбнулась я, — имейте в виду, он очень хитрый, обожает прикидываться погибающим от голода. Когда сделаете себе бутерброд с сыром, Хучик будет смотреть на вас глазами, полными слез. Главное в этот момент вспомнить, что объем талии «умирающего» от недоедания скоро совпадет с размером холодильника, и строго сказать: «Собаки едят два раза в день».

— У моего прежнего хозяина, не того, что пуделя ударил, а у человека, у которого я много лет проработал, жили четыре мопса, — объяснил Коробко, — я знаю все их штучки. Разрешите рассказать о себе? У меня высшее образование, окончил факультет гостиничного дела университета КЮСА.

Мне эта аббревиатура была неизвестна, но уточнять я не стала.

— Я неоднократный победитель международных конкурсов домашнего хозяйства, имею диплом повара. Владею всей бытовой техникой. Свободно изъясняюсь на трех европейских языках. Готов один обслужить прием, но тридцать человек предел. С большим количеством гостей я не справлюсь, на этот случай у меня есть контакты недорогой фирмы, которая предоставляет официантов. Ухаживаю за гардеробом. Естественно, стираю, глажу, навожу порядок, обеспечиваю оптимальный режим экономии вашего времени.

— А это что? — заинтересовалась я.

Женя отпустил Мафи.

— Утром вы встали, собираетесь уезжать на работу. Идете в ванную и не можете найти крем для лица, расческу, мечетесь в поисках, нервничаете, наконец отыскали и кинулись в гардеробную. Где платье? Какие туфли к нему подобрать? Сумочку? Серьги? В конечном результате опоздали на важную встречу. А что сделаю я? В санузле каждая вещь всегда будет на жестко фиксированном месте, ваши руки сами собой привычно туда потянутся. Юбку, блузку и прочее приготовлю с вечера, утром вам придется лишь взять все вешалки. Не поверите, сколько времени высвободится... О, боги! Что это? Откуда столько странного мусора? Вот эти крохотные обертки? Они от чего? Никогда таких не видел.

— Это следы пребывания группы экспертов, Рая открывала мешки для улик, они стерильные, в пакетах, — вздохнула я, — сейчас уберу.

— Оденьтесь потеплее, подышите свежим воздухом, — остановил мой порыв Женя, — после перенесенного стресса необходимо успокоить нервную систему. Мне хватит полчаса, чтобы навести в холле порядок.

— Вы у нас еще не работаете, — напомнила я.

— И что? — удивился Коробко. — Я вижу женщину, которой нанесли тяжелую моральную травму. Да любой мужчина в такой ситуации обязан помочь слабой даме. Хотя некоторые расслабляются с веником в руках.

— При виде пылесоса и швабры я не испытываю ни малейшей радости и не обретаю душевное спокойствие, — призналась я.

— Вот и совершите променад, — улыбнулся Женя, — за тридцать минут я уничтожу безобразие. Когда моего первого хозяина арестовали за мошенничество в особо крупных размерах, я выкинутые на пол из шкафов вещи собирал. Серый порошок отмывал, на редкость въедливая пыль. Полицейские весьма неаккуратны, ничего на место не возвращают. Но у вас я быстро справлюсь.

Я схватила с полки первую попавшуюся под руку шапку и нахлобучила ее на голову.

— Спасибо.

— Простите, Дарья, — извинился Женя, — я обратился к вам по имени без отчества не из фамильярности. В агентстве меня предупредили: хозяйка просит звать ее просто по имени. Вязаный колпачок... он...

— Что не так? — удивилась я и посмотрела в зеркало. — Вроде головной убор без дырок, пятен...

— На вас красивая голубая куртка, она очень подходит к вашим глазам, — похвалил Евгений, — а шапочка кислотно-розовая, ядовитая, это не ваш цвет. Возьмите лучше вон ту белую с синей полосой. Получите хороший лук.

Я хотела ответить, что мне все равно в чем бродить по поселку, но почему-то послушалась.

— Вы красавица! — воскликнул Коробко, когда я совершила обмен. — Подчас маленькая деталь делает весь облик.

Глава 4

Выйдя из ворот, я пошла по дороге мимо двух пустых домов, добралась до забора, который отделяет Ложкино от леса, и увидела, что от одной камеры, установленной на столбе, свисает обрывок шнура. Я вынула мобильный и позвонила охране.

— Знаем, — лениво ответил мужской голос, — видеонаблюдение не работает. Хулиганье постаралось. Временно не видим одну часть забора.

— Давно это случилось? — поинтересовалась я.

— Ну... вчера, — протянул секьюрити.

— И до сих пор не починили? — удивилась я.

— А мы че? Мы ниче, — забубнил секьюрити, — заявку в администрацию подали, там оформили. Мастер обещал завтра прикатить. В течение дня.

— Почему ремонтник сразу не прибыл? — не успокаиваюсь я.

— Так завтра явится, — повторили в трубке.

— Почему не сразу? — упорно повторила я. — Забор остался без охраны.

— Не я мастера вызывал, — объяснил дежурный, — другая смена. К ней претензии предъявляйте.

Но я не отставала:

— Вас не волнует, что любой человек может на территорию проникнуть?

— Два раза в день осматриваем периметр. В девять утра и в двадцать один час. Попыток перелаза через изгородь не зафиксировано, — проорали из трубки.

— А если злоумышленник в обед решит забор штурмовать? Как вы его заметите? — не утихала я.

— Обращайтесь к начальнику, — увильнул от прямого ответа парень, — звоните в шестнадцать.

— Почему не сейчас?

— Обед у него. До четырех всегда.

Я запихнула трубку в карман. Теперь понятно, почему главный секьюрити Ложкина похож на слонопотама. Он любит трапезничать по несколько часов.

Мой взгляд опять наткнулся на камеры, и я призадумалась.

Вокруг Ложкина раскинулось несколько деревень. Когда поселок только построился, отношения с местными жителями не сложились, они, мягко говоря, нас невзлюбили. К коменданту поселка явилась делегация от коренного населения и потребовала свободного доступа на все участки леса.

— Мы там триста лет грибы-ягоды собираем, коров пасем, рыбу ловим, — заявили мужики. — Промежду прочим, севрюгу из реки вытаскиваем пудовую. Или ходим, как всегда, где хотим с корзинками-удочками, или давайте нам деньги на покупку еды. По тысяче долларов на избу. В селах все бедные, живем на подножном корму. А вы, богатые, лес наш отняли.

Доводы о том, что буренки между деревьями не гуляют и осетровые в местном водоеме никогда не жили, не подействовали. Пару лет аборигены самозабвенно вредили ложкинцам, перекусывали электропровода, залезали по ночам в поселок и хулиганили, ломали детскую площадку, били окна в домах. А потом Максим Рагозин ехал поздно вечером домой и увидел, что на обочине лежит женщина. Макс притормозил, вышел и понял, что у несчастной инфаркт. Рагозин врач, в автомобиле у него всегда есть тревожный чемоданчик. Он сделал нужные уколы и отвез незнакомку в кардиоцентр, благо до него от нас рукой подать.

Тетушка оказалась матерью главного хулигана, который регулярно совершал с товарищами набеги на поселок. Парень пришел благодарить Макса, выпил с ним рюмку...

С того дня боевые действия прекратились. Местные жители стали наниматься на службу к ложкинцам. Мы за свой счет провели им магистральный газ, Макс лечит всю округу, большинство сельских детей посещает бесплатно центр «Обучайка», который функционирует в поселке. Я знаю всех обитателей сел по именам, а продавщица местного магазина, увидев меня, бормочет:

— Погодьте, Даша, для наших у меня свежие батоны заныканы. На прилавке вчерашние, они для проезжающих мимо.

Когда мы праздновали юбилей Ложкина, дед Василий, наш старожил, сказал проникновенно со сцены: «Сначала вы мне гадами-богатеями показались. А теперь как внуки любимые стали».

Поэтому я очень сомневаюсь, что камеры повредили местные подростки.

За спиной послышался скрип, я обернулась и попятилась. У высокого и, как казалось, монолитного забора за моей спиной внезапно отошла одна часть. Потом кусок изгороди выдвинулся вперед, в образовавшуюся щель пролез мужчина в камуфляжной куртке и низко надвинутой на лоб шапке. Я хотела закричать: «Помогите», но потеряла дар речи. Незнакомец заметил меня и сказал:

— Здрассти! Не пугайтесь. Я свой.

— Валера! — выдохнула я. — Фуу! Носов, как вы забор отодвинули?

Рабочий показал на один из пустых домов.

— Семен Михайлович меня нанял за порядком глядеть. Участок его осматриваю постоянно, особняк проверяю. Бурков в Лондоне живет, а подмосковный коттедж я топлю, чтобы не вымерз. Сегодня утром, как всегда, я внутри побывал, затем обход прилегающих территорий начал. Особняк крайний у леса, мало ли что. И вон!

Мастер показал на камеру.

— Шнур отрезан. Я забеспокоился. Бурков дом на охрану поставил, да пока она на сигнал причапает, много чего спереть можно. За наших местных взрослых головой ручаюсь, и дети такое не сделают. Меня забор высоченный встревожил.

Валерий подошел к гладкому щиту.

— Видите?

Я приблизилась к Носову.

— Что?

— Царапины. Знаете, откуда они?

— Даже не догадываюсь, — вздохнула я.

Валерий вынул пачку сигарет, повертел в руках и спрятал назад.

— Заграждение надежное. Тем, кто просто набезобразничать решил, шансов перебраться через него нет. Ну, знаете, как бывает у дураков: выпили — и потянуло их на подвиги. У таких «героев» ничего не получится. Не перелезут. А вот если профессионал... Против лома нет приема. Есть оборудование. Разное. Например, крюк забрасывается, цепляется за край забора, вниз свисает трос. Вы по нему забираетесь. Этот забор покрыт специальным антиальпинистским составом, ноги на нем скользят быстрее, чем на льду. Так придумали особые кроссовки с подошвами типа терка. Царапины на панели от них. Какой-то человек, явно не подросток (где ребенку деньги на дорогие ухищрения взять), влез наверх, потом спустился. Зачем он так поступил?

— Перерезал кабели, — предположила я.

— Неверно, — возразил Валера, — видеонаблюдение же в тот момент работало. Секьюрити заметили бы «альпиниста» и прилетели бы сюда. Мужик сначала камеру отключил.

— Как? — удивилась я.

Валерий застегнул молнию на куртке до подбородка.

— Сейчас чего только не напридумывали. Спрос есть? Точно найдете нужное. Продается типа... ну, как вам растолковать-то... э... вроде пистолета. Пуляет дисками острыми, как бритва. Прицеливаешься... бах! Шнур перебит.

— Никогда не слышала о таком, — поразилась я.

— Вы же не мастер воровских наук, — снисходительно заметил Валера. — Зачем вам о прибамбасах грабителей знать? Думаю, так оно станцевалось. Мужик камеру из строя вывел, потом наверх залез. Зачем? Я начал осматриваться, заметил в грязи у забора крупинки. Видите?

— Нет, — призналась я.

— Ну и не надо вам, — засмеялся наш мастер на все руки, — типа калитку гад сделал. Сверху распилил забор. От инструмента сыпалась крошка, он о ней не подумал и не убрал. В остальном чисто сработал. Хотя я бы на его месте царапины полирнул спреем и ошметки от резака собрал. Но парнишка умелый, видать, не впервой ему такое. Настоящий проходчик, а не лохня, которая себя за мастера выдает.

— Кто? — опять не сообразила я.

— В мое детство в райполиклинике работал один педиатр, — задумчиво протянул Валера, — он ребенка целиком смотрел и говорил: «Горло красное, живот плохой, простуда и понос. Вот вам рецепт на полоскание и таблетки». На прошлой неделе попросила меня соседка ее годовалого внучка к врачу отвезти и помочь ей с ним в клинике. Сопли у пацана рекой, хнычет, пять раз покакал. Бабушка пожилая, мать с работы не отпускают. Поехали мы, значит. Думаете, ребенка один доктор осмотрел? Фигушки. Сначала к лору отправили, потом к гастроэнтерологу, следом к общему терапевту. Каждый свое выписал. Восемь лекарств. Вот так сейчас. Ухо-горло-носу не ведомо, что врач по какашкам посоветовал. Аж два антибиотика! А денег троим отдай. Называется: специализация. Она нынче повсюду. Мама моя парикмахером всю жизнь работала, волосы клиентам красила, стригла, укладывала, химию накручивала и еще брови с ресницами чернила. А современные стилисты каждый свое делает. И всем надо по чеку платить и в карман чаевые пихнуть. Специализация. По мне так это надо назвать: грабителизация. Придумана, чтобы у людей деньжата откусить.

— Валера, что с забором? — остановила я вал негодования Носова.

— Так у ворюг специализация тоже объявилась, — пропыхтел тот, — чтоб ей пусто было. Прежде тот, кто в дом лез, сам решетки на окнах ломал. Сейчас молодежь избалована. Вор проходчика наймет, он ему проход организует, поэтому так и называется.

Я решила суммировать услышанное.

— Кто-то пригласил человека, который сделал для него в заборе нечто вроде калитки?

— Похоже на то, — согласился Валерий, — и... вот еще... неохота, конечно, такое говорить... На воротах у вас разные люди стоят. Некрасиво на них баллон катить. И доказательств нет...

— Умелец с крюком и резаком в сговоре с кем-то из секьюрити? — остановила я Валерия. — Почему вы пришли к такому выводу?

— Умом пораскинул, — объяснил Валерий, — на бутылку спорю, что вчера вечером видеозыринг умер. Даже время точно назову: двадцать один десять. Хотите проверить?

Мне стало любопытно, поэтому я снова связалась с проходной.

— Плотников, — заорали из трубки.

— Васильева, — представилась я, — пять минут назад вы сказали, что камеры на заборе вчера сломались. Можете точное время назвать?

— Двадцать один восемь, — после небольшой паузы сообщил дежурный.

Я посмотрела на Валерия.

— Точно угадали!

Носов постучал себя пальцем по лбу.

— Угадки — пустое занятие. Главное мозг! В девять вечера дневная смена уходит, заступает ночная. Примерно минут пятнадцать, а то и больше люди на мониторы не глядят. Одни дежурство сдают, другие принимают, ну, поболтают потом о пустяках. Служебная маршрутка от метро сюда служащих в девять вечера доставляет, а через полчаса тех, кто закончил, к подземке везет. Пока парни языки чешут, тридцать минут поселок без присмотра остается. Это как в больнице. Если по «Скорой» тебя в пересменок доставили, подохнешь, пока врач появится. Один доктор халат уже снял, другой еще не надел.

— Тогда подозрения с охраны снимаются, — возразила я, — кто-то воспользовался междуцарствием и перебил шнур.

— Может, и так, — согласился Валерий, — но кто-то же преступнику подсказал время, когда лучше всего безобразничать. Ну, значит, увидел я, что кабель перебит, заметил опилки. Скумекал: в изгороди «калитка» появилась, и решил глянуть, чего там, в лесу. За каким таким интересом туда постороннему надо? Только пролез, слышу шаги в поселке, потом голос женский. Вот я и вернулся.

— Ой, а правда, зачем преступнику в лес понадобилось? — спросила я. — Вы там еще не были?

— Не успел, — ответил Валера, — только через щель пролез, как вы подошли.

— Давайте поглядим, что там? — предложила я. — Очень интересно, а одной боязно.

— Грязно там, — поморщился Валерий, — у вас сапожки красивые, замараете.

— Ерунда, — отмахнулась я, — они для прогулок, не жалко их испачкать.

— Сыро, — поежился Носов, — замерзнете.

— Нет, нет, я тепло одета, — возразила я. — Прямо сгораю от любопытства, что же за забором? Не первый год живу в Ложкине, но ни разу по лесу не гуляла.

Моя настойчивость объяснялась простой причиной. Я подозревала, что умершая в нашем холле незнакомка явилась из леса. «Калитка» в заборе укрепила меня в правоте моих предположений. Надо изучить местность. Но одной идти в еловый лес страшно. А тут случайно нашелся спутник. Пару минут я уговаривала Носова пройтись по лесу, и тот в конце концов сдался.

Глава 5

Мы пошли по узкой тропинке.

— Ну и грязь тут, — поморщился мой спутник, — давайте вернемся, пока далеко не ушли.

— Нет, — твердо возразила я. — Зачем столько сложностей, проникать в поселок, кромсать забор, неужели в лес по-другому не попасть?

— Не-а, — поежился Валера, — с другой стороны никто не попрет. Проклятое место. Местные точно побоятся. А посторонние заблудятся. Вы что, ничего про жуть не знаете?

— Нет, — ответила я, — никогда не думала о лесе. Слышала, что за ним река течет, вроде большая.

— Ага! Москва называется, — рассмеялся мой спутник, — переплыть с противоположной стороны ее трудно, потому что широкая она тут. Если мороз крепкий, можно по льду перейти, но сейчас-то декабрь, как осень. Сверху прихватило, да корочка тонкая, ломкая. Шагнешь, и пиши пропало. Но не в реке дело, через нее, если в голову втемяшится, перебраться можно. И где окажешься, когда водную артерию форсируешь? В лесу. Он большой, и никто за ним теперь не следит, подлеска полно, повалышей, сухостоя. Мобильник не пашет, не дай бог, упадешь, ногу сломаешь, тогда крантяк. Группой надо идти, одному стремно. И знать, куда направляешься. Заблудиться ничего не стоит. Даже дед Осип, который раньше лесником служил, и то один раз заплутал, когда со стороны реки шел. А уж он местность лучше своего огорода знал. Почему с Осипом такое случилось? Место это проклятое. Никто из наших сюда не сунется. Графа побоятся. От реки без шансов в целости-сохранности до его дома добраться. Закрутит помещик незваного гостя, уведет в чащу и погубит. От вашего поселка до развалин замка рукой подать. Но местные жители, когда грибы-ягоды собирали, к дьявольским камням не шастали, они корзинки на территории нынешнего Ложкина набирали.

Валерий усмехнулся.

— В деревне моя бабушка жила. Меня ей на все лето дарили. Но и в холодное время, в выходные я постоянно с родителями к ней катался. Поэтому среди пацанов местным считался, не городским пришельцем. У подростков было испытание. Следовало доказать свою храбрость. Как? Отправиться днем к замку. Я экзамен выдержал. А Андрей Михов нет, отказался он к графу в гости заглянуть, теоретическую базу под свою трусость подвел. Дескать, я не корова, чтобы стадом ходить. И его трусом обозвали. Андрюха закричал: «Значит, я трусливый заяц? Лады. Отправлюсь туда ночью, не при солнечном свете! Принесу из замка что-нибудь в доказательство, что я там был».

И приволок ветку, его все оборжали, снова трусом обозвали и вруном в придачу. Такие палки в лесу повсюду валяются. А меня черт за язык дернул: «Я вот не побоюсь! Захвачу что-нибудь с кухни графа». В полночь меня товарищи до опушки проводили, дальше я один двинул. Чуть от страха не обделался, но назад-то пути нет, вернусь с пустыми руками — клеймо «сыкушник» на всю жизнь получу. Достиг я развалин, вошел внутрь, фонариком посветил. В одной комнате пусто, в другой тоже. В третьей нашел чашку, подумал — железная. И назад опрометью. Героем стал. Домой кружку доставил, бабушка, как увидела ее, за ремень схватилась. Живо сообразила, где кружка раньше жила.

Валерий почесал переносицу.

— У бабули-то ремень офицерский, с пряжкой. Неделю я сесть не мог. Сейчас понимаю: она за внука испугалась. Лес-то бедой пропитан. Хотите взглянуть на развалины? Издали?

— Давайте, — кивнула я. — А почему лес проклятым называете?

— Дед Осип детям эту историю часто рассказывал, — вздохнув, произнес Валерий.

Я шагала рядом с Носовым, внимательно его слушая.

В незапамятные времена, бог весть в каком году, царь-государь поймал графа Филиппа Юсупова на краже средств из казны. Времена стояли суровые, графа собрались казнить, бросили в острог, Юсупов стал молить Богородицу о спасении своей жизни. Дева Мария сжалилась над ним, явилась ему во сне и велела:

— Прими монашеский постриг, возведи в лесу обитель, сделай в ней приют для больных бездомных. Посели там тех, кого никто лечить не хочет, прояви о них заботу.

И что оставалось делать графу? На тот свет он не спешил, поэтому пообещал Божьей Матери подчиниться ее воле. На следующий день царь неожиданно помиловал казнокрада. Граф возвел небольшой монастырь и больницу. В клинике лечили бродяг с туберкулезом, сумасшедших, сифилитиков. Очень скоро вокруг больницы возникло кладбище. Обитель работала до тридцатых годов прошлого века. В столице закрыли почти все церкви, разграбили Марфо-Мариинскую Обитель Милосердия, а ее настоятельницу святую Елисавету отправили в ссылку, потом сбросили игуменью в рудник близ Алапаевска. А пустынь графа находилась в медвежьем углу, дела до нее никому не было. Про монастырь в лесу большевики забыли, но потом пришел и его черед. Монахов кого расстреляли, кого прогнали, из госпиталя сделали приют для детей, чьих родителей большевики казнили. Обращались с малышами плохо, кладбище в лесу стало намного больше.

В конце сороковых интернат прекратил свое существование, лет десять он ветшал, потом его превратили в психиатрическую лечебницу, она работала до конца девяностых, затем закрылась.

Нынче в лесу можно увидеть лишь развалины дома, который местный народ зовет графским. А на берегу реки до сих пор ветшает здание, где сначала жили больные, потом сироты, затем умалишенные. Понимаете, какая аура у местности?

Современные жители окрестных деревень узнали историю развалин от своих бабушек, а тем ее поведали родители. Что правда, что ложь, спустя века узнать невозможно. Местные старики внушают внукам с пеленок:

— Там зараза. Пойдешь за сокровищем, подцепишь страшную болезнь. Или привидение встретишь. Призраки злые, потому что это души сумасшедших, коммунистов, безбожников, тех, кто храмы рушил.

О каком кладе идет речь? У каждых мало-мальски уважающих себя руин есть легенда о хозяевах, которые, убегая от большевиков, войск Наполеона, от гнева царя Ивана Грозного, Петра Первого, татаро-монгольского ига, Всемирного потопа (выбирайте, что вам более всего по вкусу), зарыли в саду, лесу, на кладбище, в местном храме все свои многочисленные драгоценности. Многие из тех, кто в детстве жил летом в деревне у родственников, могут рассказать подобную историю. Семилетняя Дашенька, приезжая с бабушкой на лето в село Глебовка, бегала с местными ребятами в разрушенный храм. Мы там искали золотую чашу с бриллиантами, договорились, как поделим их. Лично я строила большие планы, мне до трясучки хотелось иметь немецкую куклу, которая умеет закрывать глаза, говорить «ма-ма». А еще я собиралась купить два кило сливочных тянучек и теплую шаль для бабушки, очень надеялась, что моей доли алмазов на все хватит. Почему дети решили, что в церкви спрятаны сокровища? А нам сказала Лида, которая постоянно жила в Глебовке и знала все местные тайны.

— Сумка! — с изумлением воскликнул Валерий. — Откуда она?

Я вынырнула из воспоминаний.

— Что?

Валерий показал на большой куст.

— Вон висит.

В ту же секунду я заметила небольшую темно-синюю торбочку на длинном ремне, схватила ее и открыла. Внутри увидела губную помаду и несколько визиток с фотографией. Я сразу узнала женщину, которая умерла в холле нашего дома. Ее звали Вероника Глебовна Невзорова.

— Значит, она отсюда пришла, — пробормотала я, — интересно, что эта Невзорова тут делала? Далеко до дома графа?

— Меньше пяти минут ходу, — заверил Валерий, двигаясь вперед.

— Там кладбище, — испугалась я, спеша за ним, — сейчас день, а здесь из-за высоких густых елей темно. Даже вдвоем жутко.

— Покойники тихие, — усмехнулся Валера.

— Видите памятник? — прошептала я. — Большой камень! На нем видна фамилия, имя, отчество. Золотом написано Капельфан Модест Модестович. И год указан. Тысяча семьсот десятый. А там еще несколько маленьких камней, на них кресты нарисованы. Отсюда не видно, для кого они поставлены. Грустно оказаться на заброшенном, никому не нужном погосте. Сплошное запустение. Похоже, сюда давно никто не заглядывал.

— Что за черт! — прервал меня Носов.

Он так резко остановился, что я ткнулась носом в его спину. Валерий сделал несколько шагов вперед, я последовала за ним, увидела небольшую ямку и мужчину, который лежал лицом вниз. Около него валялось несколько грязных дисков, похожих на маленькие блюдца.

— Не двигайтесь, — велел Валерий. — Эй, парень! Ау!

Ответа не последовало.

— Он, похоже, умер, — прошептала я, — женщина, которая к нам в дом прибежала, его нашла или с ним была, испугалась, понеслась за помощью... Надо вызвать Дегтярева. Ой, у меня голова сильно кружится. Можно, я возьму вас за руку?

— Мобильные в лесу не пашут, — сказал Носов, — быстро назад.

Глава 6

Не помню, как я добралась до дома. Вроде Валерий довел меня до крыльца и, кажется, Евгений открыл дверь. Дальше провал. Очнулась я на кровати в своей комнате, на тумбочке стояла чашка с остатками чая, лежал детектив Смоляковой. Я была в джинсах и свитере, только носки с меня заботливо сняли и прикрыли пледом. В первую секунду я не поняла: сейчас утро, вечер? Почему я одета так, словно собралась на улицу? И тут мне вспомнился поход в лес. Я села. Как сохранить в тайне от Манюни все, что произошло? Нельзя нервировать девочку, которая готовится стать матерью. А поскольку Юра мог проболтаться жене, то мы с Александром Михайловичем в тот момент, когда полковник уезжал со своей бригадой, решили ему тоже ничего не сообщать. Но ведь в поселке есть охрана, которая может рассказать местным шоферам и горничным о происшествии. Есть соседи, например, не страдающая излишней деликатностью Нина Косова, она может остановить Машу и Юру, когда те пойдут погулять, и поинтересоваться: «А кто у вас в доме умер?»

Я потрясла головой. Труп в лесу! Надо срочно позвонить Дегтяреву! Я схватила трубку. «Телефон абонента выключен или находится вне зоны действия сети». Я вскочила, вышла из спальни и побежала по лестнице с криком:

— Женя! Ни в коем случае не говорите никому про труп в холле, Маша не должна знать...

Договорить я не успела, потому что очутилась в столовой, где увидела Манюню, Юру, Дегтярева и всех собак вместе с вороном Гектором.

— Труп? — воскликнула Маша. — Чей?

— Э... э... э... — пробормотала я, — ну... случайно... я увидела на кухне...

И тут, на мое счастье, из зоны кухни в столовую выплыл Женя. Вид Коробко меня потряс.

На нем красовался бирюзовый сюртук с синими лацканами, бриджи цвета спелого баклажана заканчивались чуть пониже колен, далее шли белые чулки и ботинки того же цвета на толстой подошве и каблуке. Штиблеты украшали блестящие пряжки. На голове парня сидел парик с буклями.

— Просто реклама шоколада «Французский шик», — неожиданно заявил Юра, из которого обычно слова не вытянешь.

— Лапен с микроглобато в андалузском соусе, с ягодами червленой сливы, — объявил Коробко и водрузил на стол блюдо, закрытое никелированной крышкой.

— Ух ты! У нас есть такая посуда, — изумилась Маша. — Мусик, а где она хранится?

— Впервые вижу эту утварь, — призналась я. — Женя, где вы нашли ее?

— В дальних кладовках, — доложил Коробко.

— Звучит, как в сказке, — хмыкнула Манюня, — в дальних кладовках, за тридевять земель, у самого синего моря.

— У нас есть дальние кладовки? — поразилась я. — Где вы их нашли?

— Потом выяснишь, что в особняке хранится, — остановил меня Дегтярев. — Уважаемый... э...

— Женя, — подсказал Коробко.

— Что такое папен? — осведомился полковник.

— Лапен, — поправила я, — что на суахили французов означает кролик, а вот про микроглобато я ничего не знаю.

— Не хочу червивую сливу, — встрепенулась Маша, — фрукты с паразитами отнюдь не любимый мною гастрономический изыск.

— Микроглобато — тефтельки из рисовой муки и грибов, — объяснил Женя и поднял крышку, — к ним чернослив, тушенный в сливочном масле.

— Ух ты! — пришел в восторг Юра. — Те, кто до вас в Ложкине работал, умели только картошку варить.

— Причем до полуготовности, — пробурчал Дегтярев и взял вилку, — снаружи она разваливалась, а внутри походила на бильярдный шар по вкусу.

— Ты грыз шары? — засмеялась Маша. — Теперь понятно, куда они подевались со стола, включая кии.

Полковник нацелился на кусок кролика, но Женя взял блюдо, обошел стол и положил Дегтяреву выбранную им ножку, потом подошел к Маше с вопросом:

— Какую часть лапена желаете?

Спустя пять минут в столовой воцарилась полная тишина, прерываемая лишь чавканьем домочадцев. Потом я воскликнула:

— Вы гениально готовите!

— Благодарю за чрезмерно положительную оценку моих скромных стараний, — потупился Коробко, — и прошу прощения за простое блюдо к ужину, для создания настоящего изыска мне не хватило времени.

— Восхитительно! — протянул Дегтярев.

— Невероятно, — подхватила Манюня.

— Зачетно, — заметил Юра.

Женя метнулся на кухню со словами:

— Теперь пирог «Мария Антуанетта».

— Он в меня точно не влезет, — вздохнула Маша.

— Заварной крем, малина, меренги и шоколад, — пропел Коробко, водружая в центре стола подставку с тортом.

— Фарфорина на ножке в виде ангелочка тоже из дальних кладовок? — поинтересовалась Манюня.

— Нет, из средних, — совершенно серьезно ответил Коробко, — я нашел там прелестные скатерти с ручной вышивкой. Если Дарья разрешит, постелю их завтра.

Я опешила. Скатерти с ручной вышивкой? Средние кладовки? Где это все Евгений обнаружил? Совершенно не помню, когда приобретала эти вещи. Хотя, наверное, нам их дарили на дни рождения или Новый год. До сих пор никто из домработниц не использовал эту красоту.

— Мусик, — простонала Маша, орудуя ложкой, — такие меренги я даже в Париже не ела. И в Милане их хуже делают. Где Женя?

— Куда-то делся, — ответила я.

— Мы его оставляем, — отрезал Дегтярев, — хочу лапена вкушать каждый день. И торт. И червивые сливы.

— Червленые, — поправила я, — это слово давно устарело, оно означает: красный, багряный. Сливу, похоже, в духовке приготовили.

Через полчаса я поднялась в свою комнату и снова лишилась дара речи. Кровать была разобрана, и я не узнала постельное белье. Оно оказалось нежно-бежевым с золотистой каймой. На одном «ушке» наволочки был вышит вензель «ДВ». Одеяло походило на облако, подушки взбили, на тумбочке лежал новый детектив Смоляковой, стояли очаровательная чашка, разрисованная зайками, и матерчатая грелка в виде кошки. Я подняла ее, под ней был маленький чайничек.

Женя заварил мне напиток из мелиссы, ромашки и еще чего-то такого, что французы называют «тизан» и пьют на ночь от бессонницы.

Не успела я осмотреть свою спальню, как ко мне вошла Маша в халате.

— Мусик! У нас с Юрой какая-то оргия порядка. В ванной банки, флаконы, бутылки с шампунями выстроены по ранжиру. В гардеробной брюки-рубашки-юбки-платья висят комплектами. Следует признать, что мне до сих пор не приходило в голову надеть вместе с бордовой юбкой свитер с принтом в виде зайца. Но получилось хорошо.

В комнате появился Юра и, как всегда, ничего не сказал.

— Какой у тебя красивый пеньюар, — восхитилась я. — Сегодня купила? Прелесть!

— Он в ванной у нас висел, — объяснила Маня, — я решила, что Коробко перепутал, сказала ему: «У меня такой шмотки нет, это мамина». Женя возразил: «Я нашел в дальней кладовке чемодан, на него наклеена этикетка: «Мария». Представляешь? Начисто про пеньюар забыла!

Я взяла телефон.

— Сейчас позвоню Ирке, пусть она объяснит, что за чуланы такие в Ложкине имеются. Алло!

— Бонжур вам, — нараспев произнесла наша домработница, которая теперь прочно обосновалась во Франции, следит за домом, обзавелась подругами и совсем не хочет возвращаться в Москву, — парле муа кеске ву ве? Манже из буланжери? Или йогур авек фруи?[1]

---

[1] Скажите мне, что вам надо? Еда из булочной или йогурт с фруктами? — Это так называемый «русский французский».

Несмотря на ужасное произношение, Иру можно было понять.

— Спасибо, не откажусь от еды из булочной и йогурта с фруктами. Но боюсь, доставка много времени займет, — вздохнула я.

— Так вы наша, — обрадовалась Ирка, — не сомневайтесь, все привезут в течение получаса. Если только вы не в Лондоне. Хи-хи. Шутка.

— Живу неподалеку от Москвы в Ложкине, — серьезно уточнила я. — Управитесь за тридцать минут?

И я включила громкую связь.

— Ой, здрассти! Не узнала вас сначала, — затараторила Ира, — богатая будете. Мы тут с Ваней подумали, чего без дела куковать, ждать, когда вы прилетите и работать придется. Договорились в лавках нашего района, сделали сайт в интернете. Народ звонит, заказы делает, Ваня доставляет, он на табуретке быстро ездит.

Перед моим взором мигом появилась картина: совсем не худенький и не маленький Иван, сев на кухонную табуретку, катится по узким парижским улицам с воплем: «Разойдись, народ, срочная доставка жрачки клиентам». Ирка кое-как научилась объясняться на языке Гюго и Бальзака, а вот ее супруг на редкость бездарен в лингвистическом плане.

Наверное, на моем лице появилось выражение недоумения, потому что Юра быстро пояснил:

— Табуретка не из кухни. Это такая штука с рулем и колесами вроде мопеда. Хотите расскажу, чем она отличается от мотоцикла?

Чтобы не обижать зятя отказом, я, бормотнув: «Конечно, но не сейчас», спросила у нашей «француженки»:

— Ира, в Ложкине есть помещение, куда не ступала нога человека?

— Уточните чья, — потребовала Ирка, — хозяйка и горничная по разным маршрутам бегают. Зачем вам в постирочную? А ей за каким чертом в библиотеку? Разве только пыль смахнуть!

— Не занудничай, — велела Маша, — назови закоулки, куда никто не заглядывал сто лет!

— Манюнечка! — обрадовалась Ирка. — Как ты себя чувствуешь? Тошнит?

— Очень редко, только все воняет, — пожаловалась Маша.

— Ну ничего, скоро постоянно наизнанку выворачивать будет, — пообещала Ирка.

— У нас есть чуланы, в которых неизвестно что лежит? — остановила я Ирину.

— Да везде хлам, — ехидно доложила та, — даже в Париже ухитрились кавардак устроить. А я и не разбираю. Смысл? Приедете и снова все расшвыркаете. В Ложкине просто атас! А почему вы спрашиваете? Чего потеряли?

— Наоборот, нашли, — сказала я и поведала про Коробко, посуду и вещи.

— Знаю, в каком месте больной аккуратностью рылся! — заголосила Ирка. — Дальние, средние кладовки! Вот же придумал фигню. Он набрел на сараюшки, которые застройщик по договору поставил.

— Точно! — обрадовалась я.

Когда мы покупали дом, владельцы поселка пообещали не только нам, но и всем жителям Ложкина бесплатные помещения для хранения разной белиберды. И устроили чуланы в административном здании.

— Когда заселялись, вы туда уйму всего спрятали, — ворковала Ирка, — сначала забили дальний отсек, потом тот, что ближе. Никто понятия не имеет, чего там захованo. Вы туда лет пятнадцать носа не совали. Интересно, зачем этот Шкатулко в хранилище лабудени попер?

— Завтра спрошу у него, — пообещала я, — надо мне там порыться. Похоже, в чулане много интересного.

Глава 7

Разобравшись с тайной появления неизвестных вещей, я отправила Машу и Юру спать, а сама поспешила к Дегтяреву. Александр Михайлович сидел в кресле с айпадом. Увидев меня, он быстро захлопнул планшетник и спросил:

— Ну? Между прочим, я работаю.

Я откашлялась.

— Извини, что только сейчас завожу разговор. Понимаю, следовало сказать раньше. Но дома Маша. Надеюсь, ты понимаешь, почему я сразу не сообщила шокирующую новость: в лесу за поселком...

— Труп мужчины, — перебил меня полковник, — ты мне позвонила вскоре после того, как мы уехали, забрав тело женщины. Закричала: «У проклятых “развалин” мертвый человек. Валерий Носов, местный мастер на все руки, подозревает, что секьюрити впустил на территорию поселка преступника, который сделал проход в заборе». Потом раздался голос Жени: «Дарья в ужасном состоянии, ее трясет. Дам ей чаю с коньяком. Приезжайте, пожалуйста, побыстрее. Кажется, случилась новая беда. Хозяйка принесла чужую сумку». Когда я примчался, ты храпела в своей спальне. Коробко отдал мне торбу. И передал то, что ты ему сообщила: часть забора превращена в калитку, в чаще мертвец, кладбище, на дереве висела сумка. Думаю, тебе надо отправиться спать.

— Чье тело найдено в лесу? — не отставала я.

— Спокойной ночи, — огрызнулся толстяк.

— Имею право знать, — возмутилась я, — если бы не я, не найти тебе ни сумки, ни покойника.

Полковник встал.

— Ладно, слушай. Два дурака, Вероника Невзорова и еще один, поперли в лес. Наслушались сказок про клад и решили поискать деньги. Или драгоценности, в общем, не знаю что. Он внезапно умер. Скорей всего у него инсульт. Она перепугалась, побежала в поселок за помощью. Наш дом оказался первым жилым на пути. Невзорова постучалась, вошла в холл и тоже скончалась. Все. Конец истории. Они грабители старых могил. Ничего оригинального, таких вандалов много.

— Что валялось около трупа? — полюбопытствовала я. — Похожий круглый предмет сжимала в руке Вероника. И кто она такая? Где живет, работает?

Александр Михайлович закатил глаза.

— Ну все! Теперь ни минуты покоя не будет. Вместо того чтобы лезть не в свое дело, приставать к человеку, который устал, но тем не менее решает важные служебные проблемы, займись запущенным домашним хозяйством. У тебя в доме есть нехоженые чуланы. Разбери их. Наведи порядок. Устанешь и отстанешь от меня.

— Твои люди не догадались пойти в лес, а я там вон сколько всего нашла! — возразила я. — Скажи «спасибо», в противном случае личность умершей мог бы и не установить.

— Без тебя знали, что надо окрестности осмотреть, — взвился толстяк, — не следовало лезть поперек умных людей.

— Умные люди уехали, — напомнила я, — в сторону чащи даже не посмотрели. Не лезу я в твое расследование. Но имею право...

— У тебя есть право изучить свои чуланы, вот и воспользуйся им, — схамил Дегтярев, — остальное не твоего ума дело. До свидания.

Я молча развернулась, дошла до своей спальни, позвонила Семену Собачкину, рассказала о случившемся сегодня в нашем доме и попросила:

— Сеня! Хочу выяснить, что узнал полковник.

— Решила ему нос утереть? — засмеялся вдалеке Кузя.

— Просто надоело, что Дегтярев держит меня за дуру, — призналась я. — Кто обнаружил сумочку? Думаешь, полковник мне «спасибо» сказал? Единственное, что я из него вытянула: мужчина и женщина, возможно, кладоискатели.

— Чушь, — фыркнул Собачкин. — Откуда в том лесу сокровища?

Я рассказала про монастырь, графа... Семен расхохотался.

— Кто пургу намел?

— Сведения я получила от Валерия Носова, — объяснила я, — он живет неподалеку, поэтому хорошо знает местную историю.

— Дашута, — перебил Сеня, — мое детство тоже здесь прошло. У родителей был дом в Ложкине, я ходил там в школу, потом уехал в Москву, поступил в институт, работал в столице. Спустя годы мы с Кузей основали свою фирму, и я построил коттедж неподалеку от своей малой родины, так сказать, вернулся к истокам. Жаль, старого Ложкина более нет.

— А куда оно подевалось? — удивилась я. — Думала, название для нашего поселка придумали застройщики. Неподалеку расположено Вилкино, вот они и пошутили.

— Нет, Ложкино — село моего детства, — пояснил Сеня, — в выпускном классе в апреле месяце я отправился на олимпиаду в МГУ. Учился в школе, которая в Крючкове до сих пор работает, одни пятерки получал. Дураком я никогда не был, сообразил, что столичные выпускники лучше подготовлены, многие с репетиторами занимались. У моей же мамы денег лишних не было. Да и нелишних тоже не хватало, мне только на себя рассчитывать приходилось. Задумал победить на олимпиаде и в вуз попасть. В газетах сообщили, что МГУ обещает тех, кто первые три места займет, без экзаменов и конкурса сразу зачислить на мехмат. Два дня я в столице кантовался, маме наврал, что меня в гости дачники, которые у тети Кати, соседки нашей, сарайчик снимали, позвали. На самом деле я на вокзале ночевал, вернулся — от деревни одни печные трубы остались. У Кузнецовых пожар полыхнул, все погорельцами стали, многие погибли. Лет десять пепелище народ пугало. Потом его с землей сровняли. Никто там заново строиться не стал. Тем, кто жив остался, дали квартиры в Истре, Нахабине, других местах. Подождешь пару секунд, я за водой сбегаю.

Из трубки послышался голос Кузи, правой руки Собачкина:

— Мать Сени в том пожаре погибла. Она служила медсестрой в психушке, которая в лесу стояла. Собачкин на той олимпиаде победителем стал и в МГУ попал. Какая цифра на камне выбита была?

— Точно не помню, — ответила я, — то ли семьсот десятый, то ли двадцатый год.

— Брехня, — отрезал Кузя, — я влез сейчас в документы. Для начала: монастыря в лесу никогда не было. Графа Филиппа Юсупова не существовало. В тысяча восемьсот семьдесят втором году в лесу около Ложкина построили больницу для туберкулезников. Главным врачом там был Филипп Юсунов. А в тысяча восемьсот восемьдесят седьмом году на свет появился граф Феликс Юсупов. Он потом в тысяча девятьсот шестнадцатом году убьет Распутина. Юсунов — Юсупов. Филипп — Феликс. Имена и фамилии похожи. Поэтому, наверное, народ стал считать, что где-то около больнички его имение. Когда началась Вторая мировая война, больницу закрыли, куда делись больные — неизвестно. Не до туберкулеза было, враг стоял у столицы СССР. В середине пятидесятых клиника вновь заработала, но теперь в ней содержали сумасшедших. Психушка действовала до начала нулевых и тихо закрылась. Это вся история. Нет там кладбища! И надгробия с цифрой тысяча семьсот десять или двадцать тоже. Откуда оно возьмется, если люди с больными легкими там впервые лишь в последней трети девятнадцатого века появились? До этого в лесу одни деревья росли.

— Я сама видела камень, — заспорила я, — и цифра была такая, как я сказала.

— Ты с перепугу не рассмотрела, — засмеялся Кузя, — кто-то недавно похоронил свою кошку. Небось тысяча девятьсот какой-то там указан.

— Глупости, я плохо знаю математику, уравнения с буквами а, b, с никогда не решу. Но вижу отлично и цифры знаю. Где Собачкин? Сколько можно воду искать? — рассердилась я.

— Я давно тут, — сказал из трубки голос Сени, — просто слушал. Прости, Дашута, ты в Ложкине не так давно живешь, а я там родился. Моя мама медсестрой в психушке работала, она мне не разрешала по лесу шнырять, но детей тянуло к сумасшедшему дому. Должен тебя разочаровать, Кузя прав. Особняком графа больница никогда не была. В мое детство в здании жили нормальные сумасшедшие.

— Красиво звучит, — восхитился Кузя, — нормальные сумасшедшие.

— Так небуйных называли, — пояснил Сеня, — тихих, они делали в мастерских всякую ерунду, например коробочки расписные. Мне шкатулки очень нравились, а психи хотели сигарет, которых им, естественно, не давали. Еще там были мастера плести коврики. Я все мечтал получить: и шкатулку, и подстилку на пол, и закладки в книги. Все, что психи производили, школьнику Собачкину прекрасным казалось. И друг мой Никитка Буркин того же мнения был. Его мать уборщицей в клинике пахала, вот она сыну эту прелесть приносила. Моя же мама конкретно высказалась: «Дрянь из больницы в нашем доме не появится! Хватит мне этого “искусства” на службе. Не ной!» Но я твердо решил заполучить вожделенное и придумал способ. Мы с Никиткой пошли в сельпо. Пока он что-то по просьбе бабки покупал, продавщицу отвлекал, я стырил блок сигарет. Потом мы побежали в больницу, решили выменять пачки на коробочки и остальное. Операция прошла удачно, мы вернулись домой с добычей. Я свою часть в детской спрятал, хотел ночью на нее полюбоваться, сел «Спокойной ночи, малыши!» смотреть, обожал эту программу из-за мультиков. И тут к нам тетя Зина, продавщица, ворвалась, с ней тетя Катя, старшая медсестра. В психушке большая часть сотрудниц была из местных, все друг друга знали. Как они орали!

Сеня засмеялся.

— Оказывается, Катя пришла после смены в сельпо и рассказала Зине, что ее сегодня замглавного врача отчитал по полной программе. У больных нашли сигареты болгарские, «Родопи» назывались. Как табачок к сумасшедшим попал? Катя учинила контингенту допрос, один больной сознался, что взял у школьника, чье имя забыл, пачку в обмен на коврик. А Зина как раз недосчиталась «Родопи» и впала в минор. Не «Дымок» дешевый сперли, дорогое курево, с фильтром, иностранное. Тетки стали гадать, кто вор. Катя вспомнила, что видела Сеню Собачкина на территории клиники, а Зина нас с Никитой в магазине заметила. Упс. Сошелся пазл. Ох и вломила мне мама! А Никитке даже «ай-яй-яй» не сказали, он всегда сухим из воды выскакивал, его мамашка только поржала.

— К чему ты эту историю рассказал? — не поняла я.

— Прекрасно знаю территорию вокруг психушки и административного корпуса, — пояснил Семен, — кладбища там никогда не было.

— Умерших хоронили в общей могиле в Пасюкино, — добавил Кузя, — я нашел сведения о захоронениях.

— Я видела большой камень, — упорно твердила я, — дата золотом сияла: тысяча семьсот десятый год, еще маленькие такие надгробия чуть дальше виднелись, на них кресты нарисованы. Но к ним я не подходила, потому что труп нашла.

— Ты обозналась, — хором заявили мои собеседники.

Но я твердо стояла на своем.

— Нет. На валуне кроме цифр еще фамилия была. Имя. Отчество.

— Какое? — полюбопытствовал Сеня. — Назови.

Глава 8

— Не помню, — расстроилась я, — не русская какая-то. Имя нераспространенное. Забыла! Но можно туда еще раз сходить и посмотреть.

— Сходим завтра к этому камню? — осведомился Кузя.

Я промолчала. Ни малейшего желания не испытываю вновь гулять по лесу. Я не трусиха, просто не хочется.

— Погоста никогда не было, — продолжал Собачкин. — Кто лучше знает? Ты или я, который детство в Ложкине провел?

— Когда в последний раз ты там был? — спросила я.

— Очень давно, — признался Семен, — после истории с сигаретами мама пообещала мне, если я еще раз появлюсь на территории клиники или вообще в лесу, она меня отправит к бабке жить, к матери моего покойного отца, куда-то за Урал. Я старуху никогда не видел, испугался и перестал бегать к лечебнице. Хорошо знал — мать слов на ветер не бросает. Застукает меня, и лететь мне к незнакомой старухе. Мама нервничала, что она целыми днями на работе, а сын без присмотра. Но я больше никогда не воровал, учился хорошо, на олимпиаде победителем стал, поступил в МГУ. Отлично знаю: кладбища нет!

— Есть! — зашипела я.

— Ладно, давай поспорим, — предложил Сеня, — на обед в ресторане у Фреда.

— Там дорого, — предостерегла я, — очень большой счет всегда.

— Ага, — заликовал Собачкин, — боишься проиграть!

— Нет, беспокоюсь о твоем кошельке, потому что уверена в своей правоте, — возразила я.

— Завтра вместе сходим туда и узнаем, кто прав, — договорил Сеня.

— Пока вы вели себя, как два барана, которые повстречались утром рано, я нашел информацию на Веронику Глебовну Невзорову, — объявил Кузя, — она москвичка, одинокая. В графе место работы указала: фрилансер.

— Понимай, бездельница, — припечатал Сеня, — мне еще нравится: «блогер». Раньше те, кто гадости про соседей сочинял, назывались сплетниками, клеветниками. А теперь они блогеры. Если кто врет в интернете про знакомых или неизвестных ему людей, переписывает чужие статьи, делая в каждом слове ошибки, рецензирует кинофильмы, которые не смотрел, книги, которые не читал, не имея своих детей, учит молодых родителей, как им наследников воспитывать, издевается над немодно одетой подругой, вопит: «Я свободен, никогда в штат работать не пойду», то он не клеветник, не плагиатор, не безграмотный дурак, не идиот, который хочет выглядеть профессором психологии, не завистник, он — блогер. Но только если солидная газета или журнал предложат ему ставку корреспондента, эта плохо воспитанная личность вмиг «блогить» перестанет и кинется в редакцию на постоянные деньги. Но вот беда, блогерами интересуются только те, кого они презирают, нормальным СМИ, телевидению они не нужны.

— Не злись, — попросила я, — не каждому повезло получить хорошее образование, и отнюдь не все, у кого есть диплом МГУ, интеллигентные люди. Те, кто капает ядом на клавиатуру, — несчастные людишки. Когда человек счастлив, у него нет ни времени, ни желания кропать гадости. Если от кого-то льется негатив, то этот человек скорее всего неудачник или у него нет мира в душе. Очень жаль его.

— Учитывая найденную сумочку, Вероника, скорее всего, находилась на месте смерти незнакомца. То ли она с ним пришла, то ли зачем-то сама в лес подалась, но очень испугалась, когда увидела тело, и помчалась в поселок. Я послал фото на почту, проверь, это она в холле твоего дома свалилась? — попросил Кузя.

Мой айпад тихо звякнул.

Я открыла планшетник, который лежал на тумбочке у кровати.

— Очень похожа. Но выглядит намного моложе.

— Стресс старит, — заметил Кузя, — личность мужчины полиция пока не установила, отпечатки пальцев не помогли. Их у покойного никогда не снимали.

— Значит, он не военный, не фээсбэшник, не полицейский — у них теперь еще и ДНК берут, — перебил его Сеня, — и не привлекался. Круг поиска сужается.

— Ага, — неожиданно согласился Кузя, которому только дай поспорить, — просто надо перерыть миллионы добропорядочных граждан. Флаг нам в руки. Надеюсь, успеем до второго Всемирного потопа.

Дверь в мою спальню скрипнула. Я быстро отключила мобильный, схватила журнал со столика у кровати и сделала вид, что увлечена чтением. Раздался звук шагов, я сразу сообразила, что ко мне вошла не Маша. Она врывается с громким воплем: «Мусик», и не Юра, тот всегда стучит, и у него легкий шаг. Скорей всего притопал Дегтярев. Интересно, что ему понадобилось? И почему толстяк сопит, кряхтит, но молчит?

Я решила изобразить, что лишь сейчас поняла: в спальне кто-то есть, отложила глянцевое издание, повернула голову, собралась воскликнуть: «Это ты?» Но из груди вырвался вопль:

— Мама!

У моей постели одетый в голубую пижаму с изображением котов, обутый в тапки в виде свинок стоял пузатый негр в шапочке для душа. В руках эфиоп держал короткую толстую палку веселенькой розовой расцветки.

— Не надо кричать, — шепнул он, — тихо!

Незваный гость мог и не произносить эти слова — у меня от ужаса пропал голос.

— Помоги мне, — попросил африканец.

— Вы очень хорошо говорите по-русски, — кое-как пропищала я, — без акцента. Наверное, учитесь в Университете дружбы народов?

— Не идиотничай, — сквозь зубы произнес не известно как оказавшийся в доме чернокожий, — хватит дурака валять. Тебе смешно, а у меня проблема.

Я выдохнула. Негр вроде не собирается причинить мне вред. Он не размахивает странной дубинкой, которая должна очень понравиться кукле Барби, не говорит: «Отдавай драгоценности». И вообще он совершенно не похож на грабителя. Домушники не надевают пижаму с тапками, когда отправляются на дело. У них кроссовки, в которых удобно бегать, и тренировочные костюмы. В «свинках» и байковых панталонах далеко не удрапаешь.

— Зачем вам шапочка для душа? — поинтересовалась я.

Негр топнул ногой.

— В инструкции написано, что волосы можно испачкать. Хватит кретинствовать. Встань и сделай что-нибудь. Не могу же я так завтра на работу явиться.

Я решила подольститься к незваному гостю.

— Вы прекрасно выглядите!

Эфиоп наклонил голову.

— Заканчивай этот спектакль!

И тут меня осенило. Пижама, тапки, полиэтиленовый мешок на башке... Через дорогу от нас живет Рената Иванова. Она мулатка, отец ее из Ганы, а мама москвичка. Дети от смешанных браков очень часто получаются хорошенькими, но Рената по-настоящему красива. Она модель, много снимается для разных журналов. Муж ее богатый бизнесмен, значительно старше супруги, и он ревнивее, чем десять Отелло. Сколько раз Рената в слезах прибегала ко мне — и не сосчитать.

— Ну как объяснить Пете, что я люблю его, — плакала она, — в фэшн-мире трудно найти парня, которого интересует противоположный пол. Но Петя мне не верит, готов растерзать каждого, кто в его отсутствие вошел в наш дом. Доставщик пиццы вызывает у мужа истерику.

Наверное, Рената вспомнила пословицу: «Лучше грешной быть, чем грешной слыть», в конце концов она решила оправдать подозрения супруга, привела любовника. И тут, как водится в таких случаях, внезапно появился законный муж...

Я встала.

— Попробую вам помочь.

— Наконец-то перестала идиотничать, — сверкнул глазами незнакомец.

И я вдруг сообразила: у негра голубая радужка. Африканец тем временем направился в сторону моей ванной, распахнул дверь... Он вел себя так уверенно, словно не впервые попал в мой дом. И его походка чуть враскачку, живот...

— Дегтярев? — осторожно спросила я. — Это ты?

— Нет, марсианин, — громко начал полковник и опять перешел на шепот: — очень прошу, перестань изображать, что не узнала меня.

— На самом деле не поняла, кого вижу, — призналась я.

— Ты всерьез решила, что я поверю в этот дешевый спектакль? — скривился толстяк. — После ста лет знакомства ты не поняла, кто перед тобой?

— Во-первых, ты черный, — возразила я, — а раньше имел белый цвет кожи.

— Не знал, что ты расистка, — возмутился толстяк.

Я начала оправдываться:

— Мне все равно, какая национальность, вероисповедание и внешность у человека, главное, его моральные принципы. Но, согласись, странно принять негра за Александра Михайловича. Кроме того, я ни разу не видела на тебе пижаму с кошками, тапки-хрюшки, и с розовой дубинкой ты ранее не разгуливал. Полицейским теперь выдают такие гламурные средства защиты? Погоди, почему у тебя палка? Тебя перевели в патрульную службу?

Александр Михайлович встал около умывальника.

— Домашняя одежда лежала на постели. Сам удивился, но надел. Вид идиотский, но очень все приятное, мягкое, теплое.

— Коробко нашел в дальних кладовках нечто и для тебя, — сообразила я, — теперь объясни, почему ты почернел?

— Только лицо, шея и кисти рук, — уточнил толстяк и протянул мне профессиональный аксессуар стражей закона, — прочитай, там все написано.

Глава 9

Я взяла розовую дубинку и поняла — это узкая, высотой примерно двадцать сантиметров жестяная банка.

— Крышку сними, — велел толстяк, — увидишь инструкцию.

Я выполнила указание, увидела, что внутри яркой упаковки находится вторая, на сей раз стеклянная, а вокруг нее свернутый листок. Я вытащила его и начала читать текст.

«Маск для морды лица с морщиной и старостью. Мазькать каждый вечер, морщин убежит. Кожа попа ребенка ровная, гладкий, барабан похожа. Улыбка всех. Румянец навсегда, зуб сверкать, уши хлопать по ветру. Молодость, красота морды, шея и руками. Травы из гор. Река свежести. Купить в обязанность весь продукт: мыл морды лица, вода косметика, маск, крема, для работы и спать. Состав маск: чисто природные, не синтетик: угол, нефт, масл, экология порядок. Способа потреба: мыть морду лицу мыл фирма «Маск природ». Вода туалетн. фирма «Маск природ». Маск намазюкать слой со слона на морду лица, шей и рук. Зыркала и едало нет намазькивать. Один час сидат-лежат, не жрат, не болтат, не ржат! Молчат. Смыт вода из труба. Намазькать крем «Маск природ». Морда лица сияет свежест зари, щеки арбузы. Молодость сильная и крепкая. Пользовать тока весь продукт «Маск природ». Мешать с другой продукт жуть на морде лица: прыщ, старость, морщин. Пользоват всегда. Вес год. Без перерыв. Купит весь курс со сброской в пять процентов, получит личный сброска двадцатка процентов на два курс. Красотень вашей морды лица в «Маск природ». Фирма держит медал «Лучшая товара всего мира», медал выдал ПРСТУФХЦЧШ».

Я отложила листок и, стараясь не захохотать в голос, поинтересовалась:

— Где ты взял сие восхитительное средство?

— В интернете, — признался толстяк, — на сайте про красоту, здоровье и молодость, его очень все покупатели хвалят. Дай-ка свой айпад.

Не спрашивая у меня разрешения, Дегтярев сбегал к моей кровати, схватил планшетник и вскоре продемонстрировал несколько фотографий.

— Видишь? Справа женщина до использования маски, слева она после трехдневного курса. Потрясающий эффект.

— Ты опытный полицейский, — не выдержала я, — неужели не сообразил, что на снимках разные тетки? Справа непричесанная блондинка без признаков макияжа, нос картошкой, щеки круглые. Возраст примерно лет семьдесят. А слева тридцатилетняя дама с укладкой, губной помадой, тенями на веках, у нее нос с горбинкой, личико треугольное. Дорогой, мне и в голову не могло прийти, что ты попадешься на столь глупую уловку. Кто производитель этих «маск для морды лица»?

— Корея, — процедил полковник, — она сейчас номер один в плане косметики.

— Согласна, — кивнула я, — сама пользуюсь корейскими средствами, очень ими довольна. Но! Все руководства, которые приложены к банкам, написаны на нескольких европейских языках. Грамотность английского текста я оценить не могу, но тот, что на русском и французском, всегда безупречен, как в лексическом, так и в грамматическом плане. Нефти, угля, масла и других, подобных им, «экологически чистых составляющих» в косметике из Кореи нет. То, чем ты намазюкал морду лица, шей, рук, исключая зыркалы и едало, не имеет ни малейшего отношения к настоящей корейской косметике. Ты приобрел нечто непотребное, сваренное в подполе избы в далекой деревне ловкорукими гастарбайтерами из ближнего зарубежья. В качестве последнего штриха отмечу: корейцы никогда не настаивают на употреблении всей своей линейки, наоборот, они пишут, что гель для умывания и лосьон можно взять от любого производителя.

— Хватит умничать! — взвился Дегтярев. — Немедленно сделай из меня нормального человека!

Я открыла шкафчик.

— Нельзя ставить перед женщиной невыполнимую задачу. Нормального человека из тебя мне не по силам сделать. Могу попытаться стереть «маск» с твоего лица. Зачем ты вообще намазюкал морд?

Александр Михайлович сел на пуфик.

— Ну... Щеки у меня как у английского бульдога стали. Морщин полно. Тяну на все девяносто. Да еще толстый. Хочется выглядеть, как в молодости. Понимаю, это невозможно, но хоть чуточку посимпатичнее смотреться. Стал в интернете советы женщин читать. Набрел на маску, не дешевая, отзывы хвалебные, а она не смывается. Ничем.

Мне стало жаль толстяка.

— Не расстраивайся. Сейчас ее уберем. Вот мицеллярная вода, сначала ею лицо протри, потом умойся гелем и вновь станешь белокожим. Средства эти отлично удаляют всю косметику, они ни разу меня не подводили.

Дегтярев ушел, вернулся минут через десять.

— Почему ты до сих пор не умылся? — удивилась я.

— Три раза сделал, как ты посоветовала, — жалобно заныл полковник, — результата ноль.

— Похоже, «маск для морды лица, шей и рук» сделана на основе универсального клея, — вздохнула я.

Следующий час я пыталась избавить Александра Михайловича от восхитительного омолаживающего средства, пустилась во все тяжкие: мыло для тела, гель, которым моют ноги... «Маск» не дрогнула. В ход пошли разные скрабы: для личика, тела, пяток... Лицо приобрело серый оттенок. Малый успех всегда вдохновляет на великие подвиги. Я притащила обычное растительное масло, винный уксус, крупный сахарный песок, гущу из кофемашинки, потом выжала сок из лимона. И вдохновенно создала несколько разновидностей пилинговых наборов. После употребления домашних средств полковник стал походить на индейца.

— Идем по верному пути, — обрадовалась я и приволокла из кладовки порошок для посудомойки.

— Уверена, что им безопасно пользоваться? — закапризничал Дегтярев.

— Как пакость из «угл, нефт и масл» намазькивать, так пожалуйста, — возмутилась я, — это средство для посуды, оно не ядовитое.

Александр Михайлович вырвал у меня пластиковую бутылку.

— Дай сюда. Состав: этил... метил... гмк... бкд... С ума сошла? Там сплошная химия! Я отравлюсь! Насмерть.

— Ты же не станешь есть порошок половниками, — возразила я.

— Через поры кожи яды проникнут в кровь, — занудил Дегтярев.

Я опустила глаза. И где логика? Намазать на лицо не пойми какую дрянь можно, а удалить ее с помощью меньшей гадости, которой тарелки моют, опасно?

Полковник издал стон, глянул в зеркало и молча стал вытряхивать из бутылки белый порошок.

Глава 10

Резкий звонок выдернул меня из сладкого сна, я нашарила трубку.

— Кто там? — простонала я, не раскрывая глаз.

— Сеня, — ответил Собачкин, — мы договорились в лес пойти, хочу выиграть обед у Фреда.

Веки наконец разлепились, я уставилась на будильник. Полдень!

— Ты спишь? — с легкой завистью спросил приятель.

— Нет, — честно ответила я, — проснулась. Буду готова через полчаса.

— Если горизонт чист, дома никого, то я сейчас прикачу, — пообещал Сеня.

— Все давно уехали на работу, — без колебаний ответила я, сползая с кровати.

Примерно через час мы с Семеном шли по лесу и вели мирную беседу.

— Тем, кто сюда попал, определенно помогла охрана, — заметил Собачкин.

— Или кто-то из жителей, — добавила я, — заказал пропуск на машину.

Сеня резко остановился.

— Автомобиль! На чем-то же они приехали!

— Можно добраться на электричке, потом сесть на маршрутку, — возразила я.

— И плюхать два километра до поселка? — скривился мой спутник. — Это неудобно.

— Существует такси, — нашла я новую возможность.

— Все равно надо проверить пропуска на въезд, — сказал Сеня, — тот, кто пилил забор, скорей всего приехала на машине. У него при себе был инвентарь, резак например.

— Как он его включил? — поинтересовалась я. — Розетки в заборе нет.

— Существуют приборы, которые, как телефон, заряжаются, — улыбнулся Семен. — У меня другой вопрос: зачем мужик и Вероника сюда приперлись? Что интересного в лесу? Грязь одна. Ну, где твое кладбище? Валун?

Я показала пальцем на здоровенный серый камень.

— Это он! Чуть поодаль была неглубокая яма, возле которой вниз лицом лежал мужчина.

Приятель подошел вплотную к глыбе.

— Цифр нет!

— Неправда, — засмеялась я, — сейчас сама проверю.

— Пожалуйста, — согласился Собачкин и отошел.

Я взглянула на камень и не поверила своим глазам.

— Пусто!

— Говорил же, нет погоста, — заявил Сеня, — и не было его никогда. Нельзя хоронить покойников где вздумается, существуют строгие санитарные нормы.

— Я прекрасно видела дату, — бормотала я, — и фамилию с именем, просто их забыла.

— Тебе почудилось! От стресса и не такое бывает, — пожал плечами Сеня, — ты очень нервничала.

— Не принадлежу к племени истеричек, — промямлила я. — Были цифры и надпись, а сейчас их нет!

— Ладно, не переживай, все именно так, как ты говоришь, просто белки ночью хвостами цифры и буквы стерли, — с самым серьезным видом заметил Собачкин. — Вроде ты, Дашенция, твердила, что еще были надгробья?

— Да, — кивнула я, — небольшие совсем камни.

— И где они? — ухмыльнулся мой спутник.

Я пробормотала:

— Вон там. Подальше.

— И на них не замечаю крестов, — фыркнул Собачкин, — наверное, их зайчики унесли. Зима настала, снега, правда, нет, одна грязюка, но ведь холодно. Понадобилось избенку украсить, лучше всего ритуальный инвентарь им подошел.

Я молча слушала, как ехидничает приятель. Совершенно уверена: на валуне стояла дата — тысяча семьсот десятый год. А за ним находились другие могильные камни, я не приближалась к ним, что на них написано, не разглядела.

— А вот кресты я видела, — вслух произнесла я, — золотые такие, яркие! Посередине камней нарисованы были.

Собачкин погладил меня по плечу.

— Нервная система пошутила с тобой. Есть люди, которые слышат голоса, а медиумы беседуют с покойниками.

— Намекаешь, что я сумасшедшая шизофреничка? — осведомилась я.

— Конечно, нет, ты просто испугалась, — вздохнул Сеня. — На секунду отвлекись от мысли о своей правоте, подумай про золотые кресты. Они были видны издалека?

— Да, да, — закивала я, — прямо горели.

— Милая моя, — тоном учителя, который отчаялся объяснить двоечнице азы арифметики, завел Сеня, — любая краска с тысяча семьсот какого-то там лохматого года потускнеет. Наверное, ты понимаешь: реставрацию памятников на заброшенном погосте производить не станут. Где небольшая ямка, которую по твоим словам вырыл покойник? Куда подевались непонятные кругляши, лежавшие у тела?

— Наверное, их забрал эксперт, — предположила я.

— А полиция яму в земле закопала, чтобы ежик в нее случайно не упал, — окончательно развеселился Собачкин, — ты же знаешь, как криминалисты поступают: сначала осмотрят место преступления, улики соберут, затем все аккуратно подметут, уберут, на место вернут...

Я вспомнила прихожую нашего особняка, которая после отъезда Раисы и ее помощников выглядела как пейзаж после танковой битвы, и молча пошла по грязи назад.

— Ну ладно, не дуйся, — загудел за спиной Сеня, — каждый может обознаться. Помнишь наш спор? Ты ресторан проиграла.

Я хотела сказать, что не отказываюсь вести Собачкина в трактир, но не успела. Правая нога поехала в сторону, левую потянуло назад. Я попыталась сохранить равновесие, замахала руками, но каша из глины оказалась очень скользкой. Семен, сообразив, что я терплю бедствие, сделал большой шаг, он явно хотел поддержать меня, но не смог, поскользнулся и рухнул на землю. В ту же секунду я шлепнулась на Собачкина, но быстро встала и рассмеялась:

— Спасибо, что расстелился ковром, я совсем не запачкалась.

— Зато я свинья, — констатировал Сеня, поднимаясь.

— Скорей уж кабан, — поправила я, — здоровенный такой, могучий.

— И вонючий, — добавил Собачкин, — вот черт. Часы потерял, браслет расстегнулся. Как их теперь в этом месиве отыскать?

Я отломила ветку и начала ворошить грязь.

— Ура! Вот они!

— Где? — спросил приятель.

— Неужели не видишь?

— Нет.

— Может, я и страдаю глюками, — вздохнула я, наклоняясь, — но на зрение не жалуюсь.

Я схватила круглый предмет.

— Это не мое, — возразил Сеня.

— Точно, — кивнула я, — это грязный кругляш, один из тех, что около трупа валялись. Кое-какой мой бред стал реальностью.

— Никогда не видел ничего подобного, — залязгал зубами Сеня.

Я встревожилась.

— Ты весь вымок. Еще простудишься, побежали скорей домой.

Пока Собачкин мылся, переодевался в чьи-то брюки, свитер и носки, которые ему с поклоном принес Коробко, я сунула кругляш под воду, потерла его щеткой и сообразила: у меня в руках монета из желтого металла.

— Деньги! — опешил Сеня, войдя в столовую. — Старые.

— Уж не молодые, — засмеялась я. — Женя, у нас есть средство для чистки металла?

Коробко протянул руку.

— Разрешите взять? Верну через пару минут сияющим.

— Откуда в твоем доме парень в голубом сюртуке, парике и в белых перчатках, — изумился Собачкин, — прямо персонаж из телесериала про шикарную жизнь олигархов!

Я налила себе чаю.

— Не уверена, что у них служат такие персонажи. Коробко уникален. За один день ухитрился везде порядок навести и нашел ближние-дальние чуланы с уймой всего ценного.

— Кофе дадут? — спросил за спиной знакомый голос.

От неожиданности я подпрыгнула.

— Привет, Александр Михайлович, — обрадовался Собачкин, — вот, заехал к Дашуте, хочу фото Мафи сделать. Одна моя клиентка решила завести себе веселую собачку. Такая, как Мафузла, ей по сердцу придется. О господи! Ты заболел?

Я посмотрела на полковника и поняла, по какой причине у Собачкина вырвался этот вопрос. Лицо Дегтярева было серо-асфальтового цвета, глаза сильно опухли, губы походили на две сардельки, а нос, и без того не маленький, увеличился почти вдвое. Эфиопскую черноту мне ночью удалось отмыть, но цвет кожи полковника сейчас напоминал шерсть мыши, больной лишаем, на сером пространстве его щек и лба были рассеяны белые пятна. И судя по векам, рту, носу у полковника явная аллергия. На что? Задайте вопрос полегче. На «маск»! На растворитель для краски!

На средство для посудомоечной машины. На стиральный порошок! Да на все, чем он ночью «намазькивался» и мылся.

— Я здоров, как бык. Почему ты решил, что я болен? — удивился Дегтярев и начал яростно чесать нос.

— Ну... ты еще дома, — нашел подходящий ответ Собачкин.

— Отчистил, блестит золотом! — объявил Женя, входя в столовую.

Я сделала страшные глаза. Коробко оказался сообразительным, он мигом спрятал монету в рукаве. Слава богу, Александр Михайлович не обратил внимания на заявление Жени, потому что в момент его появления у полковника завопил сотовый.

— Привет, Леня, — недовольно сказал толстяк, — я по делам езжу. Что у вас стряслось? Хуже младенцев команда. Ни на секунду... Как?!!? Врешь!

Лицо Александра Михайловича стало приобретать диковинный фиолетовый оттенок, наверное, полковник краснел от злости, но из-за темного цвета кожи он стал напоминать подгнивший баклажан.

— Глупая шутка, да? — ревел полковник. — Кретинский розыгрыш? Так не первое апреля. Ну, сейчас я приеду! Ну, мало вам не покажется. Ну... ну... прямо! Кто осмотр делал? И как такое получилось? У этого Григория штаны пропали? А мозг у Деревянкина не стырили? Хотя кому он нужен!

Дегтярев быстро пошел к лестнице, заскрипели ступеньки, затем раздались непарламентские словечки:

— ...! ...! ...!

У толстяка много плохих привычек, но при дамах он не матерится. Если душа полковника требует резко высказаться, Александр Михайлович отбежит от представительницы слабого пола подальше. Это называется хорошим воспитанием, орать нецензурщину при женщинах не комильфо. Вот отскочив на пару метров в сторону, пожалуйста, все присутствующие деликатно делают вид, что не слышат выражансов, которые слетели с его языка. И это тоже хорошее воспитание. Сплошное лицемерие сие хорошее воспитание.

Собачкин схватился за свою трубку.

— Кузя! Живо выясни, что случилось в команде Дегтярева. Единственное, что я понял: у какого-то Григория стащили брюки. Жду.

Коробко положил на стол ярко блестевшую монету, размером с кофейное блюдечко.

— Большая деньга, однако, — пробормотал Сеня, — на золотую смахивает. Наверное, дорого стоит.

И тут у Собачкина занервничала трубка.

— Ну, говори, — потребовал Семен, — ух ты! Правда? Прикольно! Ночью? И брюки надел? Ржу не могу! То-то Дегтярев лицо потерял. Ну он им сейчас задаст.

— ...! ...! ...! — понеслось с лестницы.

Я быстро спрятала монету. Мимо меня, громко топая и сопя, пробежал в зону кухни полковник.

– Сделал вам завтрак, — живо сообщил ему Коробко.

— Некогда жрать, когда кругом идиоты! — рявкнул толстяк.

— Положил в ланчбокс, отнес в вашу машину, — пояснил Женя.

— Народ разучился по-русски говорить, — взвизгнул Дегтярев, — бокс-шмокс-покс! Вместо ложки-вилки китайские палочки! Косметика из навоза! Нефть, уголь, газ...

Кипя от возмущения, полковник ринулся в коридор, но притормозил, обернулся и ткнул пальцем в Женю.

— Коробка!

— Здесь! — подпрыгнул тот.

— Надо говорить коробка для завтрака, а не фокс-мокс-токс, — прошипел Дегтярев, — впредь попрошу в моем присутствии высказываться исключительно на русском языке. Я живу в России! Я не ланч жру, а обедаю. Лапен кто? Немедленно положить мне на стол перевод тупого слова!

— Кролик, — услужливо подсказал Евгений.

— Следовательно, на ужин заяц, а не лапен-папен-бабен! — топнул ногой толстяк и умчался.

— Что у него произошло? — заморгала я. — Впервые вижу Дегтярева в таком бешенстве.

— Труп удрал, — рассмеялся Сеня.

Глава 11

— Удрал? — повторила я. — Кто?

— Мужик, которого в лесу мертвым нашли, — пояснил Собачкин.

— Но это невозможно, — сказала я.

— Я слышал рассказы о трупах, которые на прозекторском столе садились, — хмыкнул Собачкин.

— Леонид один из лучших экспертов и далеко не новичок, — ринулась я на защиту патологоанатома, — он покойника с живым никогда не спутает.

— Выслушай сагу, — весело хихикая, перебил меня Сеня, — потом выводы делай.

— Говори, — согласилась я и услышала занимательную историю.

Леонид вчера по дороге из Ложкина на работу купил пирожок с рыбой, когда он, протащившись по всем пробкам, вошел в офис, то ощутил недомогание, да такое сильное, что ему вызвали «Скорую». С диагнозом отравление патологоанатома увезли. Поэтому на мой второй вызов бригады в лес отправился Григорий, молодой парень, пару дней назад взятый на службу. Дегтярев был страшно недоволен заменой, но альтернативы не оказалось, Леня лежал под капельницей, и ему не стало лучше.

Понимая, что начальник зол, и боясь совершить какую-нибудь ошибку, Гриша долго возился в лесу. Мужчина определенно выглядел мертвым, труп запаковали в мешок и повезли в морг. Наступил вечер, Гриша не ел, не пил, устал, очень хотел домой. Александр Михайлович уже уехал, но он позвонил Деревянкину с вопросом:

— Причина смерти?

— При первичном осмотре ничего не выявлено, — отрапортовал парень. — Почему он скончался, выясню завтра при вскрытии. На инфаркт похоже. Или инсульт. Или еще чего. Подозреваю не насильственную смерть. На руках нет защитных ран...

— Не балаболь, — перебил недавно испеченного прозектора полковник, — работай. Завтра четко доложи результат. Гадать на бобах не надо. А сейчас отправляйся домой.

Григорий, похоже, обиделся. Он пожаловался на грубость полковника своему помощнику и пошел в душ. Мылся Гриша долго. Он не только испачкался в лесу, но и продрог, как цуцик, поэтому с удовольствием наслаждался горячей водой. Выйдя в раздевалку, Гриша открыл шкафчик, хотел одеться и ехать домой, но не нашел своих вещей. Внизу стояли только кроссовки. Весьма странно, но при росте метр восемьдесят шесть Деревянкин носит обувь тридцать девятого размера. Ну прямо, как девочка. Наверное, поэтому кроссовки Григория не тронули, они мало на кого налезть могут, а брюки, рубашка, куртка испарились. Сначала парень подумал, что перепутал шкафчики — они не запираются. Но потом заметил свою обувь, решил, что кто-то из старых сотрудников захотел посмеяться над новичком, и методично обыскал раздевалку. Однако вещей не обнаружил. Розыгрыш не показался Деревянкину смешным. Гриша разозлился, решил утром громко сказать, что думает о подобных хохмах, позвонил своей девушке, та привезла брюки, рубашку, пальто, и патологоанатом наконец-то смог отбыть домой. Утром, придя на работу, Григорий хотел начать вскрытие, открыл холодильник и выкатил... пустые носилки.

Деревянкин вытаращил глаза и решил, что он перепутал ячейки, распахнул соседнюю, потом следующую, затем верхнюю, нижнюю... все были с женскими телами. Ни одного покойника мужского пола в морге на тот момент не оказалось.

Не понимая, коим образом мертвец мог исчезнуть из морга, Деревянкин затаился. И что потом выяснилось? В районе часа ночи мимо будки охранника прошел мужчина. Секьюрити дремал и не обратил особого внимания на того, кто покидал здание. Если б парень входил, тут бы его притормозили, попросили пропуск. Но при выходе никто документами не интересуется. Раз убегает, значит, его ранее впустили, все с человеком в порядке. И то, что некто прошел на улицу за полночь, тоже не стало поводом для повышенного внимания. Структура, в которой служит Дегтярев, не знает суббот, воскресений, праздников. Рабочий день у сотрудников не нормирован. Охранник не всполошится, когда мимо него в четыре утра промчится бригада на выезд или какая-то команда вернется в офис. Если подвести итог: труп ушел, нарядившись в вещи Деревянкина, а вот ботинки молодого эксперта оказались «покойнику» маловаты, поэтому он приватизировал штиблеты одного из санитаров, которые мирно куковали в соседнем шкафчике.

В связи с произошедшим у сотрудников Дегтярева появились две версии. Григорий обознался, принял живого за мертвого, а «труп» очнулся и дал деру. Или жмурика элементарно сперли. Второе предположение было совсем уж фантастическим. Если мимо секьюрити люди потащат носилки, на которых лежит большой мешок, то компанию точно остановят и начнется разбирательство. Оживший покойничек как-то ближе к реальности, хотя тоже полный бред.

— Они нашли умершего? — уточнила я.

— Пока нет, — еще сильней развеселился Собачкин. — Гриша утром испугался, воды в рот набрал, никому ничего не сказал. Ну не идиот ли? В десять появился главный патологоанатом, началась конференция, и тут Деревянкин покаялся, признался, что до начала совещания изучил не по одному разу все холодильники и каталки. И что уж совсем тупо, сравнил лица каждой «постоялицы» женского пола с фото найденного в лесу мужика. Но никого, даже отдаленно похожего, в прозекторской не нашлось.

— С ума сойти! — воскликнула я. — Понимаю, что ты говоришь правду, но поверить в эту историю трудно. А Вероника Глебовна Невзорова? Она никуда не утопала?

— Она на месте, — ответил Сеня. — Если рассуждать логически, то...

— Григорий ошибся, — перебила я, — принял живого человека за мертвого.

Семен сделал большой глоток чая.

— Ох, хорошо горяченького хлебнуть. Пару секунд всего в луже лежал, а продрог так, словно год в сыром погребе сидел.

— Вот это и странно, — удивилась я.

— Снега нет, мороза тоже, — начал жаловаться Собачкин, — если на улицу глянуть, то на скорое приближение Нового года совсем не похоже, будто не декабрь, а дождливый ноябрь на дворе. Когда сыро, всегда очень холодно...

— Не о тебе говорила, — отмахнулась я, — в момент нашего с Валерием появления на кладбище...

— Погоста не было, — не упустил возможности напомнить Сеня.

— ... Мужчина лежал на земле, — продолжала я, — в верхней одежде, но все равно, он должен был здорово замерзнуть. Деревянкин новичок и балбес в придачу, не смог отличить мертвого от живого. Но! Давай восстановим цепь событий. Можно предположить, что Вероника побывала на погосте. Она пошла в лес. Зачем, мы не знаем, как она попала в поселок, тоже не ясно.

— Кладбища... — начал Сеня.

Я махнула рукой.

— Уже слышала не один раз. Почему я думаю о визите Невзоровой в лес? У нее в руке была грязная монета, аналогичная той, которая сейчас отчищенная лежит на столе. Вероника увидела тело, испугалась, побежала к людям, миновала два пустых дома и начала стучать в наш. Издали видно, что в особняке живут: занавески на окнах, машина под навесом. Вероника вбежала в прихожую и умерла, наверное, от стресса. Очень она испугалась. Приехали полицейские, возились в холле, уехали, я пошла в лес... Представляешь, сколько времени мужик пролежал в холодной грязи? Мы не знаем, когда он упал, можем лишь подозревать, что в момент появления Невзоровой он уже выглядел покойником. По идее, он должен был замерзнуть до предела.

— Может, его парализовало? — предположил Сеня. — С некоторыми несчастными случается эффект, который медики называют «запертый». Разум сохраняется полностью, а человек обездвижен, речь отсутствует, сердцебиение настолько слабое, что его человеческое ухо не улавливает.

— Но спустя время человек с параличом бойко вскочил, стащил одежду у Деревянкина и удрал? — не утихала я.

Собачкин взял с блюда булочку.

— Настоящие колдуны вуду, которые на Гаити живут, умеют поднимать из могил мертвецов. Делают из них зомби, которые покорно исполняют все желания ведьмаков.

— О! Ты веришь в черную магию, — восхитилась я, — сушеную лягушачью лапу в кошельке держишь? Говорят, она деньги приманивает. Значит, сейчас по Москве бродит зомби, который подчиняется приказам неизвестного злодея?!

Собачкин взял чайник.

— Звучит, как сюжет фантастического сериала, но другого объяснения нет. С кладбищем ты ошиблась, не было его, а вот в отношении парня тебе в голову правильная мысль пришла: не мог он просто так долго на холоде проваляться, чем-то его опоили.

— Зачем? — воскликнула я.

— Вопрос дня, — вздохнул Собачкин и показал на монету, — готов признать: вырытая ямка имела место быть, оттуда вытащили деньги. Может, мужик сокровища искал?

— Похоже, он их нашел, — протянула я.

— Возможно, — пробормотал Семен. — Знаешь, что самое интересное? Когда новый патологоанатом Григорий к трупу подошел, там ничего не было. Ни ямы, ни этих монет, ни надгробий. Просто лес. И ямка отсутствовала.

Глава 12

— Бред просто, — опешила я.

Собачкин вынул из сумки айпад.

— Тело нашли вы с Валерием?

— Да, — кивнула я.

— Что вы сделали дальше?

— Вообще ничего не помню. Судя по словам Дегтярева, я звонила ему, — объяснила я.

— Прямо из леса?

— Нет, там мобильный не берет, — поежилась я. — Вроде Валерий меня домой проводил, наверное, из особняка я смогла связаться с Александром Михайловичем. Провал в памяти.

— Дальше как?

— Проснулась в своей спальне на кровати, — протянула я, — в джинсах, пуловере. Поздно вечером я поговорила с Женей, он сказал, что обнаружил меня в холле на пуфике с телефоном в руке, уложил спать.

— Нервы расшалились, — нашел объяснение моему состоянию Собачкин. — Когда Александр Михайлович приехал?

— Точно время не назову, когда я очнулась и спустилась в столовую, все дома были. Уже стемнело за окном.

— В декабре рано смеркается, — заметил Сеня. — Ты Дегтяреву рассказала про надгробные камни и кругляши?

Я взяла монету.

— Похоже, она золотая. Нет, думала, он их сам в лесу видел. Здесь выбит год — тысяча триста какой-то, не разобрать дату. Можешь отдать находку на экспертизу?

— Именно так я и собрался поступить, — кивнул Собачкин.

— Достань еще адрес Носова, — попросила я, — он в деревне рядом с поселком живет. Спрошу у него, что он видел. Люди Дегтярева с Валерой беседовали?

Собачкин полистал айпад.

— До десяти утра сегодняшнего дня нет.

— Надеюсь, мастер на все руки сейчас дома, — обрадовалась я. — А что про Веронику Невзорову известно?

Сеня опять устремил взгляд на экран.

— Ничего особенного, училась в институте рекламы и экономики, живет в центре Москвы, перебралась в новую квартиру из коммуналки. Отец был работником типографии, мать портниха.

Сеня взял еще одну булочку.

— Вкусные, сил нет! Более о госпоже Невзоровой ничего не сообщу. Откуда она средства на просторные хоромы взяла? Понятия не имею. Наверное, есть богатый любовник. В загс не ходила, нигде не работает, просто наслаждается жизнью, отношений не оформляет. Прописана в столице в Лыковом переулке, он прилегает к Большой Ордынке, это самый центр. У Вероники целый этаж. До ее счетов в банке Кузя пока не добрался, но это вопрос времени.

— Интересно, почему обеспеченная женщина, дешево одевшись, пошла в лес, где находятся развалины психиатрической лечебницы? — пробормотала я.

— Самому интересно, — признался Собачкин.

Я встала.

— Пусть Кузя найдет информацию по монетам. Возьми ту, что случайно мне попалась, и отдай на анализ. Хочется знать: она золотая или нет? Еще неплохо поговорить с кем-то из родственников Невзоровой. А я поеду, пообщаюсь с Валерием.

— По документам Вероника одинокая, — напомнил Сеня. — Ты с Кузей нас наняла, являешься клиентом. Заказчики по делу не носятся.

Я пошла в коридор.

— Считай меня эксклюзивным экземпляром. Мне с Валерой будет легче договориться, чем тебе. Давно знаю Носова, он для нас постоянно разную работу делает: всякий мелкий ремонт, снег с крыши счищает. Зимнюю резину на летнюю меняет, в сантехнике и электричестве разбирается. На все руки мастер. Тихий, спокойный, неболтливый. И ему очень деньги нужны. Но зачем, точно не знаю, Носов никогда о своих семейных проблемах не сообщает. Просто у нас с ним договор: он получает за работу деньги раз в месяц, ему нравится, когда солидная сумма в кошелек падает, а не капли цедятся. Один раз он попросил деньги на неделю раньше, очень смутился, объяснил: «У меня родственница в больнице на постоянном проживании, сейчас клинику меняю, там требуют на депозит сразу сто тысяч кинуть, не хватает немного. Уж простите, что вас обременяю». Но это всего один раз случилось, и давно, несколько лет прошло, более он о больной речи не заводил.

— Где находился Носов, когда ты, трясясь от холода, домой вчера прибежала? — поинтересовался Сеня.

Я задумалась.

— Не поверишь! Не помню. Как в тумане все. Женя!

— Здесь! — крикнул Коробко, возникая в столовой. — Готов исполнить любое ваше требование.

— Помните, как Дарья вчера пришла домой из леса? — спросил Собачкин.

— В состоянии нестояния, — вздохнул Коробко, — сидела в прихожей на пуфике, дрожала, в руке мобильный, взор стеклянный, зевала без остановки. Я хозяйку в ее спальне уложил, чаю ей имбирного заварил. Она вмиг заснула. Вечером только проснулась, когда семья ужинала. Я сказал, что у Дарьи мигрень, поэтому к ней никто не полез.

— А куда делся Валерий? — удивилась я. — Он меня сопровождал.

— Простите, — расстроился Женя, — не отвечу. Когда я на звонок домофона отреагировал, вы одна стояли.

— Значит, рабочий довел тебя до особняка, нажал на кнопку и ушел, — сделал вывод Собачкин.

Глава 13

За крепким забором обнаружилась маленькая избушка, которая напоминала елочную игрушку. Крыша у нее была ярко-красная, ставни голубые, резное крылечко и фигура деревянного медведя у ступенек дополняли образ сказочного домика. Я постучала в дверь, не дождалась ответа, потянула на себя створку, но та не открылась.

— Ищете кого, девушка? — раздалось за спиной.

Я обернулась. Над изгородью, которая отделяла участок Валерия от соседей, виднелась женская голова. Волосы незнакомки торчали в разные стороны, щеки были слишком румяными, а брови широкими и черными, словно чугунные рельсы.

— Ой, здрассти, Дарья. Со спины вы прямо девочка, — сменила тон тетка. — Валеры-то нет. Если вам чего починить надо, мой Андрюшка сгодится.

— Спасибо, — вежливо ответила я, — мне нужен Носов.

— Чего ложкинские только с ним дело иметь хотят? — обиделась моя собеседница. — Мой Андрейка лучше сработает, меньше возьмет.

— Носов нам много лет помогает, — не пойми зачем ввязалась я в спор.

— И что? — вытаращила глаза женщина. — Просто он сразу к поселковым в доверие втерся. Весь такой прямо вежливый, положительный, не пьет, не курит, матом не ругается... Тьфу. Неправда все!

Я подошла к забору.

— Значит, Носов алкоголик и матерщинник?

— Вас ведь Даша зовут? — осведомилась сплетница. — А я Антонина, — заулыбалась тетушка, — Андрей мой сын, замечательный парень. Но вы почему-то только Валерку зовете! Чего в него уперлись!

— Упаси Господь с ним связываться, — прошипели слева.

Я обернулась. С противоположной стороны участка над другим забором маячила еще одна голова, на сей раз с ярко-рыжими кудряшками.

— Здрассти, Дарья! Андрей к вам придет, потом мать его как КГБ расспросит, что да как в доме, и по всему селу трепать пойдет, — сказала рыжеволосая женщина, — парень не противный, только руки к заднице пришиты, зашибает крепко, пальцы у него трясутся, и припадочный он. На пол валится, корчится, пятками по земле стучит. Частушку слышали? «Ванька парень неплохой, только ссытся и глухой». Ну прямо про Андрея!

— Ах ты, гадюка ехидная! — заорала Антонина. — Настька, рот закрой.

— Тонька врет, что моя Лена проституткой в Москве работает, а теперь слушай правду про своего алкоголика, сынка милого.

— Кто лжет? Я? — возмутилась соседка справа. — Ха! Мне Мишка Рыбаков сказал, что ему Юлька нашептала, будто ей Танька сообщила, как она встретила Наташку, которая спит с Петькой, а тот в клубе на охране стоит. Так он видел, как твоя Ленка там выплясывала. Все знают! Проститутка Елена! Дарья! Коли вам чего сделать надо, то лучше сына и моего зятя нет. Валерку не ищите. Его со вчера нет. Запил.

— Носов любитель алкоголя? — уточнила я.

— Да, — хором заявили бабы, а Настя уточнила: — Ну, вообще-то я его под газом не видела. Но если мужик ночевать не припер, то наклюкался. Хотя сегодня не четырнадцатое апреля.

— Вот тут не поспоришь, — усмехнулась я, — до весны еще далеко. А почему вы про апрель вспомнили?

— Вы не знаете? — снова в терцию воскликнули кумушки.

— У Валерки жена была, — сообщила Антонина, — Вера.

— Нет, Галя, — перебила Настя. — И Катя, дочь, была. Если не знаешь точно, лучше рот зашей. И баба его жива.

— Ой, ты прямо самая умная, — заверещала Тоня, — обо всех до нижнего белья в курсе. Да только не точные сведения у Настьки. Умерла жена Валерки!

Тетушки, ругая друг друга, заговорили, я не перебивала их и в конце концов сложила более или менее связную историю.

В детстве Носов часто бывал у бабушки, а когда вырос, женился и вместе с супругой и дочкой жил в Москве. В село они только на лето прикатывали. Как правило, появлялись только

Валера и девочка Катя. Супруга Носова, очень набожная женщина, вечно была трудницей в каком-нибудь монастыре. Потом, когда построилось Ложкино, Валера стал появляться каждый день. Носов раньше всех местных жителей сообразил: с владельцами особняков надо дружить. Не станут же они сами снег с крыш сбрасывать и мелкий ремонт производить. Пока глупые подростки и мужики швыряли камни в красивые иномарки, которые ехали по дороге в поселок, Валера, приветливо улыбаясь, чинил в Ложкине ворота, вешал люстры, укладывал в садах дорожки из плитки, покрывал лаком беседки. Ложкинцы привыкли при любой необходимости сразу звонить Носову. Поэтому, когда до остальных местных мужиков дошло, что лучше зарабатывать на жителях коттеджей, чем скандалить с ними, и они начали предлагать свои услуги, то часто слышали в ответ:

— Спасибо. Мы уже Валере позвонили.

Иногда Носов приезжал из столицы вечером, чинил какой-нибудь неполадок и оставался спать в избе, которая ему в наследство от бабушки досталась. Хоть Валера и жил в Москве, но его корни были в деревне, поэтому его никогда не считали пришлым. С большинством мужиков и баб он с детства дружен. И все шло хорошо, пока не умерла его дочь. Погибла Катя в результате собственной глупости. Единственный ребенок Носовых упал в аэропорту и скончался до того, как прибежали медики. На вскрытии выяснилось, что в желудке у студентки были контейнеры с героином, два из них лопнули. Наркокурьеры часто погибают из-за плохой упаковки перевозимого порошка. Валерий с женой не могли жить в квартире в городе, где им все напоминало о любимой девочке. Пара переехала в село, и вскоре местный народ понял: супруга Носова не совсем нормальная. Спустя несколько месяцев после переселения муж поместил ее в платную психиатрическую лечебницу, которая находится неподалеку от села. Живет Валерий бирюком, ни с кем, кроме Лены Фисуновой, не общается, а та ведет себя, как немая, лишнего слова не скажет, вместо «здравствуйте» головой кивнет да мимо шмыгнет. Каждый год четырнадцатого апреля, в день смерти дочки, Валера напивается и ночует у Фисуновой. Но даже местные кумушки не судачат на тему их интимных отношений. Лена страшная, неуклюжая, вечно с платком на голове. На уме у нее огород, церковь и собаки-кошки, она по всей округе беспризорную живность собирает, откармливает, отмывает, в добрые руки пристраивает. Представить Лену чьей-то любовницей даже у Антонины и Насти фантазии не хватило.

— Где изба Фисуновой? — спросила я, когда кумушки начали основательно перемывать кости Елене.

— За магазином развалюшка стоит, — уточнила Тоня, — нищета голимая.

— Самой жрать нечего, в калошах зимой и летом рассекает, а шавкам мясо берет дорогое, — добавила Настя, — с псами и с кошками разговаривает, как с людьми.

— Не, — расхохоталась Тоня, — опять ты не права. С нами она ваще общаться не намерена. Ниже ее достоинства с соседками чайку попить. Понаехавшие все такие.

— Фисунова тоже из Москвы переселилась? — уточнила я.

— Не! Они с матерью к нам перебрались из Дедовска, — заявила Тоня, — Ленке тогда год стукнуло. В пеленках сидела.

— Сейчас ей небось соракет с хвостом, — заметила Настя, — хотя выглядит старухой. Не коренная она, как мы. Чужая.

— Понаехавшая. А такие всегда местным из зависти гадят, — поставила точку Настя.

К моему горлу подступила тошнота. Забыв попрощаться, я поспешила к калитке.

— Так мой Андрюша придет к вам на работу? — крикнула Тоня.

— Пусть не спешит, наш Гриша уже пошел в Ложкино, — заявила Настя, — пока мы тут разговоры плели, зять уж небось до поселка домчал.

— Ах ты, коза драная! — завопила Антонина. — У моего мальчика решила работу откусить.

Я вышла на дорогу и направилась к местному магазину, ощущая, как под черепом начинает медленно ворочаться боль. Вот только мигрени мне сейчас не хватало!

* * *

— Молоком не торгую, — сказала женщина в платке, выходя на крыльцо, — корову не держу. Яиц тоже нет, картошка только для себя. Извините. Ничего на продажу нету. Загляните к фермерам, они на поле живут.

— Спасибо, — поблагодарила я, — мне продукты не нужны. Ищу Елену Фисунову.

— Я перед вами, — не удивилась хозяйка. — А вы кто?

— Дарья из поселка Ложкино, — представилась я, — Валерий нам по хозяйству помогает.

— А-а-а, — протянула Лена, — говорил он о вас. Собак любите.

— Верно, — улыбнулась я, — дома стая живет. Вы тоже к животным хорошо относитесь.

— Пристраиваю в добрые руки, — уже другим тоном объяснила Фисунова, — вчера на обочине щенульку нашла, на диване сейчас дрыхнет. Проходите в дом.

Я вошла в просторную комнату и ощутила себя маленькой девочкой. Диван, стол, стулья, скатерть, занавески, сервант с чашками-рюмками — все было как у нас с бабулей, когда я только пошла в школу.

— Садитесь, — гостеприимно предложила Лена. — Вам надо что-то в коттедже сделать?

— Да, — соврала я, — звонила Валере, но он не отвечает.

— Трубка у него отключена, — вздохнула Лена, — очень мне беспокойно. Носов сегодня собирался к Нине на кладбище ехать. А сам куда-то делся.

— Кто такая Нина? — мигом спросила я.

— Жена Валеры, — растолковала Фисунова, — в интернате жила.

— Антонина и Настя спорили, как зовут женщину, Вера или Галя, но так и не пришли к единому мнению, — сказала я. — Носов вдовец?

— Да, — кивнула хозяйка, — умерла она. Местное радио не всегда сообщает точную информацию.

— Верно, — кивнула я, — соседки считают, что Носов дома не ночевал, потому что напился.

— Валерий умный мужик, — поморщилась Фисунова, — много работает. Не верьте, пожалуйста, сплетням. Не пьет он.

— Кумушки утверждали, что Носов только четырнадцатого апреля за водку хватается, — справедливости ради уточнила я.

Лена поджала губы.

— Ясно. Доложили вам про смерть Кати.

Я кивнула.

— Назвали девочку наркоманкой? — спросила Елена.

— Сказали, что она погибла от передозировки, — согласилась я.

Фисунова положила руки на кружевную скатерть.

— Так да не так. Катя не употребляла эту гадость.

Я всплеснула руками.

— И про наркотики кумушки солгали?

— У Антонины сын, у Насти зять, оба безработные, — вздохнула Фисунова. — А Валеру постоянно в Ложкино зовут. Если репутацию Носову подмочить, то он доверие жителей потеряет, а крыши-то им чистить надо. Расчет их понятен. Обе надеются, что их родственников пригласят. Только Носов еще электрик, столяр, механик, даже гальванщик. Если у вас есть что-то с позолотой и она ободралась, отдайте Валере, назад новеньким получите. Катя не баловалась наркотиками. Хорошая девочка была. Студентка. А потом обманула отца, сказала: «Мы с подругой в Питер сгоняем, город посмотрим. У нее там бабушка, она нас ночевать пустит». Валера сам не врун, и дочка его никогда за нос не водила, поэтому сомнений у отца не возникло. А потом из полиции позвонили: «Приезжайте труп опознать».

Глава 14

Фисунова сдернула со спинки стула пуховый платок и накинула его на плечи.

— Валерию объяснили: Катя наркокурьер, у нее в желудке были капсулы с героином, несколько разорвалось. Девушке стало еще в полете плохо, ее вырвало. Когда самолет сел, Катя вышла в зал прилета, ее снова стошнило, и она умерла. Сначала решили, что у нее какая-то болезнь, потом нашли капсулы в желудке, посчитали девочку перевозчицей.

Фисунова посильнее завернулась в платок.

— Через несколько дней Валерия снова следователь вызвал и огорошил: «В контейнерах, которые ваша дочь перевозила, не героин, а сода».

— Сода? — повторила я. — Зачем ее в желудке прятать? В любом магазине можно дешево купить.

— Вот и Валера так же отреагировал, — печально заметила Елена, — а у полицейского новая версия на языке. Катя все равно наркокурьер. Она отправилась за товаром, но поставщик ее надул, подсунул соду.

— М-м-м, — пробормотала я. — Почему же тогда девушка скончалась?

— В полиции объяснили: психосоматика сработала. Покойная думала, что везет наркотик. Когда ее в самолете стошнило, наружу вышла белая субстанция. Екатерина подумала, что в желудке у нее много отравы...

— Ясно, — кивнула я, — все равно она наркокурьер, просто обманутый.

Щеки Елены слегка порозовели.

— Подробностей я не знаю. Того, кто девушку за дурью отправил, искать не стали. Следователь отцу объяснил: «По какой статье дело возбуждать? Перевозка соды? Да хоть тонну тащи, это не запрещено». Носов понял, что не хочет никто разбираться, и больше в полицию не ходил. В скорости жена его умерла. Да, он выпивает четырнадцатого апреля, но только раз в году, в печальную дату смерти Кати.

Фисунова скрестила руки на груди.

— Не из тех я людей, что много болтают. И о чужих горестях-радостях, любых делах никому не докладываю. Но сейчас исключение сделала. Валерий о вас часто говорит, ему и собаки, и члены вашей семьи нравятся, не пафосные, не подчеркивают: мы богатые, а ты рвань жалкая. Когда у меня кошка Люська заболела, ваша Маша ее бесплатно вылечила. Деликатно поступила, не заявила: «Знаю, что вы нищая, поэтому ни копейки не возьму». Я бы ей и в этом случае в ножки поклонилась, и правда денег на операцию не имела.

— Не знала, что вы к Манюне обращались, — удивилась я.

Лена вздохнула.

— Я ушла из клиники, где кошке диагноз поставили. Там мне объяснили: «Лекарства, которые после операции колют, только импортные, очень они дорогие. Наркоз недешевый. За все с вас пятьдесят тысяч возьмем». Ну как сказать: «Спасите мою кошку за так»? Я не умею просить. Бартер могу предложить. В салоне на станции стригусь даром, но я им за обслуживание раз в неделю помещение отдраиваю. Приехала в поселок, вся заплаканная из автобуса вышла и прямо с перевозкой в руке в магазин зарулила. Подумала, отнесу Люську домой, потом километр до лавки топать не захочу, а хлеба нет. Поставила перевозку на подоконник, выбираю булку, слышу голос:

— Женщина, это ваша кисонька?

Оборачиваюсь, девушка стоит, красивая, хорошо одетая, сумка дорогая, обувь ей под стать. Не из нашей деревни птица. Грешным делом подумала, что она сейчас кричать начнет: «Безобразие! Кошка рядом с хлебом!»

Тихо ей сказала:

— Моя. Она чистая, прививки сделаны, блох нет. К врачу ездили, на секундочку сюда забежали.

Блондинка меня остановила.

— Ветеринар вас отпустил?! Не сказал, что срочно операция нужна? Вон сколько гноя на пеленке.

И что ей ответить? Если честно: денег нет, то она подумает: тетка клянчит. Я молчу.

Девушка перевозку взяла.

— Поехали.

Я испугалась.

— Куда?

Она телефон вытащила.

— Готовьте операционную, везу кошку срочную.

И на улицу, я за ней, кричу:

— Простите, у меня денег нет!

Незнакомка в ответ:

— Считайте, что вам повезло. У нас акция, каждая десятая кошка лечится бесплатно. Ваша любимица как раз номер десять сегодня.

Елена улыбнулась.

— Вон Люська, на подоконнике. Два года прошло. Я только после операции узнала, что это ваша Маша была. Помню ее девочкой совсем, а взрослой не узнала. И вот чего я так долго болтаю? Не верьте, пожалуйста, вранью, которое кумушки разносят! Катя не наркоманка, не дилер. Сода была в контейнерах! Сода! Почему она ее везла, не знаю.

Я молча слушала Елену и не верила ей. Доставка наркотика в собственном желудке не новая идея. Торговцы часто используют наивных людей, которые хотят заработать. Заказчик говорит глупому, чаще всего очень молодому человеку: «Ерундовая задача. Проглотишь несколько контейнеров, сядешь в самолет и через несколько часов получишь большие деньги. Легче разве что чихнуть». Вот только мерзавец не сообщает всю правду. А ведь перевозчики часто гибнут. Упаковки рвутся, наркотик попадает в желудок. Человеку становится плохо, но его еще можно спасти, да только курьер чаще всего боится обратиться к врачу, едет к дилеру и гибнет по дороге.

Именно так, очевидно, и было с дочкой Валерия. Зачем везти соду? Найдете хоть одну причину для столь идиотского поступка? Думаю, Екатерину обманули, дали ей вместо наркотика безобидное средство, которое есть на кухне у каждой хозяйки. Возможно такое. Но почему тогда девушка скончалась? Соды можно много слопать, заработаешь боли в желудке, вероятно, попадешь в больницу, но не умрешь. Нет, Екатерина связалась с нехорошими людьми и везла героин. Валерию трудно принять и невозможно признать, что дочь сама виновата в своей смерти, вот он и придумал версию про соду, всем ее сообщил, чтобы обелить дочь.

— Пожалуйста, не лишайте Валеру работы, — молила Фисунова, — он прекрасный человек, руки золотые.

Послышался скрип двери.

— Кто там? — встревожилась Елена.

Раздался звук, словно на пол шлепнулся тяжелый мешок, послышался голос:

— Помоги...

Мы с хозяйкой дома одновременно кинулись в сени. На домотканом половике на боку лежал мужчина в грязной куртке и коричневых от налипшей глины грубых рабочих ботинках.

— Валера, — испугалась Елена, — что с тобой?

— Не стою, — прошептал Носов, — еле... дошел... Катя...

— Давай подниму, — засуетилась Лена, — сядь.

— Не могу, — еле слышно ответил ее приятель, — сил нет...

Елена попыталась поднять его за руку, я присоединилась к ней, но Валерий оказался слишком тяжелым.

— Катя... она... — чуть громче произнес Носов, — Вадим... Он... дал телефон... Петр... там... в лесу лежит... Петя... сказал...

Я присела около рабочего.

— Лена, вызывайте «Скорую». Валерий, вы что-то знаете про того, кто вчера умер на территории бывшей психиатрической лечебницы?

— Да... да... — забормотал Носов, — я думал... Петя... он... Катя... искал... тех... кто... убил... их...

— Вы нашли того, из-за кого погибла ваша дочь? — уточнила я. — Мужчина из леса как-то связан со смертью Кати?

— Да, — подтвердил Валера, — Вадим... Петя... они...

— Он бредит, — заплакала Лена.

— Горим! — истошно заорали с улицы. — Горим!

Я выбежала на крыльцо. Слева от избы Елены в дальнем конце улицы металось пламя.

— У Валерки пожар! — закричала Фисунова и, схватив ведро в сенях, бросилась в сторону огня.

Я вытащила из кармана мобильный, чтобы вызвать пожарных, и тут раздался взрыв, такой оглушительный, что пришлось зажать уши ладонями, присесть и зажмуриться.

Потом кто-то начал трясти меня за плечо. Я открыла глаза, посмотрела вверх. Надо мной стояла Елена, ее рот беззвучно открывался и закрывался.

— Что случилось? — пробормотала я, опуская руки. — Кто горит?

— Дом Валеры, — тряслась Фисунова, — все в разные стороны разметало... Ему теперь жить негде.

Я встала.

— Что-то взорвалось?

— Наверное, газовые баллоны, — шмыгнула носом Елена, — для гальваники. Он их оптом купил много, штук десять. Носову они в работе нужны. Ой, Валера!

Лена ринулась в сени, я осталась на крыльце, пытаясь понять, что делать.

— Дарья! — закричала Фисунова. — Он умер.

Глава 15

Пожарные прирулили в деревню, когда дом Валерия выгорел почти дотла. В соседних зданиях от взрыва выбило стекла, заборы, разделявшие участки, попадали. У Антонины во дворе смело беседку, у Насти развалился гараж. Не успели бравые парни размотать брезентовый рукав, как наконец-то прибыла «Скорая», в которой сидел доктор, парень по виду лет пятнадцати с испуганными глазами. Началась суматоха. Соседки Носова рыдали, требовали от врача успокоительных уколов. Елена кричала:

— Отстаньте, машину вызвали для Валеры...

Местные жители высыпали на улицу, со всех сторон неслись негодующие возгласы:

— У меня белье с веревки повалило! Грязное снова.

— За фигом ты его зимой на улицу повесила, коза.

— Сам козел!

— Нашла трагедию! Белье! У меня собаку оглушило.

— Да хоть бы твоя шавка сдохла, лает с утра до ночи.

— Кто козел? Я?

— Стекла выбило! Кто заплатит?

— Моя собака лучше твоего мужа алкоголика, он мои кусты обрывает. Ишь, разоралась!

— Какие кусты?

— Такие! Со смородиной.

— За козла ответишь!

— Стеклопакеты только что новые вставили.

— За каким... он баллоны держал? Рвануло не по-детски.

Продолжая слушать гневные вопли, я попятилась, свернула на тропинку, добежала до магазина, села в свою «букашку», доехала до дома Собачкина и вошла в коттедж со словами:

— Я нашла Валерия, но он умер.

— Что с ним случилось? — спросил Кузя, отъезжая на стуле от стола с кучей компьютеров.

— Не знаю, — вздохнула я, — никаких ран на Носове я не заметила.

— Рассказывай, — велел Сеня.

Когда я доложила обо всем, что случилось, Собачкин постучал карандашом по чашке, из которой пил кофе.

— Подвожу итог. Валерий не ночевал в своем доме, где-то бродил, Фисунова волновалась, звонила ему, но любовник не брал трубку.

— Они просто приятели, — возразила я.

— И поэтому Елена изо всех сил упрашивала тебя не выгонять мужика из-за дочки-наркоманки? — хмыкнул Кузя. — Дружба между полами — это миф.

— Носов тебе сообщил, что искал того, кто убил его дочь? — спросил Собачкин.

— Он говорил еле-еле, я поняла, что он хотел найти тех, кто погубил дочку. Упоминал имена: Петя и Вадим, сообщил, что труп из леса, который сбежал, связан с гибелью Кати. Дальше раздался вопль: «Горим!» Это все. Валера говорил несвязно.

Кузя вернулся к столу.

— Рассказ Елены про соду не глупая попытка обелить Екатерину. Мы с утра стали искать сведения про действующих лиц. Я раскопал более чем странную историю про дочку Валерия. Самая обычная студентка. Ничем не отличалась от девушек своего возраста, училась с переменным успехом, прогуливала лекции-семинары, но экзамены-зачеты сдавала исправно. Пыталась заработать в разных местах, пробовала себя в рекламном бизнесе, снималась в массовке в ролике про фруктовый сок. Потом в рекламе про чай, там ей доверили подыграть актеру Ворыгину. Красавчик сидел в кафе и грустил, к нему подходила официантка, роль которой исполняла Носова, она ставила перед кумиром чайник и подавала ему чашку. Лицедей делал глоток и с чувством говорил: «Чай “Волшебное наслаждение” — решение всех ваших проблем».

— Может, она еще где-то деньги нарывала, но в серую, — вздохнул Собачкин, — ролик-то законный, с него налоги платят, договор оформляют. Теперь о наркотиках. Катя полетела в Питер, самолет приземлился в полдень. В городе на Неве следы Носовой теряются. Что она делала, куда ходила — неизвестно. Кредитку не использовала, телефон выключила. Вечером она вернулась в Москву и умерла, не успев выйти из зала аэропорта. В желудке были найдены контейнеры в количестве пяти штук. Уцелел только один, остальные разорвались. На одежде Носовой обнаружены засохшие следы рвоты. Было сделано предположение, что плохо ей стало в середине полета. Стюардесса обратила внимание на девушку, которая часто ходила в туалет, была очень бледной. Но самолет оказался переполнен, а в экипаже была одна больная бортпроводница, она накануне отравилась чем-то и еле-еле шевелилась.

— Короче, дела до Екатерины тем, кто обязан обслуживать пассажиров, не было, — резюмировала я.

Кузя подвигал мышку.

— Стюардесса потом оправдывалась, что пассажирка не просила помощи, не жаловалась на здоровье. А то, что постоянно сидела на унитазе... Полно народа, который боится летать и от страха страдает медвежьей болезнью. В каждом рейсе попадается бледно-зеленый пассажир, он дрожит, вцепившись в ручки кресла, отказывается от еды, потеет. Или наоборот, сметает всю жрачку и носится по проходу. Реакция на стресс у каждого своя.

— И вот тебе самое интересное, — заявил Сеня, — Елена ничего не выдумала. В контейнерах была пищевая сода.

— С ума сойти! — воскликнула я. — Отчего же умерла Катя?

— Инфаркт плюс сильный приступ аллергии, — пояснил Собачкин, — предвидя твое замечание про юный возраст, отвечу сразу: иногда сердце и у детей барахлит.

— Носова наблюдалась у кардиолога? — уточнила я.

— Нет, — сказал Кузя, — в ее карте из детской поликлиники не указано ни малейших проблем. Нормальная здоровая девочка, спортивная девушка, не испытывавшая недомоганий. К врачу она ходила исключительно за справками для бассейна. Даже зубного не посещала, кариес ее не мучил.

— А на что случилась аллергия? — поразилась я.

— Препарат «Бутрап», — пояснил Кузя, — противозачаточное таблетированное средство. Одно время активно продавалось повсюду, потом перестало пользоваться популярностью. Я в проблему досконально не въезжал, выяснил только, что медикамент вызывал у многих золотуху, сонливость, понос, рвоту. Женщины перестали его лопать, спрос упал ниже плинтуса. Но эту дрянь все равно производят. Судя по докладу эксперта, ситуация развивалась так. Незадолго до посадки Катя проглотила контейнеры и закусила противозачаточным средством, причем съела несколько пилюль зараз. «Бутрап» вызвал у нее аллергию не сразу, начались проблемы с дыханием, потом случился инфаркт.

— Фантастическая история, — недоумевала я, — соду можно спокойно везти в пачках, хоть сто штук, слова тебе никто не скажет. И зачем ей, садясь в самолет, пить таблетки, которые женщины принимают, чтобы не забеременеть?

— Подумай и поймешь, — сказал Кузя, — тут в деле есть беседа с Валерием. Он утверждал, что у дочери никогда не было романа с мужчиной. Катя думала только об учебе. Утром на лекцию, днем на семинар, вечером в библиотеку.

— А вот следователь не поверил, что Носова занималась исключительно зубрежкой. Оценки у нее были не как у старательного ботаника. Да и прозектор сразу сообщил, что погибшая вовсе не девственница. Полицейский поговорил с ближайшей подругой Екатерины Соней Нечеткиной. Та рассказала, что Екатерина знала: ее никуда вечером одну не отпустят. Отец боялся за дочурку, вдруг она попадет в плохую компанию: секс, наркотики, рок-н-ролл, алкоголь, сигареты. Кате приказывали возвращаться домой при первых звуках программы «Время», и она никогда не нарушала это правило.

— Зато днем отрывалась по полной, — перебил друга Сеня. — Ну почему некоторые родители наивны, как полевые ромашки? Отчего думают, что с дурными людьми их бутончик может встретиться исключительно в темное время суток? Старшим Носовым в голову не пришло, что детка-незабудка попросту пропускает лекции?

— Они очень правильные, бывшие советские люди, — предположил Собачкин, — у таких в голове простая, как табуретка, установка: секс — постыдное занятие, даже замужней матроне можно веселиться с мужем только ночью под одеялом, в полном мраке, желательно в пижаме.

— Лучше в скафандре и ластах, — развеселился Кузя, — у меня тетя такая. Один раз она приехала в гости без приглашения, не предупредила, что заявится, а я, дурак, дверь не закрыл. Тетка вперлась в гостиную, а там я с девушкой. Раиса Ивановна как закричит: «Ты чем занимаешься?»

— Шикарный вопрос, — отметил Собачкин.

— Дальше еще смешнее, — фыркнул Кузя, — партнерша моя плед на голову натянула. Ситуация не очень удобная, я забормотал: «Ну... вот... у нас... любовь...» Раиса Ивановна ногой как топнет: «Разврат! Гадость! Приличные люди про всякие глупости думают поздно вечером, когда умылись, зубы почистили, свет погасили. А вы? Днем! Занавески не задернули! Как вам не стыдно!» Наверное, взрослые Носовы так же думали.

Дочурка в девять прибегает домой, у нее нет штампа в паспорте, она точно девственница, совершенно не интересуется мужчинами.

— Да только со слов Нечеткиной Катя была другой, — сказал Собачкин.

Глава 16

— Какой? — тут же поинтересовалась я.

— Подруга нарисовала ее портрет в темных тонах, — объяснил Сеня, — по словам Софьи,

Катя часто пропускала занятия. Но ее отмечали на всех лекциях. Староста ставил напротив фамилии Носовой крестик. Почему он так поступал? Екатерина платила парню за услугу. И всегда получала «хорошо» на экзаменах, хвостов не имела.

— Не посещая регулярно занятия, трудно получить на сессии четверки, — возразила я, — и зачеты не сдашь. А задолженностей у Носовой не отмечено.

— Верно мыслишь, — похвалил меня Кузя, — Нечеткина объяснила, что у Кати был прикормленный человечек в учебной части. Она вручала ему конвертик с купюрами и получала заранее билет на каждый экзамен. Ей нужно было зазубрить всего два вопроса. Просто, как веник.

— И где Носова черпала средства? — удивилась я.

Собачкин взял чашку и пошел к кофемашине.

— Следователь задал Софье аналогичный вопрос и получил ответ: «Она спала с богатыми. Не забесплатно. Я часто видела, как она днем противозачаточное глотает, с занятий потом удирает. Обслужит клиента и свободна, домой катит, вид честный, тихая, скромная, ночью нигде не шляется».

— Это объясняет прием препарата «Бутрап», — решил Кузя, — наверное, после прилета Катя с кем-то встречу наметила.

— А сода зачем? — недоумевала я. — Нечеткина что-то про нее знала?

Собачкин аккуратно водрузил на стол полную чашку.

— Во время беседы следователю стало плохо.

— Полицейскому? — удивилась я.

— Он же тоже человек, — заметил Кузя, — давление подскочило, он потерял сознание — инсульт. Его увезли в больницу, к работе он более не возвращался. Делом о смерти Кати стал заниматься другой сотрудник.

— И чем сия эпопея завершилась? — спросила я.

— Ничем, — вздохнул Собачкин, — кончину девушки признали ненасильственной. Просто инфаркт. Плюс приступ аллергии. Никаких ядов в крови не обнаружили, а на теле нет ран, травм. Противозачаточные таблетки, которые вызвали перебои с дыханием, не запрещены, просто у них сильное побочное действие.

— Ее тошнило! — напомнила я.

— И что? — пожал плечами Кузя. — Реакция на соду! Или на пилюли!

— Это не связанные между собой события, вследствие одного из них произошел летальный исход, — заметил Сеня. — Вот тебе пример. Человек шел домой, упал, разбил колено. Через пять минут полил дождь, бедолага промок и умер от пневмонии. И при чем тут травма ноги? Какое она отношение к смерти парня имеет?

— Ни малейшего, — поддакнул Кузя, — просто так совпало. То же было с Катей. Она приняла таблетки, от них случилась аллергия, а уж потом инфаркт. Простое совпадение.

— Пневмония и колено связаны, — возразила я, — с разбитой ногой быстро не побегаешь. Не упади мужик, он бы живо до дома домчался. А из-за падения медленно тащился, поэтому сильно вымок.

Мои приятели переглянулись.

— Я от балды этот пример придумал, — начал оправдываться Сеня.

— Зачем она глотала контейнеры с содой? — не успокаивалась я.

— Нет ответа, — начал злиться Кузя.

— Соня не упоминала имен Петя и Вадим? — не утихала я.

— Про Вадима сказала, — кивнул Кузя, — «хороший парень вроде, но в душу я ему не лезла».

— Следователь Соню, как ты, про соду несколько раз спрашивал, — объяснил Собачкин, — и укорил: «Неужели не хотите, чтобы я узнал, что случилось с вашей подругой?» Соня ответила: «Конечно, хочу вам помочь, но почти ничего не знаю». И тут следователю плохо стало. Его прямо из кабинета увезли. Фамилия Вадима не прозвучала. А другой дознаватель живо дело приостановил, с Софьей он не встречался и, похоже, по Носовой не работал. У него своих дел в производстве куча была, предпочел от чужого избавиться.

— Что мы имеем на сегодня, — повысил голос Собачкин, — Валерий где-то провел ночь и вечер. Потом пришел к Фисуновой и умер. Перед кончиной успел сказать, что нашел того, кто виноват в смерти его дочери. Носов был прорабом у застройщика, который возводил ваш поселок. Когда Ложкино заселилось, Валерий уже работал на другом объекте в поселении «Зеленый лес». Это тут неподалеку, десять минут ходу от нас. Затем Носов плавно переходил с одной стройплощадки на другую. Но все они в одном радиусе. Пока не случилось несчастья с Катей, семья жила в Москве. После похорон дочери мать, похоже, слегка тронулась умом. Муж пристроил супругу в клинику постоянного проживания в Колпакове. До нее ему отсюда полчаса добираться. Городскую квартиру он сдал. Супруга его не так давно скончалась.

— Похоже, вдовец решил сам найти виновного в кончине Кати, — перебил Собачкин, — занялся расследованием и...

— Дом взорвался, в огне небось погибли и собранные материалы, — подхватила я, — пожар возник не случайно. Кто-то решил уничтожить записи.

Собачкин допил чай.

— Я знаю людей, которые столкнулись с равнодушием и непрофессионализмом полиции, поэтому решили сами провести расследование. Кое-кому удалось добиться положительного результата, выяснить личность убийцы. И что?

Сеня повернулся ко мне и повторил:

— И что?

Я пожала плечами.

— Не знаю.

— А то, что и доморощенный следователь не знал, как ему быть с информацией. Бежать в полицию? — продолжал Собачкин. — Так он ей ни на секунду не доверял. Куда кинуться со своими выводами, а? И все они шли...

— Сами выяснять отношения с негодяями, — дополнил Кузя, — случались драки и другая похожая ботва.

Я перебралась на диван.

— Думаете, Валерий поступил так же? Вчера вечером укатил к тому, кого считал виновным в смерти Катерины, разразился скандал. Преступник решил уничтожить весь собранный Носовым материал и поджег его дом. Возникает вопрос: где Носов провел ночь и утро? Почему он умер?

— А ведь могло произойти так, — оживился Кузя. — Вы с Валерием пошли в лес. Он увидел, как ему показалось, мертвого мужчину и внезапно сообразил: о, вот кто лишил жизни Катю. До этого дня Носов много чего узнал, но пазл у него никак не сходился, не хватало ему последнего кусочка. А тут! Раз, и его осенило!

— Случается подобное, — согласился Семен, — хотя... Дашенция, ну-ка вспоминай, как вышло, что ты с Носовым в лес пошла?

Я легла на диван и подсунула под голову подушку.

— Сколько можно об одном и том же судачить! Я подумала: Вероника побывала в чаще, возможно, там осталось то, что может помочь определить личность женщины, я хотела проверить эту версию, начала осматривать забор, заметила неработающий у одной камеры шнур. Охрана объяснила, что они о поломке знают, вызвали мастера, тот приедет на днях. И тут появился Валерий.

— Что значит «появился»? Уточни, — потребовал Семен.

— Кусок забора отодвинулся, из проема вышел Валерий, — объяснила я.

— Зачем он полез за ограду? — деловито спросил Собачкин. — Как смог нарушить ее целостность?

— Один из хозяев пустующего дома нанял Носова присматривать за участком, — пояснила я. — Валера увидел, что у одной из камер перерезан провод, стал изучать окрестности, обнаружил, что кто-то сделал лаз в заборе. А тут и я появилась.

— Зачем Носов через «калитку» в лес прошел? — повторил Сеня.

— Он хотел посмотреть, что преступник в лесу делал, — ответила я.

— И предложил тебе прогуляться к развалинам? — никак не мог успокоиться приятель.

Мне пришлось признаться:

— Ну... вообще-то это я его уломала, Валера отказывался, а я настояла. Мы к руинам вплотную так и не подошли. Труп увидели.

— Ясненько, — пробормотал Сеня, — все понятно.

Глава 17

— Дурочка, — нежно пропел Сеня.

— Валерий вышел из леса, — подхватил Кузя, — решил вернуть отпиленную часть забора на место, а тут ты.

Я заморгала.

— Вы хотите сказать... что Носов уже видел труп? То есть не труп, а того мужчину, которого эксперт Гриша за покойника принял?

— Похоже на то, — кивнул Собачкин.

— Может, он сам шнур у камеры и перебил, — предположил Кузя, — незаметно проник в лес, сделал там, что хотел, вернулся в поселок, и тут... здрассти! Госпожа Васильева.

Я вскочила.

— Зачем он меня тогда к развалинам повел?

— Что ему оставалось делать? — усмехнулся Собачкин. — Только что сама сказала: «Я его уломала». Дашутка-то небось засуетилась: «Ой, что это? Ой, как это? Ой, почему так?» Носову пришлось на ходу придумывать историю про таинственного проходчика. Заодно, он охранника подставил. Якобы тот очень в деньгах нуждается и за хорошую сумму мать родную продаст.

— Небось он рассчитывал, что ты, Дарья, помчишься на охрану, — потер руки Кузя, — но ты полезла сквозь щель в лес. И он с тобой пошел. Кто дорогу выбирал? Направление, куда идти?

— Альтернативы не было, одна тропинка в глубь леса вела, — мрачно объяснила я, вспоминая, как уговаривала Валерия посмотреть, что там, в лесу. Носов-то не очень хотел среди елей гулять, но я его уговорила.

— И вы уперлись в труп, — подвел черту Сеня, — ясное дело, тебе дурно стало, Носов тебя до особняка проводил. А куда он потом делся?

— Не знаю, — жалобно протянула я, — вообще ничего не помню, чувствую себя полной дурой.

Собачкин подошел ко мне и погладил по голове.

— Не переживай, ты худенькая.

— Даже тощенькая, — ласково продолжил Кузя, — совсем не полная.

Я топнула ногой.

— Перестаньте! Куда, по-вашему, отправился Валерий?

Собачкин взял меня за руку.

— Не нервничай. Я вот решил, что у тебя, Дашутка, от стресса и страха, который ты испытала, увидев труп, случился глюк. Почудилось тебе кладбище, но сейчас думаю: вдруг все-таки оно там было?

— Я видела погост! — воскликнула я.

— Валерий был вынужден идти за ретивой Дашуткой в лес, — продолжал Сеня, — ты помнишь, что он говорил по дороге?

Я напрягла память.

— Советовал мне вернуться домой, говорил: «Ну и грязь тут». Потом рассказал историю про монастырь, графа, проклятое место, про то, как местные его боятся.

— Вот бедняга! Он госпожу Васильеву пытался остановить, но не подозревал, что Дашута неуправляемая ракета, — стараясь говорить серьезно, заметил Собачкин. — Небось подумал: «Богатая дамочка не захочет сапожки пачкать». А когда ты танком по целине поперла, Носов наврал с три короба про графа.

— Ну, в принципе, он своего добился, — крякнул Кузя, — Дарья здорово занервничала, когда труп увидела.

— Было такое ощущение, что я сплю на ходу, — призналась я, — видела, словно сквозь туман, звуки до слуха долетали как через вату, ноги меня плохо слушались. Последнее, что более или менее помню: мы с Носовым у входной двери в наш особняк стоим.

— Увидев тело на земле, ты как отреагировала? — поинтересовался Сеня.

— Подумала, что ему плохо, — поежилась я, — лица несчастного не разглядела, голова в сторону повернута была. Вплотную к нему не подходила.

— Почему? — хором спросили приятели.

— Страшно стало, — призналась я.

— Валерий отвел слишком любопытную Васильеву домой, сам вернулся в лес, забросал ямку, прихватил монеты, стер с камня цифры, которые там нарисовал, — растолковал Собачкин, —

и куда-то ушел. Носов не хотел, чтобы полиция нашла «кладбище» и монеты. Кстати, та, что ты нам отдала, не из золота.

— А из чего? — полюбопытствовала я.

— Дешевый сплав с позолотой, его состарили, — растолковал Кузя, — неновая фенька. Ее давно используют мошенники, которые облапошивают наивных граждан, обещают им достать мегакрутой антиквариат: вазу китайского императора фиг знает какого древнего года из драгоценного металла, объясняют: она украдена из музея, поэтому продается дешево. В реальности ваза стоит несколько миллионов долларов, а вы ее за десять тысяч американских рублей получите.

Я покачала головой.

— Неужели есть люди, способные поверить этим россказням?

— Жадных и глупых не так уж мало, — заметил Кузя, — а еще есть дураки, которые, ничего не понимая в древних предметах, не хотят, чтобы кто-то сообразил, что они идиоты. Вот и начинают курлыкать: «О! Да! Китайский император! О! Я разбираюсь в этом вопросе. О! Беру!»

— Ты же сочла правдой историю про графа княжеского рода, — уколол меня Сеня.

Я быстро перевела беседу на другие рельсы.

— Пусть эта история придумана для того, чтобы обмануть какого-то человека, всучить ему под видом золотых монет подделку. Я случайно стала ее участницей. Валерий живо отвел меня домой и убрал в лесу следы аферы. Но труп-то он оставил! Почему?

— Ты же его видела, — засмеялся Кузя, — всем могла рассказать про мертвеца.

— Так все перед моими глазами находилось, — напомнила я, — и надгробье, и камень с датой, и гора монет. Сеня ведь мне не поверил, убеждал, что у меня нервная система вразнос пошла, глюки мне мерещатся. И Дегтярев так же решил. Если б тело исчезло, полиция и все остальные подумали бы, что госпоже Васильевой, страстной любительнице творчества Смоляковой, сюжет из книги писательницы мерещится.

— Должен тебе сообщить, что покойники тяжелые, — завел Кузя, — живую девушку весом пятьдесят кило я легко подниму. А вот ее труп могу и от земли не оторвать.

— Забыл, что «мертвец» из морга удрал? — налетела я на компьютерщика. — Почему он не смылся из леса? По какой причине позволил себя в морг доставить? Из прозекторской намного труднее удрать, чем из леса, куда еще полицейские не приехали. Увидели бы они пустой пейзаж, послушали бы рассказы Васильевой и решили: тетя совсем разум потеряла, чудится ей чертовщина. Да оно и понятно почему, у нее сегодня в прихожей женщина умерла. По какой причине тело мирно лежало на холоде, когда мы с Валерием появились? Труп же не знал, что Носов вернется со мной. Это я мастера уломала. Почему ему пришла в голову идея валяться в грязи в лесу, где его точно никто не мог обнаружить?

Приятели молчали.

— Ага. Нечего возразить, — обрадовалась я, и тут у меня зазвонил телефон.

— Где ты находишься? — сердито спросил Дегтярев.

Благодаря сотовому, жизнь вруна стала намного легче.

— В магазине, — бойко солгала я.

Глава 18

— Что там делаешь? — еще сильнее разозлился Дегтярев.

Некоторые люди мастера задавать гениальные вопросы. Мне очень хотелось ответить: «Конечно же, принимаю душ, всегда отправляюсь мыться в супермаркет».

— Эй, ты заснула? Где делаешь покупки? — повторил полковник.

— В деревне, — придумала я.

— Сколько времени тебе до «Бруно» ехать?

— До молла, который находится на МКАДе?

— Не переспрашивай! Отвечай конкретно.

— В зависимости от пробок. Может, полчаса, — предположила я.

— Давай быстрей сюда.

— Зачем? — спросила я.

— Хватит болтать, поторопись, — зашипел Александр Михайлович. — В машине есть ножницы?

Воистину сегодня день странных вопросов.

— У меня?

— Нет! У меня!!!

— Извини, понятия не имею, что у тебя в багажнике лежит.

— Быстрее мчись в «Бруно». С резаками.

— Ладно, уже на парковку спешу, — пообещала я. — А где тебя там искать?

— Я с ума сойду сейчас! Сто раз повторил: «Бруно!», «Бруно!», «Бруно!»

— В торговом центре пять этажей. Где именно ты находишься?

— Неужели не ясно?

— Не очень пока. В отделе, где торгуют дубинками? — предположила я. — Или фуражками-папахами?

— Поднимаешься на самый верх, — очень тихо произнес полковник, — идешь в отдел «Прекрасный новобрачный».

Я икнула, справилась с удивлением и пообещала:

— Скоро приеду.

— Скажи продавщицам: «Мой брат здесь», — велел Дегтярев. — Занял кабинку номер семь.

— Что-то случилось? — напрягся Сеня, увидев, что я схватила сумочку и кинулась к выходу.

— Надеюсь, что нет, — на ходу бросила я, — полковник велел мчаться в лавку «Прекрасный новобрачный».

— Вау! — восхитился Кузя. — Дегтярев жениться собрался?

— Не пори чушь, — выпалила я, выскочила во двор, села в букашку и порулила по шоссе, храбро ввинтившись в крайний левый ряд.

Александру Михайловичу повезло — на магистрали не было даже намека на затор. Через двадцать минут я влетела в отдел для новобрачных и спросила у девушки, которая бежала куда-то с горой вешалок.

— Где примерочные кабинки?

— Слева за занавеской, — на ходу ответила продавщица.

Я двинулась в указанном направлении и очутилась в зале, куда выходило много дверей. Отыскать створку с цифрой «семь» оказалось легко.

Со словами:

— Я уже тут, что случилось? — я толкнула дверь и увидела тощего парня в белых трусах.

У стены с самым скучающим видом стояла девушка лет семнадцати.

— Тетя, стучать надо, — возмутился юноша. — Че за привычка лезть напролом. А если я здесь голый прыгаю?

— Не переживай, Серега, ничего особо выдающегося она у тебя не увидит, — заверила девица.

— Извините, — смутилась я, — брат сказал, что он в седьмой кабинке.

— Когда я ходила Сереге размер менять, продавщица старику из четвертой жуткие брюки приперла, наверное, вам к нему надо, — приветливо посоветовала девушка. — Ваш брательник нервный такой, лет сто ему, да?

— Толстый? — уточнила я.

— Кабан, — кивнула собеседница.

— Спасибо, — обрадовалась я, — простите, что помешала.

— Да ничем особенным мы не занимались, — заметила юная посетительница, — просто штаны мерили.

Я переместилась в другую кабинку.

— Я устал ждать, — возмутился полковник. — Ты прыгала на одной ноге?

— Нет, — смиренно потупилась я, — сидела за рулем. Симпатичные брюки. И свитер. В новой одежде ты выглядишь нереально стройным. Очень удачный комплект, совсем живота не видно.

— У меня нет пуза! — рассвирепел полковник. — Ножницы привезла?

Я открыла сумку.

— Вот.

Александр Михайлович повернулся ко мне спиной.

— Быстро разрежь.

Я увидела ценник, который болтался на веревочке, и осторожно сказала:

— Мне не трудно выполнить твою просьбу. Но ты служишь в полиции. Некрасиво получится, если тебя охрана на выходе задержит. Свитерок не очень дорогой. Легко можешь его купить.

— Хватит болтать, щелкай ножницами, — потребовал толстяк.

— Никогда не занималась магазинными кражами и не собираюсь начинать карьеру воришки, — отказалась я, — и тебе не советую...

— Пояс, — перебил Дегтярев, — его режь. Подними свитер. Сам не могу.

— Почему? — удивилась я.

— Сдавило очень. Еле дышу. Хочешь, чтобы я умер?

— Ой, нет! Хватит с меня приключения в лесу, — вздохнула я, задрала на Дегтяреве свитер и увидела, что полковник натянул его на какое-то белье мерзкого серо-розового цвета.

Но пояса в петлях брюк не было, о чем я и сообщила.

— Господи, — простонал толстяк, — надо располосовать эту дрянь!

— Что ты имеешь в виду, уточни, — попросила я.

— Мужчина, вам помочь? — спросил из-за двери звонкий голос.

— Нет, — взвизгнул Дегтярев, — ни в коем случае, мы с мамой сами разберемся.

Но продавщица не ушла.

— Размерчик подходит?

— Все прекрасно, — пропыхтел полковник.

— Мне показалось, что вы взяли слишком маленький убиратель живота.

— Он идеально сел, ваше присутствие не требуется.

— Желаете другой цвет?

— Спасибо, нет.

Я прислонилась к стене и, стараясь не расхохотаться во всю мощь легких, слушала замечательный диалог.

— Мужчина, в утяжке до размера XS есть только белый цвет.

— Угу.

— А в XL полная гамма, от белого до серого.

— М-м-м.

— Вы случайно не тот взяли.

— Все хорошо.

— Ваш три XL, до XS вам не утянуться.

— Три XL? Да у меня сорок шестой!

— Ой! Наверное, вы в последний раз покупали себе обновки, когда в школе учились! Или вам мама все приобретает, поэтому вы не знаете, что носите. У вас на самом деле четыре XL, про три я сказала, чтобы вы не расстраивались. Давайте принесу правильный утягиватель.

— Девушка, оставьте нас в покое, — зашипел полковник, — размер мой, цвет прекрасный. Дайте спокойно брюки примерить.

— Они вам даже с трамбователем пуза малы.

— Нет!

— Сядете, они лопнут.

— Никогда!

— Ох уж эти мужики! Позовете, если буду нужна.

— Непременно.

— Значит, я твоя маменька, — сдерживая смех, уточнила я, — еще недавно мне предлагалась роль сестрички. Утягиватель живота! Понятно.

— Что тебе понятно? — еле слышно спросил Дегтярев.

— По какой причине ты не можешь громко говорить? — развеселилась я. — Пояс так сцементировал твое тело, что ты не в состоянии сделать полный вдох и выдох?

— Глупости!

— Зачем тебе маскировать пузо?

— Не желаю выглядеть арбузом с ногами!

— Возьми вещь побольше.

— Нет!

— Почему? Тебе в ней комфортнее будет.

— Мерил уже, — признался приятель, — приставучая торговка приволокла кучу белья. Живот не особенно меньше в нем казался. Только XS его совсем убрал!

Я решила сказать Александру Михайловичу горькую правду:

— Твоя фигура теперь выглядит странно.

— Пуза нет, — выдохнул Дегтярев, — а это главное.

— Глянь в зеркало. Что там видишь?

— Молодого парня без признаков брюха.

Я переменила позу.

— Зато, если посмотреть туда, где у остальных талия, то возникает ощущение, что ты нацепил спасательный круг. Живот поднялся и растекся над утягивателем.

— Нет у меня пуза!

— Нет, — согласилась я, — есть «бублик» из жира над поясом. Ты похож на тюленя в корсете. А теперь объясни, зачем ты меня позвал.

— Чертов пояс не снимается, — признался полковник, — я и так, и эдак пытался. Будто врос он в тело.

— Потому что мал.

— Разрежь утягиватель.

— Сомневаюсь, что магазин будет рад такому решению проблемы.

— Мы никому не скажем.

— Если уйдем, бросив испорченный товар в кабинке, за него вычтут деньги из зарплаты продавца.

— Нет.

— Да.

— Нет.

— Да.

— Срежешь эту дрянь, спрячешь ее в сумочку, я заплачу за нее на кассе, скажу, что решил не снимать обновку, — еле слышно пролепетал Дегтярев.

— Ладно, — согласилась я.

— Начинай, — очень тихо велел полковник.

Глава 19

— Почему так медленно? — заныл Дегтярев минут через десять.

Я выпрямилась.

— Твое желание стать похожим на карандаш неразумно. Жесткий эластик, из которого сшили сей аксессуар, впился в тело с такой силой, что невозможно пропихнуть лезвие между поясом и кожей. Ткань натянулась до предела.

— Мне дышать нечем, — простонал толстяк, — уж постарайся.

— Не получается, — призналась я.

— Придумай что-нибудь, — чуть не зарыдал толстяк, — у меня ни одной конструктивной идеи нет.

Я принялась рассуждать вслух:

— Чем можно раскромсать материал сверху? Не используя ножниц, у которых одно лезвие надо под пояс засунуть.

— Бритвой, — выдвинул свою идею Александр Михайлович. — Лети мухой в лавку, где ими торгуют. Вроде она рядом с этим магазином. Поторопись. Голова болеть начинает.

Я бросилась в нужном направлении и вскоре вернулась.

— Молодец, — обрадовался Дегтярев, — режь.

— Лезвий нет, — ответила я.

— Чушь! — рассвирепел полковник. — Их там штук сто разных.

— Все современные, — пояснила я, — вроде тех, что по телевизору рекламируют. Ими ткань не разрезать. А простой вариант, которым ты в юности пользовался, вроде он Москва-река назывался...

— Нева, — перебил Дегтярев.

— ...В продаже отсутствует, он мало кому нужен, — договорила я, — мне предложили массу станков и электробритв. Обычного тонкого лезвия с дырочками посередине нет. Если хочешь, я куплю электробритву.

— Мне не надо брить утягиватель, — побагровел Дегтярев, — я хочу его разрезать!

Последнее слово полковник произнес громко, с чувством. Раздался треск.

— Брюки лопнули, — констатировала я, обойдя приятеля сзади, — продавщица права оказалась, надо было взять штаны пошире.

Дегтярев открыл рот.

— Только не кричи, — предостерегла я, — иначе портки и спереди треснут. Ничего страшного, стаскивай погибшие штаны, надевай старые. За эти просто заплатишь.

— Нет, — возразил полковник, — я уйду в них.

— Почему? — спросила я. — Брюки сзади совсем разорвались. Видны трусы.

— Не хочу, чтобы продавщицы ржали! — отрезал полковник.

Некоторое время я пыталась убедить толстяка не глупить, но он твердил:

— Не желаю стать объектом шуток. Они в Инстаграм напишут, расскажут, что со мной стряслось.

— И откуда девицы узнают твое имя? — попыталась я воззвать к логике и услышала восхитительный ответ:

— Не знаю! Но они точно в курсе, что я Дегтярев.

— Ну и иди, сверкая нижним бельем, — сдалась я.

— Нет! Не хочу!

Я привалилась к стене.

— Отлично. Снимать не стану, но и в брюках идти не желаю. Как решить проблему?

— Нож для пиццы! — оживился полковник. — Круглый. Колесико на ручке. Видела такой?

— Конечно.

— Немедленно купи.

Я подумала, что в результате чрезмерного сдавливания живота у полковника нарушилось кровообращение и мозг перестал правильно функционировать. Нехорошо раздражаться на больного. Я решила терпеть.

— Дорогой, нож для пиццы полезная вещь. Но не в примерочной.

— Боже! Как тяжело, когда вокруг одни идиоты, — вспылил Дегтярев, — кругляш не надо просовывать под пояс! Приложишь его сверху, проведешь по эластику, и готово.

Я пришла в восторг:

— Гениально! Уже бегу.

В полной уверенности, что простой прибор найдется в любом магазине, который продает кухонную утварь, я подошла к справочному табло и узнала, что в «Бруно» нет ни одной лавки с хозяйственным товаром. Одежда, обувь, сумки, игрушки, косметика, парфюмерия... Но посуда, постельное белье, кастрюли-сковородки в торговом центре не продают. Может, моллом владеет женщина, которая до занятий бизнесом с утра до ночи занималась домашним хозяйством и теперь трепетно ненавидит все, что с ним связано?

В полной растерянности я пошла к лифту, и мне на глаза попалось кафе, на двери которого висело здоровенное объявление. «Акция дня. Каждому, кто купит сырно-рыбную пиццу с ананасами навынос, прилагается нож для резки в подарок». Издав вопль команчей, я ринулась в кафе и спустя минут десять вышла оттуда с коробкой, к крышке которой скотчем примотали вожделенный нож. Работники заведения не могли скрыть своего удивления, когда к ним влетела хорошо одетая дама и потребовала сырно-рыбную пиццу с ананасами. Похоже, они специально выбрали для акции абсолютно несъедобный рецепт и не опасались лишиться ножей. А тут возникла я, не поддавшаяся на уговоры взять лепешку с моцареллой, колбасой, курицей, грибами, ветчиной...

В магазине «Прекрасный новобрачный» тоже случилась заминка. Одна из продавщиц увидела, как я направляюсь в примерочную, и ухватила меня за рукав.

— С едой в кабинку нельзя.

— Я несу шарф, — соврала я.

— В коробке для пиццы? — не поверила девушка.

— Да. Такая оригинальная упаковка, — нашлась я.

— Покажите шарф! — потребовала блондинка.

— Вы не имеете права досматривать вещи покупателей, — отрезала я и вбежала в кабинку.

— Тебя только за смертью посылать, — простонал полковник.

Я оторвала нож от крышки и провела им по утягивателю.

— Больно! — прошептал полковник. — С ума сошла?!

Я издала стон.

— Все. С меня хватит.

— Эй, ты решила бросить друга в беде? — занервничал Дегтярев. — Мне дышать нечем.

— Хватит прятаться в кабинке, — решила я, — выходи.

— Брюки разорваны.

— Сними их!

— Нет.

Я взялась за ручку двери.

— Встретимся дома.

— Дашулечка, — заворковал толстяк, — ей-богу, я сейчас упаду. Еле стою. Сил нет. Но не желаю, чтобы бабье потешалось. То-то им разговоров будет на год, постоянно судачить станут о мужчине, который... вот... так...

Полковник пошатнулся.

— Держись за стену, — приказала я и выбежала в зал.

Через пять минут мы с Дегтяревым подошли к кассе. На Александре Михайловиче красовался черный пуховик длиной до колен. Куртку я застегнула ему на молнию. Одежду, в которой полковник пришел в магазин: брюки, рубашку, — я держала в руках. Как большинству людей с избыточным весом, полковнику всегда жарко. Поэтому он, идя в магазин, театр, кино, ресторан, даже в сильный мороз, оставляет верхнюю одежду в автомобиле. У него нет длинной дубленки или пальто с мехом. В таком наряде трудно сидеть за рулем. Почти у всех мужчин-автолюбителей коротенькие легкие куртеночки. Дегтярев не исключение. Но сейчас, чтобы прикрыть дыру на попе, придется купить нашему бравому полицейскому пуховик до колена.

Я положила перед кассиршей ценники и показала пальцем на стоящего молча полковника.

— Он решил уйти в обновках.

— Прекрасно, — заулыбалась девушка, забирая у Дегтярева кредитку, — пин-код, пожалуйста.

Дегтярев потыкал пальцем в терминал.

— Покупка оплачена, — прочирикала девушка. — Сейчас упакую ваши старые вещи.

Я хотела сказать, что понесу их в руках, но тут к прилавку подбежала покупательница и крикнула:

— Сколько можно ждать нужного размера?

От женщины удушающе пахло едким парфюмом. Я оглушительно чихнула. В ту же секунду Дегтярев сморщился, открыл рот...

— Нет! Только не это! — испугалась я.

— Апчхи! — прогремело из груди полковника. — Апчхи! Апчхи!

Послышался треск, молния на куртке Александра Михайловича развалилась, из пуховика выпал круглый живот полковника. Дегтярев попытался стянуть разошедшиеся части, но не достиг успеха.

Я уставилась на вмиг потолстевшую фигуру приятеля.

— Молодой человек, из вас что-то выпало, — закурлыкала покупательница.

— Апчхи! — никак не мог остановиться Дегтярев. — Апчхи!

Я глянула на пол и поняла, что произошло. Полковник так громко и мощно чихнул, что «утягиватель», от которого мы с ним безуспешно пытались избавиться, лопнул. Возможно, крушению пояса, который способен сделать из слона с размером четыре XL мышь с параметрами XS, поспособствовал нож для пиццы, которым я один раз провела по эластичному материалу. Чудесное изобретение вроде не дрогнуло, но, похоже, оно все же чуть надрезалось, а смачное чихание завершило процесс. Сейчас на ботинках полковника лежали его брюки и серо-розовая тряпка, в которую превратился утягиватель. Чтобы не расхохотаться во весь голос, я зажала рот ладонью.

Дегтярев тоже посмотрел вниз, взвизгнул, поднял одну ногу, потряс ею, потом повторил этот маневр другой и, держа разошедшиеся полы пуховика руками, кинулся к двери. Я, не способная пошевелиться, увидела, как толстяк, прикрытый сзади до коленей курткой, сверкая обнаженной частью волосатых ног, выбегает из лавки.

— Вау! — выдохнула продавщица. — Почему у него голые ноги?

— Вы не правы, — пробормотала я, отступая к двери, — на Дегтяреве ботинки и носки. Носки — сакральная мужская одежда, с ними ни один парень не считается обнаженным.

Последнее слово я произнесла уже из коридора.

— Вы забыли одежду своего сына, — заорала продавщица. — Тетя! Мамаша! Захватите шмотки.

Но я уже влетела в лифт, нажала на кнопку и услышала трель мобильного.

— Ты где? — спросил Собачкин.

— Выхожу из магазина, — ответила я.

— Сейчас кое-что тебе расскажу, — сказал Сеня, — мне кажется, надо поговорить с Соней Нечеткиной. Я сбросил тебе интересное фото, его сделали незадолго до гибели Кати.

Я вышла на улицу.

— Получила? — поинтересовался мой собеседник.

— Подожди, сейчас открою, — ответила я, — вижу снимок. Две девушки и три юноши.

— Подпись изучи, — попросил Сеня.

— Клуб «Фанерка» любимое место московских студентов, — прочитала я вслух. — «Вероника Невзорова, Катя Носова, Соня Нечеткина, Петя и Вадим выиграли бесплатный вход». Это что?

— Журнал «Веселье», ныне почивший в бозе. А во времена, когда Екатерина Носова училась в институте, его активно покупали любители тусовок. В каждом новом номере в одном из экземпляров был подарок. Как правило, купон на бесплатный вход в модный клуб. Кате с компанией повезло, им достался мегаприз, аж пять билетов в «Фанерку».

— Петя и Вадим, — повторила я, — эти имена упомянул Валерий. Вероника Невзорова! И Катя Носова! Дочь Валерия была знакома с дамой, которая умерла в нашем холле?

Глава 20

На следующий день я сидела в салоне и мирно беседовала с маникюршей Софьей Нечеткиной.

— При чем тут Катя Носова? — удивилась Соня, услышав мой вопрос. — Вы ее знаете?

Я вынула из сумки айпад и открыла фото.

— Узнаете?

— Ой! Откуда оно у вас? — засмеялась Соня. — Сто лет назад сделано.

— Снимок корреспондента молодежного журнала, — пояснила я. — Помните, где он вас поймал?

Нечеткина сделала резкое движение головой.

— Не-а.

— Ваша приятельница получила суперприз издания, выиграла пять билетов на бесплатное посещение ночного клуба, — напомнила я.

— А-а-а-а, — протянула Соня, — вроде... что-то такое было.

— Друзей своих, надеюсь, вы не забыли? — спросила я. — Можете их фамилии назвать?

Нечеткина встала и поплотнее закрыла дверь кабинета.

— Вам зачем?

— Катя умерла, — сказала я.

— А-а-а, — протянула Соня, — понятно. Валерий вас подослал. Вы ему кто? Уж точно не любовница, на такую женщину у Носова денег не хватит. Одна ваша сумка ценой в несколько его годовых зарплат.

— Стоимость этого аксессуара вами сильно завышена, — ответила я.

— Почему вы пришли меня расспрашивать? — покраснела Соня. — Валерий ранее меня прямо до обморока довел.

— Он вчера скончался, — объяснила я, — перед смертью назвал имена Петр и Вадим, дал понять, что они виноваты в кончине Кати.

— Так и знала, что он долго не проживет, — фыркнула Соня, — очень уж злой был! Так орал! Бордовым становился. У нас когда-то сосед по дому визжал по каждому поводу. И оп-па! Сначала его парализовало, а потом кирдык мужику. Нельзя злобствовать без конца. Никто Катьку не трогал. Она наркоту перевозить взялась и умерла. Ну не дура ли? А Валерий вбил себе в голову, что его доченьку расчудесную убили. Вспомнила сейчас детали. Парней этих я плохо знаю. Видела их один раз всего. На вечеринке, где эту фотку сделали.

Соня снова потянулась к пилке. Я взяла салфетку и вытерла руки.

— Маникюр мне не нужен. Давайте просто поговорим. Заплачу вам за работу.

— И за педикюр, — быстро добавила Соня, — вы на него записались, мое время заняли, другого клиента мне уже не взять.

— Конечно, — согласилась я.

— Есть у меня одна клиентка, — деловито продолжала Соня, — ей ноготочки раз в месяц приводить в порядок надо, а она раз в пять дней приходит. Обеспеченная. Одета хорошо, да поговорить ей не с кем. Мужа никогда дома нет, подруг не имеет... Сядет в кресло, и мы с ней треплемся. Потом в кассу платит, и мне всегда щедрые чаевые оставляет.

Нечеткина уставилась на меня.

— Салон расположен в самом центре, — улыбнулась я, — цены здесь совсем не демократичные, малообеспеченным людям они не по карману. Вы привыкли к богатым посетителям. Но часто женщинам в роскошных шубах, с эксклюзивными драгоценностями, дорогими сумками-обувью живется не так уж сладко. Они зависят от капризов мужей, а их богатство кое у кого вызывает зависть. Но я не нуждаюсь в собеседнике, есть друзья, готовые выслушать меня в нужный момент. Однако я понимаю, что отнимаю у вас время, поэтому, конечно, заплачу по счету и не обижу чаевыми.

Соня быстро открыла ящик стола, вытащила блокнот, ручку и написала цифру.

— Клиентка, о которой я говорила, столько отстегивает. За меньшее я не открою рот.

Я кивнула.

— Сумма большая. За такие деньги вам нужно быть предельно откровенной.

— Выдумывать не приучена, что знаю, то и сообщу, — заявила Соня, — между прочим, незадолго до глупости, которую Катька учинила, мы с ней поругались.

— Что вы не поделили? — осведомилась я.

В дверь постучали.

— Я занята, — крикнула мастер, — не мешайте!

Несмотря на слова маникюрши, створка приоткрылась, в кабинет вошла маленькая худенькая женщина с подносом.

— Ваш чаек, — заулыбалась она, — с печеньем. Всегда рады посетителям.

Соня скорчила гримасу.

— Надо же! Вспомнила! Когда дама чай заказала? В момент прихода. Сидит тут уже долго, а ты, Вера, только сейчас соизволила чайник припереть.

Администратор поставила поднос на столик.

— Извините, Дарья, народу много.

— Лучше молчи, — оборвала ее Соня. — Что госпожа Васильева после твоих глупых слов подумать должна?

— Ничего дурного я не говорила, — возразила служащая, — попросила прощения за задержку.

Нечеткина закатила глаза.

— Ты заявила: «Извините, клиентов много!»

— Да, — согласилась Вера, — вежливо объяснила.

— Надо же такой тупой родиться, — схамила Соня, — своим необдуманным заявлением ты дала Дарье понять, что ей принесли чай в последнюю очередь, так как в салоне сидят более важные клиентки, которым напитки подали раньше! А Дарья так, шелупонь, она подождет!

Худенькое личико Веры совсем осунулось.

— Ничего подобного я не имела в виду.

— Но так прозвучало, — не утихала Нечеткина, — скажи спасибо госпоже Васильевой за ее доброту. Другая могла бы вылить заварку на пол и уйти со словами: «Отправляюсь туда, где меня элитным клиентом считают!»

Вера стояла молча, Соня подняла крышку чайника.

— Дарья, вы какой чай заказывали?

— Черный с лимоном, — ответила я.

— Вот и мне так показалось, — со змеиной улыбкой согласилась Нечеткина. — Вера! Почему моей любимой клиентке подали молочный улун? Она не заказывала зеленый чай.

— Ой... э... э... ну... — растерялась Вера, — это случайно вышло... простите... клиентов очень много... вот...

— Убирайся, — скомандовала Соня.

— Сейчас поменяю, — засуетилась Вера, — заварю по новой.

Нечеткина прищурилась.

— Уматывай. И более не появляйся.

— Она же чаю хочет, — жалобно произнесла Вера.

— Вон, — скомандовала Соня.

Администратор схватила поднос и исчезла за дверью. Соня встала и открыла один из шкафчиков, там был спрятан электрочайник, банки и чашки.

— Сама вас угощу, — затараторила Соня, — наберут не пойми кого из деревни. Сначала про множество клиентов понесла, потом гениально высказалась: «Она же чаю хочет». Не объяснили бабе в детстве, что говорить «она» в присутствии человека оскорбительно. Следовало сказать «Дарья», «наша уважаемая клиентка», «госпожа Васильева». И заказ перепутала. Это вишенка на торте ее тупости.

— Вера научится, — улыбнулась я, — все, кто недавно работает, ошибки совершают.

— Недавно работает, — засмеялась Соня, ставя передо мной чашку, — да она тут много лет сидит на рецепшен. Просто безголовая, воспитания нет. И полюбуйтесь! Дверь не прикрыла. Дарья, напишите на Верку жалобу. Хотите, я книгу принесу?

— Многие люди от замечаний очень расстраиваются, и поэтому у них все из рук валится, — заметила я. — Фраза про большое количество клиентов никак меня не задела. Почему вы с Катей поссорились?

Нечеткина подошла к двери и со стуком захлопнула ее.

— Потому что она мне нагадила, — сердито воскликнула Нечеткина. — Сейчас расскажу.

Изо рта Сони полился рассказ.

Глава 21

Спустя минут пять после начала повествования я поняла: Соня очень обидчива и злопамятна. С Катей она общалась с первого класса и до сих пор не могла забыть, как Носова один раз пришла на занятия в такой же сменке, как и она, Соня.

— Я спросила у нее: «Зачем ты их надела? Мы как из приюта смотримся», — вещала Соня, — Катька ответила: «Ой, мне так твои туфли понравились, что упросила папу мне такие же купить!» Но я-то одевалась в хороших магазинах. А у родителей Катьки никогда лишних денег не было, она донашивала шмотье, которое ей от других детей отдавали. Мои туфельки приобрели в брендовом бутике, они были настоящие, фирменные. Родной пакет, коробка, ленточка — все что положено. А Катюхе дешевые баретки на рынке купили. Фейк. Китайский. Из клеенки. На коленке в подвале Ухрюпинска сшитые. И вот у нас одинаковые лодочки на ногах. Все считают, что мы их вместе брали в ларьке на помойке. Понимаете?

Я сделала глоток чая, а Соня продолжала:

— Разве красиво вести себя, как обезьяна? Ей все мое нравилось! С таким человеком не очень приятно время вместе проводить.

— Почему же вы не разорвали с Носовой дружбу? — удивилась я.

Нечеткина поджала губы и, словно не услышав вопроса, зачастила:

— Честное слово, не понимаю, почему все мальчики постоянно вокруг Катьки увивались. Она была не красавица. Не умная. Плохо одетая. Семья бедная. Отец на стройке прорабом пашет. Мать сумасшедшая. На всю голову больная. Правда, в дурку ее отвезли через какое-то время после похорон Катьки. И до этого она с левым винтом была. Вечно ходила в черной одежде, на голове платок. Мы жили в соседних домах, я иногда к Кате заглядывала, Нина Антоновна меня хорошо знала. Столкнусь с мамашей Носовой на улице, поздороваюсь, а та словно из воды выныривает и моргает. Говорю ей:

— Не узнали меня? Я Соня, одноклассница Кати...

Собеседница поставила передо мной чашку.

— Катька вечно одна сидела, мать постоянно укатывала, месяцами пропадала, она по разным монастырям ездила, работала там, потом возвращалась. Дядя Валера вахтами трудился, несколько дней на стройке, потом в Москву возвращался. Катька беспризорницей росла. В отличие от меня, хорошо воспитанной девочки.

Соня вынула из шкафчика печенье.

— Вот чего я понять не могла. По какой причине вокруг Катьки всегда лучшие мальчики вертелись? Когда родителей дома не было, Носова постоянно тусовки устраивала. Жесть просто, а не приемы. Дома беспорядок, жрать нечего, народ угощенье с собой тащил. Спальня, где родители жили, всегда была заперта. Катька пользовалась детской, гостиной и кухней. Народу набивалась тьма, друг у друга по головам ходили. В туалете вечно грязь, бумаги нет. Но парней в десять раз больше, чем девочек, и все они вокруг Катьки вьются. Я в соседней башне жила. У нас две двушки в одну объединенные, чистота, порядок, еды вкусной полно. Но ко мне ребята не бегали. Почему? По какой причине меня игнорировали? Загадка. Мама объясняла: «У нас красиво, аккуратно, поэтому твоим одноклассникам ясно: нужно вести себя прилично. А у Носовых бардак, взрослых часто нет, там все можно: ботинки не снимать, в ванне спать, карамельки с макаронами есть, запивая их водой из бачка унитаза. Не общайся с Екатериной, помяни мои слова: случится с ней много плохого».

Соня открыла жестяную коробку с курабье.

— Угощайтесь. Я мамулю всегда слушаюсь, до сих пор стараюсь с ней не спорить, не хочу нервировать мою Зинаиду Семеновну. Но Катька вела себя настойчиво. Сижу дома спокойно, Носова звонит: «Прибегай, у нас весело, но девчонок не хватает». Я вежливо отвечу: «Прости, завтра контрошка по инглишу, зубрю». Так она через пять минут под дверью стоит. «Бросай учебник, ты и так все знаешь». И утаскивает меня.

Соня продолжала рассказывать, как она не хотела общаться с безалаберной Катей, а та чуть ли не силой притаскивала ее к себе домой. Я же сидела с вежливой улыбкой на губах, отлично понимая: Нечеткина лукавит. Соня не пользовалась популярностью у ребят, а Катя явно ходила в лидерах. Думаю, ситуацию необходимо повернуть наоборот. Софья хотела стать своей в веселой компании Екатерины и прибегала к ней без приглашения. Это Сонечка, а не Катя звонила в дверь и проникала на вечеринку. Похоже, Нечеткина завистлива и патологически обидчива. Когда она по второму кругу стала говорить о безобразиях, которые творились в доме Носовой, и о похожих туфельках, я решила остановить ее:

— Кто такие Петя и Вадим?

Соня выдернула из замысловатой прически прядь волос и начала накручивать ее на палец.

— Это уже студенческие знакомые. Петька учился где-то... в каком-то вузе. А Вадик родственник моей мамы. Фамилии нужны?

— Хочется их знать, — кивнула я.

Нечеткина схватила телефон.

— Мусик! Приветик! Нет, работаю. Представляешь, у меня сейчас клиентка, она занимает ну очень высокий пост в полиции прямо на самом верху. Ой, мамусик, ты меня насмешила прямо! Если женщина в форме, так у нее ноги-руки по-твоему страхолюдские? И ты в курсе, что я обслуживаю исключительно богатых и знаменитых. Шушера всякая, голодранцы и гопота в наш салон не суются. Мусик, подскажи фамилию Вадима. Что значит какого? Забыла, кем он тебе приходится? Как не понимаешь? Да Вадик же! Моя клиентка, генерал полиции, им интересуется. Ой, мамусик, ты такая недоверчивая! Держите!

Соня протянула мне трубку, из мобильного раздался тихий голос:

— Добрый день.

— Здравствуйте, — ответила я.

— Простите, если ненароком вас обижаю, меня зовут Зинаида Семеновна, — представилась мать Нечеткиной, — но женщина генерал полиции... это как-то... странно... Думаю, на руководящих постах там в основном мужчины.

— Софья не совсем правильно меня поняла, — сказала я, — являюсь простым полковником.

— О! Это тоже очень высокое звание. А что вы от меня хотите?

— Соня сказала, что у вас есть родственник по имени Вадим.

— Нет.

Я решила действовать напролом.

— Ваша дочь солгала?

— Просто напутала. С Вадиком у нас общая кровь отсутствует. Ох, это долго объяснять. Что вы хотите?

— Фамилию Вадима и его телефон, — быстро сказала я.

— Не подумайте, что я считаю вас обманщицей. Я всегда верю людям. Но неразумно сообщать информацию тому, кого не знаешь лично, — раздалось из трубки. — Не знаю, как вас зовут и что вы хотите от Вадима. Он крупный бизнесмен, обеспеченный человек. Еще раз прошу извинения за подозрения, но многие хотят получить от Вадима или деньги, или его услуги бесплатно. Кое-кто пользуется наивностью и добротой Сонечки, чтобы, обманув ее, заполучить контакт Вадима.

— Могу прямо сейчас встретиться с вами и объяснить, по какой причине я ищу Вадима, — предложила я.

— С удовольствием как-нибудь пообщаюсь с вами, — сказала Зинаида, — но в ближайшие недели у меня очень плотный график. Ни минутки свободной нет.

Глава 22

Выйдя из салона, я мигом позвонила Собачкину.

— Как побеседовала с Нечеткиной? — спросил тот.

Я вкратце передала первую часть нашей беседы с Соней, потом сообщила о разговоре с ее матерью.

— Очень осторожная дама. Хотя в наше время бдительность не помешает, — одобрил Сеня. — Ни фамилии, ни адреса парня ты не выяснила?

— Нет, — мрачно ответила я, — Софья прикинулась, что не помнит, а Зинаида готова сообщить сведения при личной встрече лет через сто.

— Что про Петю и Веронику Невзорову узнала? — продолжал приятель.

— Ничего, — вздохнула я, — Соня их почти не помнит. Дело, по словам Нечеткиной, обстояло так: Катя купила журнал, в нем обнаружила суперприз, пять билетов на бесплатную ночь в клубе. Носова пригласила Вадима, тот попросил: «У меня есть друг Петя Иванов. Он очень скромный, тихий, никак девушку себе не найдет». И Катя позвала Соню. О разговоре с Вадимом Носова ей не сообщила, просто предложила: «Хочешь бесплатно в клубе поплясать? Выпивка за счет заведения. Будут мой парень Вадим и его друг Петя». И только у входа, когда вся компания собралась, Соня увидела, что один из тусовщиков Вадик, который иногда заходит в гости к ее маме Зинаиде Семеновне. Оказывается, он на дне рождения Софьи познакомился с Катериной и у них завязался роман. Носова несколько раз беседовала при Соне по телефону с каким-то Вадимом, писала ему эсэмэски. Но ведь это имя нередкое, вот Софья ни о чем и не подозревала.

— А откуда Невзорова взялась на фото? — недоумевал Собачкин. — Как она билет получила?

Я пустилась в объяснения.

— Журнал выдал пять билетов. Катя не хотела никого, кроме Вадима, Сони и Пети видеть. Один бесплатный билет мог оказаться невостребованным. Петя же привел Веронику, представил ее как свою приятельницу, которой просто хочется потусоваться бесплатно.

Нечеткиной с первого взгляда Петя не понравился, у нее не возникло интереса к нищему студенту. Перед началом тусовки корреспондент журнала сделал снимок компании на фоне входа в клуб. И все отправились развлекаться. Это все. Больше Соня ничего не рассказала.

Сзади раздалось покашливание. Я резко обернулась, в метре за моей спиной стояла Вера, администратор салона, та самая, которую за несвоевременную подачу чая отчитала Нечеткина.

— Не верьте ей, — прошептала женщина, — хотя Сонька не врет. Просто многое не говорит. Сонька решила, что Катя ее обидеть хотела. Дочь Зины полное ку-ку, умом поехала, везде ущемление своего «я» видит.

Вера повертела указательным пальцем у виска.

— Я давно работаю в салоне, раньше Нечеткиной сюда пришла, потом она здесь появилась. То-то радости мне было, когда увидела Бармалейку Занудовскую.

— Кого? — не поняла я, пряча трубку в сумку.

Вера переступила с ноги на ногу.

— У Соньки после вас Максим Каменский. Она с ним часа два провозится, из кабинета ни на секунду не выйдет, давно мечтает владельца крупной сети фитнес-клубов к себе в постель затащить. Да не получится у нее. У Макса второй брак счастливый, ребенок недавно родился. И умные успешные мужики жадных до денег эгоисток вмиг вычисляют. Опять у нашей Бармалейки обломчик организуется. Жаль беднягу, я на нее зла не держу. Когда столько времени богатого мужа ищешь и все мимо, даже ангел зубы оскалит. А Сонечка отнюдь не ангел.

— Бармалейка Занудовская — прозвище Нечеткиной? — уточнила я.

— Да, — засмеялась Вера, — Катя его придумала. Вот она совсем не такая была. Симпатичная машинка с красной крышей ваша?

Я кивнула.

— Зябко на улице стоять, давайте в нее сядем, — предложила Вера, — расскажу много интересного.

— Может, в кафе устроимся? — предложила я. — Угощу вас обедом. Или хотите за информацию получить нечто иное?

Администратор поставила брови домиком.

— Думаете, все как Сонька? Только деньги хапают? Не подошла бы я к клиентке никогда, но вы меня не ругали, жалобу писать отказались. Спасибо. Софья под меня копает, потому что я про нее всю правду знаю. Нечеткина боится, вдруг я рот раскрою, вот и готовит почву, думает, если клиентка на Морозову нажалуется, ее вытурят.

Администратор определенно подслушивала под дверью кабинета Сони нашу беседу. Иначе откуда ей знать, что та мне предложила кляузу настрочить, а я отказалась? Не люблю тех, кто прижимается ухом к замочной скважине, но побеседовать с ними иногда полезно. Детектив не всегда ловит информацию в чистой воде, подчас он ее из вонючего болота вытаскивает.

— Как вам вон тот ресторанчик? На углу, — предложила я.

— Мрак, — отрезала Вера, — родной брат нашего салона, пафосен и мерзок. За три тысячи рублей принесут обычный салат «цезарь». Курицу не прожуете, сухари огромные, листья айсберга старые, заправка майонез. Но круто в этой харчевне сидеть, потому что она для богатых. Если вкусно поесть желаете, лучше двинуть в «Константин». Там чек за хороший обед не велик. Но белых скатертей, официантов во фраках нет. На столах клеенка, две пожилые тетушки с подносами, в руках тарелки, как сейчас модно, они носить не умеют. Советские такие бабушки. Но готовят замечательно. Что выбираете? Пафос?

— Бабусек и клеенку, — решила я, — только дорогу покажите.

Мы сели в машину, Вера быстро проложила путь:

— Направо и все время прямо. Около желтого дома тормозите.

Я нажала на газ, спутница продолжила прерванную беседу:

— В нашем салоне с вас за маникюр сдерут столько, сколько в нормальном месте за пять процедур заплатите.

— Но народа у вас много, — заметила я, — у Софьи случайно свободное время нашлось. Мне вначале вежливо объяснили, что записываться заранее надо, но потом перезвонили и обрадовали, что кто-то отказался.

Вера погладила рукой торпеду.

— Красивая машинка. У меня колеса намного дешевле, но любимые. Полно людей, которые денег не считают и не хотят видеть в соседнем кресле бедноту голимую. Просто одетая тетка, которая просит, чтобы ей сделали давно не модные акриловые ногти, нарисовали на них цветочек, оскорбляет взгляд сноба. Он раскошеливается, чтобы сидеть в компании себе подобных. Есть категория распальцованных, тем важно между делом бросить в разговоре, что обслуживаются в самом пафосном салоне Москвы. Третья разновидность — девушки, мечтающие удачно выйти замуж. Почему-то дурочки решили, что, сидя в кресле у стилиста, они легко познакомятся с богатыми-знаменитыми. Знаю одну такую, она из социальных низов, взяла кредит в банке, бегает к нам кудри завивать, жениха подстерегает. Но надо быть справедливой, мастера у нас отличные. Приехали.

Глава 23

— Ну как? — осведомилась Вера, видя, что я с удовольствием уплетаю спагетти.

— Очень вкусно! — воскликнула я.

— И недорого! — кивнула Вера. — Но Соня сюда никогда не пойдет, потому что место не пафосное, посетители не в бриллиантах. Знаете, кто Нечеткину в гламурный салон пристроил? Зинаида Семеновна. Дочке ее давно замуж пора, а достойные женихи на горизонте не мелькают. Вообще никакого мужика у Софьи нет. И образования она не получила, из института ее за лень выгнали. Зинаида дружит с владелицей салона, вот и устроила кровиночку сюда. Соня Катю за Петю ненавидела. Хотя прошедшее время тут неверно. Она ее до сих пор со злобой вспоминает.

Я отложила столовый прибор.

— Какое отношение вы имеете к Нечеткиным?

Вера взяла бутылку с оливковым маслом.

— Мы жили рядом. Зинаида Семеновна в конце девяностых начала громко говорить о своих дворянских корнях. Дескать, ее родители княжеского рода, но они скрывали в годы советской власти свое происхождение. Смешно.

— Она говорила неправду? — уточнила я.

Вера налила в стакан минералку.

— Кто ж знает? При коммунистах на самом деле о родовитых предках не распространялись. Но я ей не верила. Сама никогда не сочиняю про благородную кровь в жилах. Мои бабушка и дедушка в Москву из деревни приехали. В столице были вредные предприятия, где коренные москвичи работать не хотели. Фабрики могли пригласить на работу народ из провинции. Но существовал лимит: количество «понаехавших» жестко регламентировалось. Вот их и стали звать: лимита. Люди эти жили в общежитиях, через годы верной службы получали столичную прописку. Забавно, но некоторые из них, став обладателями штампа о прописке в Москве, делались снобами. Те, кто сейчас громко кричит: столица не для понаехавших, имеют в генеалогическом древе бабулю-дедулю лимиту убогую. Я думала, что Зинаида из таких, она ни с кем из соседей не здоровалась, с поджатыми губами всегда через двор дефилировала.

Вера выдернула из держателя бумажную салфетку.

— Старшая Нечеткина меня игнорировала. Никогда даже не кивала. Я только усмехалась. Аристократка же! Зинаида одна воспитывала дочь, в наш дом они въехали, когда Соне семь лет стукнуло. Девочка, наивная, один раз сболтнула, что ее папа героически погиб на работе. Все поняли: нагуляла «дворянка» малышку. Спустя некоторое время после переезда Зина наняла в поденщицы Шуру, уборщицу из сберкассы.

Вера улыбнулась.

— Наверное решила, раз тетка в банке служит, она со всех сторон проверена. И еще ей нравилось, что Александра Васильевна живет в другом районе, значит, сплетни по соседям нашего дома не пустит. Одного она не ведала, что Шура моя родная тетя, сестра мамы. Она человек порядочный, про хозяев, к которым ходила, языком не трепала. И мамуля моя такая была, и я такая. Но в своей семье-то отчего не посудачить? Александра Васильевна у Нечеткиной раз в неделю грязь отмывала, стирала, уставала сильно, весь божий день бегала с тряпкой-шваброй. Сил ехать домой у нее к вечеру не было, поэтому тетя Шура приходила к нам. Они с мамой садились пить чай и болтали о Зинаиде Семеновне. Александра Васильевна рассказывала, какие у нее дома порядки, что Соня воспитывается как барыня. У Нечеткиной проблема с деньгами, но доченьке она все позволяет и покупает. А Софья растет завистливой и до маниакальности обидчивой. Еще она невозможно злопамятна, но мать считает девочку идеальной.

Вера начала аккуратно резать ножом курицу.

— Я рано замуж вышла, в восемнадцать лет уже колечко на пальце имела. Супруг прекрасный попался, тещу обожал, ни разу голоса на женщин в семье не повысил, но Господь нам детей не послал, на беду, Андрюша рано умер, за ним мама ушла, в тот же год Шура сломала шейку бедра. Тетя очень надеялась встать, поэтому позвонила Зинаиде и сказала: «Подвела я вас, на месяц из работы выпадаю. Разрешите моя племянница у вас за порядком приглядит, она аккуратная, молодая, медсестрой в больнице служит». Зинаида обрадовалась: «Пусть приходит».

Вера засмеялась.

— Жаль, вы ее глаза не видели, когда я в прихожую вошла. Прямо перемкнуло Зину, она повторяла: «Это вы? Вы? Племянница Шуры? Вы? Но мы же в одном подъезде живем? Как так?» Я ей ответила: «Я нуждаюсь в заработке, а вы в уборщице. Клятву Гиппократа средний медперсонал не дает, но я врачебную тайну соблюдаю. Работаю сутки через двое. В свободные от больницы дни навожу в разных домах порядок. Если мой язык вас волнует, то я им не размахиваю».

По гримасе, которая ее лицо исказила, мне понятно стало: Зинаида со мной дел иметь не хотела, но выхода у нее на тот момент не было, поэтому она процедила: «Постирайте, погладьте, уберите. Посмотрю на качество вашей работы». Наверное, она хотела другую домработницу нанять, но пока ее искала, убедилась, что я молчу, работаю хорошо, беру недорого, и я у нее осталась.

Вера взяла меню.

— Десерты тут нереально вкусные. Если любите эклеры, от души советую, они не с масляным, а с заварным кремом. Прямо восторг. Зина со странностями, королеву из себя корчит старательно. Но по сути она человек не дурной. Истерик не закатывала, потому что монаршие особы считают ниже своего достоинства с чернью ссориться. Деньги она считала до четверти копейки. На что жила, понятия не имею. Зина не работала, говорила, что иллюстрирует сказки в издательстве. У нее и кабинет был, на столе лист бумаги с начатой картинкой, краски, карандаши, фломастеры. Я в доме несколько лет порядок наводила. Рисунок каким был, таким и оставался. Но откуда-то ей деньги капали, причем регулярно.

Иногда Соня злилась: «Почему в холодильнике ничего вкусного нет?» Дочь, в отличие от матери, эмоции свои не скрывала. Зинаида начинала нервничать: «Солнышко, я тебе завтра-послезавтра все, что хочешь, куплю». «Мне сейчас надо», — злилась капризница, которой в то время было за двадцать. Соня...

Вера посмотрела мне в глаза.

— У нас с ней своя история. Софья меня не сразу увидела. Зинаида мне условия выдвинула:

«Девочка должна полноценно отдыхать, она много учится. Сонюшка приходит домой из школы, обедает и уезжает к репетиторам. На время ее пребывания в квартире вы к себе поднимайтесь. Потом опять к уборке приступайте и до возвращения дочки заканчивайте. Не надо при Сонечке с тряпкой по апартаментам носиться».

Вера покачала головой.

— Я попала в сложное положение. Прекрасно знала, что Соня мать дурит. Выпускной класс лентяйка оканчивала, Зинаида надеялась, что доченька в иняз поступит, наняла ей педагога, вручала конверт с оплатой раз в месяц. Да только Соня к учителю редко ходила, она у Кати постоянно сидела.

— Вы знали Носову, — протянула я.

Собеседница посмотрела на тарелку с двумя эклерами, которую перед ней поставила официантка.

— Теперь, когда Нина и Катя покойные, можно правду открыть. Валерию здорово не повезло, он отличный мужик, жену обожал. А та казалась набожной до фанатизма. Весь дом в иконах, постоянно свечи горят, занавески задернуты, из комнаты Нины бубнеж доносится, она всякие молитвы читает. Потом! Раз! У нее истерика, слезы, попытка самоубийства. И как это с воцерковленностью вяжется? Истинно верующий о суициде даже помышлять не станет. Валерий долгое время считал супругу очень эмоционально ранимой, берег ее от всяких проблем, но когда Нина на него с ножом кинулась, хотела его зарезать, потому что в муже бес сидит... Вот тогда он сообразил: супруга больна. Нина очнулась в психиатрической клинике, а я там работала медсестрой.

Диагноз поставили, домой ее отпустили, а как уколы делать? Необходимо каждый день по два раза в диспансер ездить, который далеко от дома расположен.

Вера покраснела.

— Мне так стало Валерия жалко! Предложила ему: я живу в соседнем доме, могу Нине инъекции делать. Бесплатно. Только не подумайте, что я хотела мужика из семьи увести. В мыслях этого не было. Мы просто с ним подружились.

— Значит, по монастырям старшая Носова не ездила? — спросила я.

Глава 24

— Нет, — призналась Вера, — ее в клинику клали. Валерий не хотел, чтобы кто-либо знал о сумасшествии жены. Поэтому выдавал ее за слишком религиозную особу. Всем говорил, какая Нина истово верующая, по разным святым местам катается месяцами, а в реальности она лечилась там, где я работала. Даже Катя правды не знала.

— Неужели? — удивилась я.

Вера кивнула.

— Валера дочь обожал, ради нее жил. Девушка понимала, что мать со странностями. Но отец ей смог внушить: дело в глубокой воцерковленности. Катя, в отличие от Сони, не была эгоисткой, веселая, компанейская, она умела любить, поэтому вокруг нее всегда было много друзей. Софью как магнитом в дом Носовых тянуло. Думаю, ее привлекали мальчики, они около Кати просто роились. Нечеткину в компании не любили, за глаза называли: Бармалейка Занудовская. А Катя одноклассницу жалела, говорила: «Ладно вам, Соня хорошая, просто ее мать завоспитывала».

Когда Валера уходил на сутки, а Нина в очередной раз в больнице лежала, я всегда к Катюше вечером забегала. В клинике еда остается, на кухне много чего взять можно. Вот я девочке и притаскивала творожок, молоко, котлетки. У нее всегда стоял дым коромыслом. Ребята на гитаре играют, песни поют. Софья в углу сидит с надутым лицом, злая. На нее никто внимания не обращал. А вот когда отец был дома, Катюша сама куда-нибудь после занятий смывалась, не хотела ему мешать, приятелей не созывала. Но Валера дома редко бывал, вечно подрабатывал, он Нину на коммерческой основе лечил. Платил за одноместную палату, внимание врачей, ну и я всех оповестила, что Носова близкий мне человек, а к такой больной отношение иное.

Вера подняла чашку с кофе.

— Когда я у Зины служить начала, то знала — рано или поздно Соня поймет, что она меня у Кати порой встречает. И точно. Столкнулась я с любимой доченькой хозяйки. Та неожиданно из школы рано прибежала, Зинаида Семеновна куда-то удрапала, я комнаты пылесошу — и, здрасти, Соня. Девчонка аж в лице переменилась.

— Вы что у нас делаете?

Вот так все совместилось. Я сообразила, что надо бурю усмирить, и спокойно объяснила:

— Соня, я не первый день здесь убираюсь. Но ни разу твоей маме не насплетничала, что ты вместо того, чтобы к репетитору ехать, у Кати толчешься. Я тебе не враг, просто в работе нуждаюсь. Не жалуйся матери на меня, не выживай из дома, и мы поладим. А вот если яму мне рыть начнешь, тут-то я правду про твои якобы занятия немецким Зинаиде Семеновне и вывалю. Терять мне уже нечего будет.

Она молча ушла. И стали мы жить дальше. Нина то дома, то в клинике, Валера работает так много, что даже бешеная белка за ним не угонится. Катя в институт поступила, не в самый престижный, но на бюджетное отделение. Я в клинике пашу посменно, к Носовым часто забегаю, у Нечеткиных и еще у пары хозяек квартиры убираю. Зинаида Соню в вуз пропихнула за хорошие деньги, понятное дело, на платной основе. Вот прямо загадка, где она их берет. Ну и потом случилась эта история с Петей. Катя выиграла приз в каком-то журнале, ей дали пять бесплатных билетов в клуб. Ох, не надо было ей их брать. Ох, не надо! Одна беда из этого вышла. Катя обрадовалась и позвала Вадима.

Морозова отодвинула пустую чашку.

— Мне казалось: я Катю как книгу читаю, от меня у нее тайн нет. Носова вся как на ладони. Ошибалась я. Вечер тот, когда семена зла посеялись, я хорошо помню. В районе семи захожу к Носовым, Катя вся такая хорошенькая, в крошечном халатике, глаза горят, губы без помады пунцовые, щеки персики. Я и сказала: «Ты, как невеста после первой брачной ночи, сияешь». Она вдруг прямо в свеклу превратилась, вся бордовой краской вспыхнула, даже руки покраснели. Палец к губам приложила: «Тсс!» Я удивилась ее поведению и слышу вдруг из кухни мужской кашель.

Вера отвернулась к окну.

— Оцените меру моей наивности. Я решила, что Валерий дома, испугалась и со словами:

«Что случилось, ты же сейчас должен на стройке быть», бросилась на звук. Катя не успела меня притормозить, влетела я, дурочка, на кухню. А там! Вадим Вибров, родственник Зинаиды, голый по пояс сидит, кофеем балуется. И что мне следовало думать? Катя в халатике, на лице выражение счастья, парень полуголый на кухне. На столе бутылка шампанского, конфеты, фрукты, кофе... Ваше мнение о том, чем они незадолго до моего появления занимались?

— Скорей всего им очень хорошо было вместе, — улыбнулась я.

— Я основательно расстроилась, но вида не подала, — неожиданно сказала Вера.

— Огорчились? — удивилась я. — У молодых, не обремененных семьей людей завязался роман. Разве это плохо? Или у Вадима была жена?

— Такие, как он, брачное ярмо себе на шею не вешают, — зло отрезала Морозова.

— Возможно, вы ошибались насчет юноши, — возразила я, — вдруг у них с Катей все серьезно было?

— Вадим часто к старшей Нечеткиной заходил, — повысила голос моя собеседница, — какие-то поручения для нее выполнял. Как-то он Зинаиде сказал: «Мечтаю о такой жене, как Соня!» Зина быстренько ответила: «Соня красавица, ее любой с радостью замуж возьмет, она, конечно, тебе очень нравится, но вам нельзя семью строить. Мы родственники». Вадим запел: «Не кровные... Я просто сын от другого брака». Старшая Нечеткина его на место поставила: «Ты небогат, плохая партия для моей девочки. Сонечке нужен обеспеченный супруг». Когда я Вадима на кухне у Носовых увидела, вмиг сообразила: Катюша в него по уши втрескалась, не видит никого и ничего вокруг, а Вибров просто воспользовался девочкой. Если яблоко само в руки падает, не отказываться же от него. Ни на секунду пакостник Катюшу не любит, он к деньгам Сони рельсы проложить пытался. Ушла я от Кати сразу, поставила судок с едой — и деру. Через два дня она сама ко мне прибежала и говорит: «Ой, тетя Вера, я попала в глупое положение». И рассказывает, что выиграла билеты, позвала Вадика в клуб, сказала ему, что пропусков пять, но она хочет только с ним одним время провести. Кавалер сначала поддержал ее идею, а накануне похода попросил: «Давай возьмем моего приятеля Петю. Он тихий, застенчивый, никак девушку не найдет. Позови какую-нибудь подругу, но только хорошенькую, богатую, вдруг у них отношения завяжутся». И Катя, добрая душа, пригласила Соню. Она же не знала, что Вадик к Нечеткиной клинья подбивал.

Я у Кати спросила:

— Вибров тебя просил именно Соню в клуб тащить?

Носова ответила:

— Нет. Просто кого-нибудь. Вот я и подумала: у Сони никого нет, вдруг это ее шанс. Разве Вадик может с плохим человеком дружить? А он Соню увидел и шепнул мне на ухо: «За фигом эту дуру привела? Зачем она нам в компании?»

Вера смахнула рукой крошки со скатерти.

— Петя пришел в клуб не один, с ним притащилась какая-то женщина, его приятельница. Они вели себя как близкие знакомые, но сразу становилось понятно: слабая половина в сильную влюблена, а он в нее нет. Уже странно, правда?

Я кивнула.

— Согласна. И коли тебя приглашают бесплатно в клуб, не стоит приводить еще своих знакомых.

— Вот-вот, — подхватила Морозова, — хорошо, что у Катюши было пять билетов. А если бы нет? Ей что, пришлось бы платить за не пойми кого? Но это цветочки. Петя был одет в тряпки с рынка, клуб пафосный, дорогой, у входа строжайший фейс-контроль. Вадима, Катю и Соню без проблем впустили, они соответствовали местному дресс-коду. А Петю с его женщиной притормозили. Носова стала объяснять: «Они с нами, вот билеты, их журнал выдал, вы обязаны всем место предоставить». Секьюрити им в лицо рассмеялись: «Никакие репортеры нам не указ. Нищебродов вон, для них через дорогу бургеры из крысятины продают».

— Красивое заявлсние, — не выдержала я.

Вера открыла сумочку.

— Вадим потребовал управляющего клубом, закатил скандал, пообещал, что во всех соцсетях напишет про то, как его заведение людей обманывает, через журнал дарит билеты, а потом пинком их отбрасывает с порога. В конце концов компания прорвалась внутрь. Но вечер покатился не так, как надеялась Катя. Соня демонстративно не замечала Петра, тот пытался неуклюже ухаживать за Нечеткиной и никак не мог ей угодить. Принес коктейль. Софья рожу скорчила: «Не пью дешевку, возьми настоящий мартини». Петя смутился: «На наш билет бесплатно его не дают». Соня ему: «Так купи!» Парень замялся, все поняли, что у него нет денег. Танцевать с ним Нечеткина ни разу не пошла. Женщина, которая случайно в компании ребят оказалась, суетилась вокруг друга, таскала ему еду из бара, на свои покупала. Бесплатно студентам муть поставили: орешки да чипсы, крекеры соленые. А у Пети тарелка с канапе, какие-то салаты. Он начал всех угощать: «Кушайте, пожалуйста».

Его подруга заныла: «Нет! Я только тебе принесла, нечего всем на жрачку налегать».

Весь вечер так. Соню трясло от злости. Потом к ней подошел вполне приличный юноша, позвал на танцпол. Нечеткина обрадовалась, а Петя вдруг заорал: «Вали вон! Не видишь, она не одна? Придурок». «Сам дебил», — не остался в долгу незнакомец.

Явно назревала драка, но приятели того парня его живо утащили. Под конец вечера Петя на Софью пролил что-то липкое, испортил ей платье. Нечеткина закатила истерику, бросилась к выходу, Катя за ней, стала уговаривать ее остаться, да Сонька ни в какую не соглашалась.

Петя давай голову пеплом посыпать: «Сонечка, прости, прости, я не хотел. Неуклюжий я. Давай домой тебя отвезу». Софья с издевкой поинтересовалась: «На самокате?»

«Нет, я машину недавно купил, — гордо заявил Петр и показал в окно на ржавые ободранные «Жигули» на стоянке, — тысячу с лишним долларов отдал». Что ему Софья ответила, Катя мне цитировать не стала, но и так ясно.

Вера повесила сумочку на ручку стула.

— Если вы думаете, что услышали про все неприятности, то зря. Дальше еще гаже.

Глава 25

Морозова повертела в руках пустую чашку.

— Прекрасный ресторан, но кофе в наперстках подают. Через день Катя мне сообщила, что к Соне приехал курьер, привез посылку, а в ней... Роскошное платье от одного из самых дорогих брендов, туфли, сумочка, серьги, браслет и письмо от Пети. Парень объяснил, что он на самом деле владелец больших проектов в Интернете, которые приносят многомиллионные доходы. Проблем с деньгами у него нет. И живет он не в коммуналке, как на вечеринке говорил, не в десятиметровке вместе с мамой, а в огромной квартире в центре. Да и матери у него нет, Петя ее рано похоронил. И машина дорогая в гараже, и одет он прекрасно. Но, к сожалению, девушки, узнав, кем является Иванов, мигом влюбляются, но не в него, а в его тугой кошелек. После нескольких неудачных романов Петя утратил наивность и теперь устраивает при новом знакомстве спектакль: изображает из себя нищего неуклюжего дурачка. Та девушка, которая не станет злиться на Петю, обзывать его беднотой убогой, воскликнет: «Пожалуйста, не переживай из-за моего платья, оно старое, давно пора его выбросить, да жадность мешает. Спасибо, что коктейль случайно вылил, наконец, я от шмотки избавлюсь», и спокойно сядет в ржавые «Жигули», вот она сорвет джек-пот, получит караты на пальчик. Петр хочет, чтобы пылкие чувства красавица питала именно к нему, а не к портмоне из кожи крокодила. Нечеткина, как и многие до нее, проверку не прошла. Он с этой мамзелью более встречаться не желает. В качестве компенсации за нарочно облитое им платье Петр посылает новое вместе с аксессуарами. Аут!

— Однако Петя не очень приятный человек, не упустил возможности ткнуть девушку носом в лужу, — поморщилась я, — у меня есть один знакомый, очень богатый человек. У него та же проблема и та же модель поведения. Дешевая одежда, еле живая от старости машина, сотовый из каменного века — все это используется, когда он знакомится с женщинами. Игорю тоже не очень везло. Несколько лет он жену искал, но никогда не отправлял невестам, которые не прошли кастинг, богатых даров с объяснением ситуации. Игорь в конце концов нашел даму сердца. А Петр?

— Понятия не имею, он меня вообще не интересует, — отмахнулась Морозова, — я решила забыть про глупость. Но события помчались как лихие кони. Вскоре Катюша прискакала ко мне с просьбой: «Тетя Вера, одолжи денег». Я засмеялась: «Солнышко, с удовольствием. Есть сто рублей до зарплаты. Аванс дадут послезавтра».

Но она не отставала: «Возьми кредит. Мне в займе откажут, а у тебя зарплата стабильная, буду тебе долг очень аккуратно выплачивать». Я поинтересовалась сколько ей надо. И услышала: «Два миллиона».

Естественно, я начала расспрашивать, для чего ей столь огромная сумма понадобилась. Катя объяснила, что можно купить квартиру, несколько комнат в хорошем районе. Это не обман. От жилья избавляется родственница Петра, того, что в клуб ходил. Она удачно вышла замуж за иностранца. Подробности я не помню. Катюша хотела жить отдельно от родителей.

— Почему миллионер Петя не мог дать девушке в долг? — удивилась я.

— Я задала ей аналогичный вопрос, — кивнула Вера, — и услышала в ответ, что они с Петром едва знакомы и он вообще никому материально не помогает. Раньше ссужал деньги и в результате терял и бабки, и приятеля. Люди считают, что богатому ссуду можно не возвращать, подумаешь, он копейки не считает. И чтобы не испытывать неудобства при встрече, должники отношения разрывают.

Все мои попытки объяснить Кате, что у ее родителей есть прекрасное жилье, не нужны ей свои апартаменты, разбивались о желание глупышки приобрести хоромы. Я спросила: что будет, если ты вовремя платеж не внесешь? Долг на ком повиснет? Катя развернулась и пошла к двери, вроде все поняла, не злилась. Но, похоже, внутри у нее кипело, потому что на пороге она обернулась и сказала: «Отлично знаю, что я не Соня, ради которой Зинаида Семеновна душу черту продаст. Отец только о матери думает, бесконечные поездки ее по монастырям оплачивает, для меня ничего не остается. К тебе я обратилась просто так, отлично понимала, что вон меня пошлешь. Я не в обиде. Никто не должен чужие проблемы решать. И я со своими сама справлюсь».

Отчеканила это вроде не зло, но мне не по себе стало, я пошла за Катей на лестницу, говорю: «Катюша, ты несправедлива. Твой отец с утра до ночи работает. В кошелек тебе он кидает немного, но ведь у Валеры нет газовой трубы. Меня тоже понять можно. Где гарантия, что ты не задержишь выплату? Я тебя люблю, но...» Она меня перебила: «Любовь не терпит никаких «но». Знаешь, что такое настоящее чувство? Когда для человека все сделаешь, независимо от того, станет он тебя благодарить или нет, вернет долг или нет. В подлинном чувстве отсутствует эгоизм. Уж я-то знаю, я, в отличие от кое-кого, умею любить и все сделать для него готова».

Катюша даже в школьные годы не отличалась подростковой горячностью. И вдруг такое заявление!

Вера помолчала и тихо договорила:

— Через неделю Валерию позвонили из полиции: «Приезжайте, ваша дочь умерла». Хоронили мы ее не на третий день, как положено, тело позднее отдали. Дознаватели всякие экспертизы делали. Как назло, в момент кончины Катюши у Нины период ремиссии был, мать дома жила. Боже! Что началось! Она себя в смерти Кати обвиняла, пыталась из окна выброситься. Валера не мог супругу в больницу поместить, деньги, которые он на уход за ней скопил, ушли на ритуальные услуги для Кати. Ад. В конце концов мне удалось уломать начальство, главврач, услышав, что Носова постоянная больная, взял ее бесплатно, положил, как всегда, в отдельную палату. Валера ему за услугу потом дачку отремонтировал. Похороны Кати вспоминаю, как страшный сон. Уж сколько у нее приятелей было! Море! А к гробу никто не подошел. В крематории три калеки стояли: я, Нина да Валера. Все. Поминки как у нищей получились, я блинов напекла, Носов вино сладкое купил, выпили по бокалу. Конец. Никаких речей поминальных, венков, цветов от друзей.

— Вадим не приехал? — уточнила я. — И Соня отсутствовала?

— Сказала уже, мы втроем девочку провожали, — вздохнула Вера. — На следующий день после погребения я во дворе Соню увидела. У меня кошки на душе скребли, я подошла к ней и укорила: «Когда Катя жива была, ты у нее часами просиживала, а мертвую проводить не захотела? Господь все видит! Получишь от него по лбу». Она завизжала: «Знай я раньше, что Носова наркоторговка, за километр ее обходить бы стала. Нечего из Катьки страдалицу делать. Получила, что заслужила. Она людей героином травила». Я возмутилась: «Неправда! В контейнерах, которые в ее желудке нашли, была сода».

Нечеткина мне в лицо рассмеялась: «Врите больше! Надеетесь, кто-то вам поверит? Нет вокруг идиотов. Все про дурь узнали и поэтому никто на похороны не явился».

Глава 26

Сев в машину, я позвонила Собачкину и, медленно передвигаясь в пробке, рассказала все, что узнала от Веры. А Сеня выложил то, что выяснил сам:

— Софья получила диплом о высшем образовании, но по профессии не работала ни дня. По специальности она журналист. Чем занималась, сдав госэкзамены, не известно, нигде официально не работала. Спустя полтора года она пошла в школу ногтевого дизайна, потом работала в салоне для богатых и знаменитых. Сей точкой владеет Маргарита Авалкина, интересная фигура. У дамы сеть спа-центров, они пользуются успехом из-за умеренных цен и опытных мастеров. Особняком стоит салон для элиты. Маникюрш, стилистов, косметологов туда подбирают строго. У них на сайте в разделе «Вакансии» есть объявление: «Хотите стать членом дружной команды тех, кто занимается звездами нашей страны и мира? Если вы женщина ростом не менее метра семидесяти, талия шестьдесят сантиметров, грудь третьего размера и выше, европейской внешности, имеете диплом об окончании профильного учебного заведения, посещаете обучающие семинары-тренинги, имеете подтверждающие свидетельства, можете поддержать беседу на разные темы, согласны на ненормированный рабочий день, поездки с клиентами за рубеж и прохождение медосмотра раз в полгода у нашего врача, то ждем вас на кастинг. Причины отказа не объясняются». Для мужчин то же самое, только рост выше и бюст не нужен. И как туда попала Соня? Ее внешность не отвечает этим стандартам. Просто миленькая мордашка.

— Вера обронила в разговоре, что Зинаида дружит с хозяйкой салона, — вспомнила я, — небось Маргарита Софью малышкой помнит, она ей не чужая.

Сеня оглушительно чихнул.

— Ясненько. Соня закончила платное обучение в пятисортном вузе. Маменька ее пристроила туда, куда недорослицу брали.

— Отличное слово «недорослица», — хихикнула я, — до сих пор знала лишь вариант недоросль.

— Младшая Нечеткина именно недорослица, — повторил Собачкин, — внимание на вторую часть слова! Ослица. Диплом у нее есть, а образования нет. «Корочки» получила, а ума не набралась. И как такую на работу пристроить? Небось посидела красотка дома, мать поняла, что дочь на службу выпихнуть надо. Да куда? Лучше всего такую лебедь замуж отдать за богатого. И где найти жениха? Домой к ним он не придет.

Зинаида придумала дочурку пристроить в салон, где постоянно мужики при деньгах крутятся, благо он ее подруге принадлежит. Знаешь, чьей гражданской женой являлась Зинаида? Тимофея Полканова, по кличке Зомби. Его так назвали, потому что мужик умер и воскрес.

— Это невозможно, — возразила я.

— Сейчас я не готов сообщить подробности, — признался Собачкин. — Когда ты говорила, я включил громкую связь, Кузя всех, кого ты, Дашенция, упомянула, проверит.

— Накопаю детали и отчитаюсь, — раздался вдалеке голос Кузи. — Сеня, расскажи ей про Инстаграм полковника.

— Умора, — заржал Собачкин, — Дегтярев жертва повальной моды на шикарные фото.

— Ты о чем? — не поняла я.

— Слышала про Инстаграм, соцсеть, в которой снимки выставляют? — спросил Собачкин. — Если нет, могу объяснить.

Я ответила:

– Понимаю, что вы оба считаете меня компьютерной идиоткой и отчасти правы, но я могу отправить почту, открыть поисковик, и у меня есть Инстаграм. Мы с Машей им пользуемся.

— Сколько у тебя подписчиков? — поинтересовался Собачкин.

— Два. Маруся и Оксана, — ответила я.

— А у Дегтярева несколько тысяч, и число их растет.

— С ума сойти, — подпрыгнула я, — понятия не имела, что толстяк так популярен. Раиса или Леня, не помню, кто из них, обронил, что у полковника есть Инстаграм и что все сотрудники подписаны. Но я туда не заглядывала. Что он там показывает?

— Сумеешь открыть аккаунт? — крикнул Кузя. — Сейчас адрес пришлю. Ты в дороге? Едешь?

— На шоссе. Стою в пробке, — уточнила я.

— Лучше припаркуйся сначала.

— Почему?

— Поверь, лучше не любоваться на эти картинки в потоке машин, — странным тоном посоветовал Сеня, — можешь перепутать педали. Найди местечко и перезвони. Выслал адрес.

Любопытства у меня больше, чем у десяти кошек. Я стала озираться по сторонам, заметила указатель «Торговый центр “Мишка”», зарулила на площадку, вошла в Инстаграм, адрес которого только что получила, и опять набрала номер Семена.

— Ты перепутал. Я не туда попала.

— Туда, туда, — засмеялся приятель, — Саша Крут — это твой полковник.

— Нет, — возразила я, — в профиле написано: сорок лет, обеспечен, владелец собственного международного сыскного агентства, не женат, имя Александэр.

— Дегтярев на снимках, — продолжал веселиться Собачкин.

— Ошибаешься, — уперлась я.

— Почему?

— Для начала этот Саша вдвое тоньше Дегтярева, живота у него совсем нет, — начала я, — густые волосы. А у Александра Михайловича лысина большая, только по ее краям перья висят. Второго подбородка у Крута нет. Одет он по-молодежному, толстяк такое не носит. Обувь очень дорогая.

На этот раз в мое ухо ворвался смех в разных тональностях.

— Мокасины от известного итальянского бренда, — продолжала я. — И полюбуйтесь, что мачо выставил сегодня в районе полудня. Он в светлом костюме сидит в кресле, за окном видна Эйфелева башня. Судя по размеру, квартира этого Саши расположена в одном из самых дорогих и престижных округов столицы Франции. На ногах у бонвивана те же самые туфли, о которых я только что говорила, они, между прочим, бежево-песочного цвета. На столике круассаны, джем, чашка, журнал «Пари Матч». На коленях мачо собака породы мопс. И подпись: «В моей жизни есть все, кроме тебя». Писатель Рабле». Ну, насчет цитаты... Думаю, Саша Крут ошибся. Франсуа Рабле — один из наиболее язвительных французских сатириков. Сомнительно, что фраза, процитированная под фото, вышла из-под его пера. Но мужик на фото точно не Александр Михайлович. Вам объяснить, почему это не полковник?

— Начинай, — согласился Собачкин.

— Про вес я уже говорила, — затараторила я, — и о прическе тоже. Толстяк не носит светлые костюмы, не приобретает эксклюзивную обувь, да еще в бежевых тонах. У него есть несколько пар светлых ботинок, которые ему дарила Маша, но Дегтярев ворчит: «Разврат столько денег за штиблеты отдавать, по московской грязи только в черном можно бегать, я полицейский, а не жиголо». Дома полковник ходит в засаленных клетчатых тапках, которые купил еще в правление царя Гороха, и в спортивном костюме, ровеснике Крымской войны тысяча восемьсот пятьдесят третьего года. Давно хочу сжечь треники, куртку и тапки, они ужасны. Круассаны мы в Москве не покупаем. Не сочтите нас снобами, но в России никто их выпекать не умеет. Даже в лучших кондитерских это просто булки в виде рогаликов. Вот журнал «Пари Матч» приобрести у нас можно. Но зачем он Дегтяреву? Толстяк знает по-французски всего пару фраз: «Гутен таг», «ай вонт жрать» и «мани-мани».

— Подожди, — остановил меня Сеня, — «гутен таг» вроде «добрый день» по-немецки, «ай вонт жрать» — я хочу есть — на испорченном английском, и на этом же языке «мани-мани», то бишь «деньги-деньги».

— Верно, — согласилась я, — но Дегтярев искренне считает, что, употребляя сии выражансы, он щебечет, как три мушкетера и граф Монте-Кристо, вместе взятые. «Пари Матч» полковнику нужен, как мне хвост. Хотя... продолжение позвоночника может пригодиться во время шопинга под Рождество, когда в ЦУМе обваливаются цены. Пакеты у меня тогда в руках не умещаются, наверное, удобно их на хвост вешать. И, если вышесказанного мало для понимания того, что Саша Крут не Дегтярев, вот последний, но самый значительный аргумент. Полковник живет в Ложкине, квартиры вблизи Эйфелевой башни у него нет. А из окна нашего дома, расположенного в Подмосковье, сей символ Франции ну никак не увидеть.

— Обработал? — спросил Сеня.

— Уже отправил, — донесся ответ Кузи.

Мой телефон тихо звякнул.

— Открой ватсапп, — велел Собачкин, — найдешь там исходник.

Не понимая, что Собачкин имеет в виду, я выполнила указание и увидела несколько снимков.

На первом Дегтярев сидел в кресле в своей спальне. На нем был затасканный спортивный костюм, на ногах потерявшие приличный вид тапки. На коленях у Александра Михайловича дремал довольный Хуч. На втором фото красовалась небольшая сувенирная фигурка Эйфелевой башни, она у нас в гостиной на окне живет, кто ее купил, понятия не имею. На третьем снимке был запечатлен столик с круассанами и журналом.

— И что это? — спросила я.

— Смотри то, что сейчас приходить будет, — загадочно произнес Сеня.

Мой мобильный стал издавать короткие звуки. Я, приоткрыв рот, глядела на экран. На нем разворачивалась лента фотографий. Комната полковника, но ее хозяин был теперь вдвое тоньше, а на следующем снимке втрое моложе, морщины на его лице мистическим образом исчезли, на макушке заколосились волосы.

— Обработка изображения, — заявил Собачкин, — убран лишний объем, отрезан живот, чуть удлинены ноги, добавлена растительность, омоложена морда. Ох, прости, лицо.

— И как это получилось? — ахнула я.

— Элементарно, — хмыкнул на заднем плане Кузя, — покупаешь пару программ и шарашишь. В сети полно глупой шняги, пообещают суперпупер эффект, заломят цену, человек возьмет, и ничего у него не получится. Дегтярев небось много раз обламывался, пока нужные программы накопал.

— Значит, он у нас теперь стройненький, кудрявенький, — пропел Сеня, — активируем приложение «гардероб», и вот уже костюмчик со штиблетами.

— Офигеть, — жалобно пропищала я. — А откуда Эйфелева башня за окном?

— А ну дай трубку, — скомандовал Кузя, — сам объясню. Полковник, е мое, хакер! А ведь раньше он даже эсэмэски отправлять не умел, а когда смайлики для себя открыл, какашку всем отсылал.

Я хихикнула.

— Помню. В конце концов ему объяснили, что на картинке вовсе не шоколадка.

— Зато теперь Александр Михайлович мастер, — продолжал Кузя, — трюк, в общем-то, прост. Открываем окно, берем сувенирную фигурку, ставим ее снаружи, увеличиваем... эне, бене, раба, квинтер, финтер, жаба, и...

— За окном большая Эйфелева башня! — подпрыгнула я.

— После всех трюков вставить в фото рекламный снимок столика с круассанами из отеля, как чихнуть, — заверил Кузя. — Опс! И наш толстяк, то есть, пардоньте, стройный молодец, завтракает в Париже! Эй, чего молчишь?

— Потеряла дар речи, — призналась я, — и не подозревала, что такое возможно.

— Ох, забыл, — спохватился Кузя, — легкое движение мышки — и Хучик превращается...

Я получила снимок, на котором у полковника на коленях лежал очаровательный щенок мопса в голубом ошейнике с серебряным колокольчиком.

— Прошу любить и жаловать. Саша Крут, — объявил Кузя. — Холостяк. Работает в какой-то ну очень секретной организации, летает по службе в разные страны мира. Имеет апартаменты в Париже, Лондоне, Нью-Йорке, ездит на «Феррари», одевается в лучших бутиках.

6 - 3816

— Господи, зачем ему заниматься такой ерундой? — простонала я.

— Многим толстым немолодым полковникам полиции, у которых нет никаких любовниц, хочется стать мачо, за благосклонность которого будут сражаться красотки. Дегтярев ищет жену!

— Кого? — обомлела я.

— Спутницу жизни, невесту, супругу, — растолковал Сеня, который отнял у приятеля трубку.

— Он с ума сошел? — возмутилась я.

— И уже нарыл себе принцессу, — радостно сообщил Собачкин.

— Так вот о ком говорили Леня и Раиса! — осенило меня. — Думала, они меня разыгрывают, сообщая о какой-то свадьбе. Господи! Я и представить не могла, что Дегтярев станет тратить время на такие глупости.

— Похоже, ты одна не в курсе его увлечения, — перебил меня Кузя, — у Дегтярева там вся бригада пасется, лайки ставит, комменты пишет. Ленька под ником doctor mertv, Рая — koroleva mira. Всех легко вычислить, у них снимки реальные. Один полковник — властелин фотошопа, король разных приложений, графического редактора и кучи всякой шняги, типа Сапчатик, и тому подобного.

— Это что такое? — полюбопытствовала я.

Сеня издал странный звук.

— Тебе зачем это знать?

— Просто так, — вздохнула я.

— Глупость полная, — объяснил Семен, — можно к своему изображению уши собаки приделать или превратиться в пингвина. Засада, однако, теперь у Александра Михайловича.

— Ты о чем? — насторожилась я.

— Дегтярев в самом начале, когда открыл Инстаграм, написал: «Когда выберу невесту, мы с ней встретимся в кафе и я выложу наше свидание», — пояснил Собачкин. — Умный он очень, не спорю. Ловит убийц отменно. И одновременно дурачок. Зачем обещать то, что тебя провалит? Три дня назад толстяк объявил, что кастинг невест завершен. И теперь все его подписчики сыплют комментариями: «Кто она?», «Надеюсь, это я», «Меня выбрали?», «Я, я хочу невестой быть», «Жду свиданку», «Когда встреча?», «Кольцо ей подарите?», «Ой, увидеть вас вместе счастье». А те, кто себя в жены не предлагал, активно за жениха с невестой болеют, советы по организации торжества дают.

— Вот попал! — засмеялся Кузя. — Как он с бабой в реале встретится? Для настоящей жизни фотошопа пока не изобрели.

— У женщин он давно есть, — возразил Сеня, — называется макияж. Так заштукатурятся, что их родная мама не узнает, спать лягут — не смоют. Один мой приятель после свадьбы поехал с новобрачной на море. Пошли они купаться, поплавали, поныряли, вылезли... Муж полотенце взял, обернулся, чтобы женушку-красавицу вытереть! Господи! Стоит какая-то страшненькая дамочка, без слез и не взглянешь. Он без боевого раскраса супругу не узнал. У баб все схвачено: импланты во всех местах, наращивание волос, ногтей. А нам что делать?

— То же самое, тебе пойдут накладки на икры ног, кривизна исчезнет, — засмеялась я и осеклась.

— Язык прикусила, ехидна? — спросил Сеня.

Я хотела сказать, что теперь понимаю, почему Дегтярев купил «маск морды лица из угл, нефт и масл», а потом хотел купить утягиватель живота, но промолчала.

— Можешь к нам заехать? — спросил Сеня.

— Ну, не знаю, — протянула я, — занята очень.

— Устал по телефону болтать, — пожаловался Собачкин, — голова заболела.

Я вышла из машины, которую успела припарковать у дома приятелей, на цыпочках подошла к двери, распахнула ее и крикнула:

— Доставка пирожных на дом.

Глава 27

Сеня, сидевший в распахнутом халате, опрометью кинулся вон из гостиной.

— Куда он? — удивилась я, водружая на стол коробку. — Я была в ресторане, там восхитительные десерты, купила вам полакомиться.

— Сеня полетел штаны надевать, — объяснил Кузя, быстро убирая бумажные тарелки с огрызками пиццы.

— У вас полное безобразие, — отметила я, — беспорядок и раскардаш.

— Сама виновата, — пробурчал Кузя, — предупреждать о визите надо. Мы бы прибрались.

— Наводите красоту только для посторонних? — улыбнулась я.

— Нам и так хорошо, — пожал плечами Кузя.

— Просто не успели после завтрака посуду помыть, — начал оправдываться Сеня, возвращаясь в комнату.

— Большинство людей ужинать собирается, и сервиз у вас из картона, — заметила я, — его после использования просто в мешок выбросить надо.

Кузя сделал вид, что меня не слышит, показал пальцем на пирожное в коробке.

— Оно с чем?

— Это эклер, — ответила я.

— Не бери, не вкусное, — объявил Собачкин. — Я ел такое.

— В кафе замечательный кондитер, — возразила я.

— Знаю, таких ресторанов много, бывал там, — сказал Сеня, — просто это Кузе не подойдет, там внутри типа грильяж, а он от него кашляет.

— Возьму круглое, — не стал спорить компьютерщик.

Сеня сцапал пирожное, которое отсоветовал товарищу, быстро откусил от него и простонал:

— М-м-м! Восхитительно.

— Эй, эй, почему в твоем эклере белая начинка? Грильяж коричневый, и он не похож на крем, — удивился Кузя.

— Это взбитые сливки, — облизнулся Собачкин, — настоящие, не из баллончика. Язык проглотить можно.

— А где грильяж? — вопрошал Кузя. — Ты говорил, что пирожное с ним.

— Кто? — заморгал Сеня. — Я?

— Эклер всего один был, — протянул Кузя, — ясненько. Сеня, ты солгал.

— Вру только правду, — заявил Собачкин.

— Оно и заметно, — не выдержала я. — А теперь рассказывайте, что узнали про Зинаиду Семеновну? Нашли Вадима?

Кузя вернулся к своему компьютеру.

— Начну по порядку.

Я села на диван и услышала занимательную историю.

Госпожа Нечеткина появилась на свет в богатой семье. Коммунисты утверждали, что рабочие-крестьяне являются элитой общества, им даны все права, льготы, сладкие куски и чай с вареньем. Но на самом-то деле все было иначе. Отец Зинаиды Семеновны, академик Семен Нечеткин, имел огромную квартиру в центре столицы, двухэтажную дачу в ближайшем Подмосковье и машину с шофером. Мать Олимпиада в свое время защитила докторскую диссертацию и активно помогала мужу. О маленькой Зиночке заботились две няни, в семь лет девочка пошла в лучшую школу столицы. Семен и Олимпиада любили гостей, а их материальное положение позволяло собирать друзей ежедневно. В хлебосольном доме академика всегда веселилась орда народа. Зиночка с детства общалась с непростыми людьми: учеными, артистами, писателями, журналистами, цветом советской интеллигенции — все они целовали дочку Нечеткиных, хвалили ее ум и красоту. Зина никогда не ездила на городском транспорте, в школу и на разные другие занятия ее доставлял в машине шофер. Шоколадные конфеты: «Белочка», «Суфле», «Мишка косолапый» — не переводились в буфете. Рыбный суп домработница Галя варила из осетрины, а икру Зина никакую не ела, она ей осточертела. У детей, с которыми дружила Зинуля, дома была та же картина. Ну разве что у писателя Илькина больше любили семгу, а в семье Потова, главного врача огромной больницы, вместо шоколада на стол ставили сухофрукты. До семнадцати лет Зина пребывала в уверенности, что все живут так, как родители и их друзья.

Когда девушка успешно поступила в институт, ее родители улетели отдыхать в Карловы Вары. Зину оставили с домработницей Галиной. Но у Нечеткиных была еще одна прислуга, Карелия, которая приходила раз в неделю выполнять грязную работу: мыть полы, унитазы, раковины. На следующий день после отлета Семена и Олимпиады в дом, как всегда, явилась Карелия. Но на сей раз она пришла не одна, а с сыном Тимофеем. Олимпиада перед отъездом велела сделать генеральную уборку, нужно было отодвинуть шкафы, Тиму позвали в качестве грубой рабочей силы. Юноша молча таскал мебель, Зина исподтишка наблюдала за ним. Потом Галина пригласила помощников пообедать. Зиночка неожиданно присоединилась к компании. Женщины судачили о мужиках, парень с девушкой молча ели. Молодые люди не обмолвились ни словом. Ни Галя, ни Карелия не заподозрили ничего дурного. Мысль о том, что у Зины и Тимофея может разгореться роман, никому из взрослых в голову не пришла. Что общего может быть у дочери академика, поступившей в институт, чтобы пойти по стопам родителей, которая не знает, как пользоваться веником, и у сына поломойки, юноши без рода, племени, воспитания, отслужившего в армии и зарабатывающего копейки? Да они далеки друг от друга, как небо и земля!

Глава 28

Зиночка закончила институт, начала работать в НИИ, которым руководил ее отец и где заведовала лабораторией мама, писала кандидатскую диссертацию, и вдруг! Совершенно неожиданно Олимпиада увидела, что у незамужней дочери вырос живот. Мать схватилась за голову, стала требовать ответа, от кого забеременела Зина, а та спокойно ответила:

— Само собой вышло.

В стране уже грянула перестройка. НИИ академика Нечеткина закрыли, Семен и Олимпиада остались не у дел. Зина стала воспитывать дочку, которую обожала до потери пульса и не собиралась отдавать ее в детский сад.

Соня росла, пошла в школу. Семен и Олимпиада старели, Зина числилась на работе в фирме «Око», которая торговала оправами для очков. Замуж молодая женщина так и не вышла.

В девяностых большая часть ученых, сотрудников НИИ, преподавателей скатилась в нищету. Научно-исследовательские учреждения, где в советские годы платили хорошие деньги, почти все закрылись. Вузы сократили количество педагогов. Молодежь не спешила получать высшее образование. «Пять лет над книгами чахнуть, а потом сидеть без работы или получать копейки? — говорили выпускники школ. — Зачем диплом, если продавец в ларьке зарабатывает за один день больше, чем доктор наук за месяц?» Одна система высшего образования разваливалась, а другая, новая, еще не подняла голову. И вот что удивительно. Семен и Олимпиада пенсионеры, их дочь получает ерундовые деньги, она мать-одиночка, алименты ей никто не платит. Но! У Нечеткиных по-прежнему собираются гости, накрывается обильный стол, Сонечка одета как принцесса. Зина щеголяет в модных обновках, Олимпиада меняет шубы. Нечеткины оказались непотопляемым крейсером. «Наверное, у них припрятана копеечка, — шептались соседи, — собрал академик нычку на черный день».

Разговоры о несметном богатстве, которое Семен хранит в чемодане под своей кроватью, доползли до ушей преступников. Несчастье случилось зимой. Зина и Соня уехали на каникулы в Финляндию в деревню Деда Мороза. Во время их отсутствия в квартиру влезли грабители, убили Семена, избили Олимпиаду. Зинаида с дочкой спешно вернулась в Москву и узнала, что она теперь сирота. Пока самолет летел из Хельсинки, скончалась и ее мама.

Кузя взял чашку с остывшим чаем и осушил ее в два глотка.

Я подняла руку.

— У меня вопрос. Я услышала массу сведений о жизни маленькой, а потом взрослой Зины. Понимаю, что информацию об академике Нечеткине легко найти в интернете. В сети можно отыскать, наверное, список его научных работ, фамилии учеников. Хорошо, пусть там даже есть адреса его квартиры, дачи. Но откуда известно, что семья ела суп из осетрины? Кто сообщил имена домработниц? Описал встречу Зины с сыном поломойки?

Кузя сунул пятерню в спутанные волосы.

— Отвечу чуть позднее. Но раз ты упомянула Тимофея, далее мой рассказ пойдет о нем. В детстве и юности мальчик не отличался усердием, учиться он вообще не хотел. Тима стал главой дворовой компании, имел массу друзей. Отца паренек не знал. Карелия не получила должного образования, зарабатывала поденной работой. До восемнадцати лет Тимофей жил в тотальной нищете, зимой и летом ходил в одних ботинках. Отдельной квартиры у Полкановых не было, мать и сын ютились в двенадцатиметровой комнате в коммуналке. В пятнадцать лет Тимофей пошел в профессионально-техническое училище, окончил его, получил специальность автослесаря и был призван на воинскую службу. И тут его ангел-хранитель, наконец, проснулся и приволок ему подарок.

Тима сидел на призывном пункте, ждал, когда его отправят к какому-нибудь месту службы, и вдруг в зал влетел толстый мужик ростом ниже валенка.

— ...! ...! ...! — орал он. — Некогда мне ждать, пока новый водитель появится, пошли все на...! Эй вы, кто-нибудь из вас баранку крутить способен? Имеет права на вождение всех категорий? Эй! Новобранцы-идиоты! Я вас спрашиваю!

Полканов единственный поднял руку.

— ...! ...! ...! — завопил толстяк. — Ты...! Где учился?

— Имею диплом автослесаря, — доложил Полканов.

— Эй, вы там! Этого мне давайте, — потребовал матерщинник, — немедленно! Чтобы через пятнадцать минут был одет! Обут! За рулем!

Похоже, грубиян имел большой вес в военкомате. К Тиме подбежали двое военных, в короткий срок превратили его в солдата и усадили за руль «Волги» черного цвета.

— Свезло тебе, парень, — с завистью протянул один из мужиков.

— Евгений Поликарпович его через неделю выпрет, — заржал второй, — в стройбат сошлет. Не радуйся, Тимофей, у генерала характер дурной. А у его жены еще хуже.

— ...! ...! — заорали сбоку.

В машину влез толстяк.

— Едем!

— Куда? — спросил Тима.

— ...! ...! ...! Идиот! Дебил! Неужели не знаешь? — побагровел генерал и внезапно замолчал.

Парень обернулся. Грубиян спал, его тело сползло с сиденья, злобное выражение стерлось с лица. Сейчас перед шофером был очень усталый человек, несчастный и беззащитный. Водитель поразмыслил секунд десять и взялся за руль.

Через три часа Евгений Поликарпович вылез из «Волги» и увидел, что автомобиль стоит на берегу реки. У костра, на котором жарился шашлык, стоял Тима.

— Я где? — изумился генерал.

Тимофей протянул начальнику шампур.

— Велели вас доставить куда надо. Потом заснули. Я решил, что вам больше всего отдохнуть необходимо. Мясо вот пожарил, бутылочку в воду сунул, картошки отварил. Там удочки лежат. Не знаю, любите ли вы рыбу ловить. Но если поймаете, сгоношу уху.

— Ну ты даешь, — пробормотал генерал, — с чего ты решил, что я не был в отпуске?

— Так орете громко, краснеете, — пояснил парень, — щека дергается. Посидите в тишине часок-другой, вам легче станет.

— Деньги где на жрачку взял? — поинтересовался шеф.

— В бардачке лежали, — улыбнулся водитель, — скомканные. Пересчитал их, аккуратно сложил. Вот чек из магазина.

Генерал взял удочку.

— Мне налей, а сам не нюхай даже.

— Я не пью, — ответил Тимофей, — и не курю.

— Значит, по девкам бегаешь, — сделал вывод босс.

— Нет, — серьезно возразил шофер, — хочу полюбить один раз и на всю жизнь, детей родить. Уж я им лучшим отцом буду.

Вопреки ожиданиям мужика из военкомата генерал Тиму не выгнал. А его жена полюбила парня, как сына. Вскоре Тимофей стал для Евгения Поликарповича и Олеси Николаевны джинном из бутылки. Солдат делал все: убирал квартиру, привозил продукты, чинил сломанное в апартаментах, успокаивал шефа лучше всякого психотерапевта, удерживал его супругу от истерик. Евгений оказался не простой генерал, он работал в ФСБ и постоянно летал в командировки по России. Тимофей сопровождал шефа, и когда тот после напряженного рабочего дня наконец-то оказывался в гостинице, его в номере ждала расстеленная постель, взбитая подушка, мягкая пижама, на тумбочке стоял бокал с любимым вином генерала, а в ванной выстраивалась шеренга из привычных ему мыла, крема для бритья, зубной пасты. Утром ботинки Евгения сверкали, о стрелки на брюках можно было порезаться, рубашка непостижимым образом становилась чистой. Тимофей сам складывал все необходимое в поездке, и он никогда ничего не забывал. Когда шеф возвращался домой, шофер совал ему пакет.

— Здесь кой-чего для Олеси Николаевны, вы ей в командировке очень красивый платок купили.

Евгений, которому ранее никогда не приходило в голову привезти супруге из поездки презент, только крякал. А его жена, взяв сувенир, краснела, как девочка, целовала мужа и бубнила:

— Женя, ты меня баловать начал.

После окончания службы Тимофей остался с шефом, он работал вольнонаемным, затем случилась беда. Евгения Поликарповича и Олесю Николаевну утром наши убитыми. Ночью в их квартиру кто-то вошел и пристрелил спящих.

Тимофея пару раз вызвали на допрос, но потом оставили в покое. Парень за время службы у своего генерала успел познакомиться со всей верхушкой организации, где Евгений Поликарпович был одним из больших начальников. Все знали, как шофер относится к шефу. Полканову предложили работать водителем у другой шишки. Парень отказался, мотивировал свое нежелание просто: здоровье пошатнулось, сходил к врачу, а тот нашел у него порок сердца. И показал справку от доктора.

Кузя отвернулся от монитора.

— На дворе было начало девяностых. Тимофей перебивается случайными заработками, в один прекрасный день он вместе с матерью приходит в квартиру академика Нечеткина и встречается с Зиной. Вот с этого момента начинается интересная история.

Глава 29

Кузя нежно провел рукой по клавиатуре.

— Когда Сонечка, дочь, которую Зина родила незнамо от кого, справила свой пятый день рождения, Тимофей Полканов уже был владельцем банка «ЕПОН».

— Ничего себе поворот, — удивилась я, — каким образом человек без специального образования и начального капитала смог создать финансовое учреждение?

Собачкин взял очередное пирожное.

— На некоторые вопросы никогда не узнать ответов. Есть факт. Полканов владеет банком, он успешный бизнесмен, а потом внезапно умирает от болезни. Его хоронят на деревенском кладбище. Конец истории. Полканова более нет.

— Подожди, — возмутилась я, — а как понять то, что ты мне по телефону ранее сказал? Насчет того, что он воскрес?

Кузя засмеялся.

— Терпение — лучшая добродетель. Отвечаю на все твои вопросы. Откуда я узнал, что Зина в детстве ела осетрину, и как нарыл прочие подробности, известные лишь близким родственникам? Тебя только это заинтриговало?

— И откуда у Полканова кличка Зомби, — напомнила я.

— Совсем Васильева нелюбопытной стала, задор теряет, — заметил Собачкин, облизывая липкие пальцы, — лично я, когда Кузя мне с тем же загадочным видом сведения сообщил, закидал его вопросами. Кто отец Сони? Почему академик Нечеткин, выйдя на пенсию, не изменил образ жизни и по-прежнему не нуждался в деньгах? На какие средства сейчас весьма хорошо живет Зинаида? Мы влезли в счета дамы, увидели, что та не экономит, позволяет себе много дорогих покупок. Ее кошелек не худеет. Чуть-чуть деньжат поменьше делается... Вжик! И он снова полон. Откуда средства прилетают? Нечеткина в банк наличку привозит и пополняет запас. Вот так.

— Книгу писал талантливый человек, — заметил Кузя, — она лихо построена. Но успеха не имела. Личность главного героя массам не известна. И автор тоже не медийное лицо, не знаменитость.

— Ты о чем? — удивилась я.

— Не так давно издательство «Крот» выпустило опус «Мой сын мертвый убийца», — продолжал Кузя, — на обложке стоит фамилия автора. Угадай, кто он?

— Судя по твоей загадочной улыбке, роман накропала Зинаида Семеновна, — предположила я.

— Даже представить не можешь, насколько ты сейчас далека от истины, — сказал Собачкин.

— Кто тогда? — заморгала я.

— Карелия Полканова, — выпалил Кузя.

Я махнула рукой.

— Хватит шутить.

— Я абсолютно серьезен, — заверил парень.

Но я опять ему не поверила.

— Ага. Малограмотная тетка, которая не имела образования, работала поломойкой, написала книгу?

— Думаю, она просто рассказала нанятому издательством редактору что знала, а тот литературно обработал беседу, — объяснил Семен, — это обычная практика. Как, по-твоему, пишутся биографии разных звезд? Да, они написаны от первого лица, но, сама подумай, есть время у гастролирующего без перерыва певуна корпеть над рукописью?

— И еще неплохо бы иметь литературный дар, — присовокупил Кузя, — Карелия не сама нацарапала текст. Мамаша оказалась беспощадной по отношению к сыну. Она сообщила, что Тимофей, став шофером у генерала Бабикова, забыл ее, переехал жить к боссу. Юноша превратился в слугу, выполнял любые, даже криминальные поручения. Начальник ее сына занимался неприглядными делами, ворочал огромными деньгами, на самом деле он являлся оборотнем, главарем организованной преступной группировки, жестоким, не знающим жалости человеком. У многих властных беспощадных мужчин есть некто, кого они любят: кот, собака... Для Бабикова любимым котом стал Тимофей. Шеф ввел его в курс своих дел, всему обучил. После убийства Евгения и Олимпиады Тимофей вернулся к матери и вроде оказался не у дел. Жил тихо, перебивался случайными заработками. Но это все спектакль. В реальности в руках Тимофея оказались все деньги генерала. Сын Карелии вычислил, кто убил семью Бабиковых, и мигом расправился как с киллером, так и с заказчиком. Полканов оказался прекрасным актером и в придачу умным, хитрым, изворотливым, талантливым учеником генерала. Не зря начальник муштровал подопечного без устали. Ни один человек не заподозрил парня, который ездил с мамой по людям мыть квартиры, в том, что он мог отомстить за смерть семейной пары. Банк «ЕПОН» бывший шофер открыл на подставное лицо, по документам владельцем его являлся совсем другой человек, вот он как раз имел высшее экономическое образование.

Откуда Карелия узнала правду? У женщины хороший слух, а ее сын беседовал с разными людьми дома. В свое время генерал купил верному водителю и помощнику большую квартиру. Карелия перебралась из коммуналки в собственные хоромы. Но это было все, что она получила. Сын, став обеспеченным человеком, не делал матери подарков, не приобретал ей хорошую одежду. Более того, он не давал ей вдосталь денег, говорил: «Работай. Нельзя, чтобы кто-то сообразил: у Полкановых есть солидные средства. И помалкивай».

Карелия никогда не была болтуньей, ей не свойственно сплетничать с соседями и откровенничать с подругами. Да и нет у Полкановой закадычных приятельниц. Тимофей ничего не рассказывал матери о своих делах, но она кое-что знала, потому что слышала разговоры, которые сын вел по телефону. От того, что уборщица узнала, ей было очень некомфортно. Карелия боялась за своего мальчика. Детям свойственно вырастать, отлепляться от родителей и творить всякую ерунду. Принято считать, что дураки учатся на своих ошибках, а умные на чужих. Но Карелия отлично знала: нет, пока сам не совершишь массу глупостей, не получишь жизненного опыта. Рассказ о том, как другие споткнулись о камень, упали и расшибли лоб, не сделает Тиму осторожным. Аккуратно ходить парень начнет лишь после того, как, шлепнувшись, сломает себе нос. А еще мать терпеливо ждала, когда сын выполнит данное ей некогда обещание. Тима нашептал Карелии, что она получит дом с участком в Подмосковье, разведет там любимые цветы, купит курочек, начнет вести жизнь, о которой мечтает со школьных лет. Все-все-все будет хорошо. Надо лишь подождать пять-шесть-семь лет. Полканова не стала спорить с единственным ребенком, говорить ему: «Хватит мне влачить жизнь в нищете. Я тебя в зубах тащила, недоедала, недосыпала, в старье ходила, на себе экономила, чтобы у сына хорошие еда и одежда были. Теперь твой черед обо мне позаботиться».

Нет, Карелия просто смиренно ждала. Иногда в ее голове мелькала мысль: вдруг Тима влюбится? Ночная кукушка дневную перекукует. Но Полканова тут же говорила себе: «Нет, нет, Тимочка прекрасный сын, он меня на жену не променяет».

Когда Карелия сообразила, что у Тимофея разгорелся страстный роман с Зиной, она ужаснулась. Уборщица морально подготовилась к появлению невестки. Пусть у девушки будет другой цвет кожи, другое вероисповедание, будущая свекровь была готова принять любую женщину. Но Зинаида Нечеткина!!! Впервые в жизни мать закатила парню вселенский скандал. В ход пошли излюбленные слабым полом методы: крик, слезы, истерики, швыряние на пол посуды, падение в обморок, стоны: «Умираю, вызови “Скорую”». Тимофей молчал. За доктором он не поспешил, успокаивающий чай не заварил, не обнял мать, не поцеловал, не успокоил, а спросил:

— Думала, я проживу холостяком?

— Нет, конечно, — всхлипнула Карелия. — Кто угодно, только не Зинка!

— Почему? — коротко поинтересовался сын.

Карелия окончательно потеряла самообладание:

— Ленивая, никогда кровать не уберет, грязную чашку в мойку не отнесет, на столе оставит. Избалованная до предела. Задирает нос перед всеми. «Добрый день, с вами говорит дочь академика Нечеткина», это она так в поликлинику или парикмахерскую записывается. Не способна даже чай заварить. Ничего делать не умеет, кроме...

Тимофей повернулся и, не дослушав мать, ушел из дома. Навсегда.

Сын вычеркнул Карелию из своей жизни, ни разу не позвонил ей, не дал о себе знать, не посылал денег.

Некоторое время Карелия перебивалась с воды на кефир, потом она сломала ногу, не смогла более работать. Очутившись в бедственном положении, мать набралась смелости и позвонила Зинаиде. Трубку взял ребенок.

— Мальчик, позови маму, — пролепетала Карелия.

— Я девочка, Соня, — возразила малышка.

— Все равно, кликни Зину, — попросила Полканова.

— Мамочку зовут Зинаида Семеновна, — сурово поставила Карелию на место Соня, — нельзя ее просто по имени называть. Неприлично это. Мусик! Тебя какая-то невоспитанная просит.

— Алло, — прозвенел голос Зины, — слушаю.

— Карелия беспокоит, — представилась бывшая домработница.

Невестка прикинулась непонимающей.

— Кто?

— Карелия, — повторила Полканова, — мать Тимофея, твоего мужа и отца ребенка. Позови моего сына.

— Извините, вы ошиблись номером, — спокойно ответила Зинаида.

У Полкановой от ярости потемнело в глазах, она закричала:

— Ах ты дрянь! Отняла у меня мальчика! Мерзавка! Он теперь всю семью Нечеткиных содержит. Гады вы! А я больная, инвалид...

Зинаида отсоединилась. Карелия снова набрала номер, но ее вызов сбросили. Дозвониться до Нечеткиной мать Тимофея так и не смогла.

А вскоре по телевидению в новостях сообщили о кончине бизнесмена Полканова. На экране показали, как тело Тимы упаковывают в черный мешок. Голос за кадром рассказал, что Тимофей, банкир крупной организованной преступной группировки, скоропостижно умер от инсульта. Карелия впала в истерику, она хотела проститься с сыном, бросить горсть земли на его гроб и позвонила Нечеткиным. На сей раз ответила Зина, в голосе вдовы не звучали слезы, наоборот, она показалась Полкановой веселой.

— Это Карелия, — зарыдала мать, — скажи, где упокоят Тимочку...

В ответ полетели короткие гудки. Карелия набирала номер снова и снова, но ей не отвечали. Полканова решила утром поехать к наглой девице домой и во что бы то ни стало добиться от нее информации о похоронах. Но от стресса у нее поднялось давление, Карелия угодила в больницу.

Глава 30

В палате у Полкановой была одна соседка, ей дочь принесла телевизор, который работал постоянно. Обычно Карелия, услышав из уст дикторов сообщения об убитых, погибших, умерших, раненых людях, мигом переключала канал, но тетушка на другой кровати, похоже, обожала такие сюжеты, она без устали наслаждалась криминальными новостями. Карелии приходилось смотреть все программы. И вдруг! На экране появилась фотография, репортер закричал:

— История, достойная пера Дюма. Прямо граф Монте-Кристо! Труп авторитета Тимофея Полканова исчез из гроба! Жуткая история! Зомби гуляет по Москве.

Кузя закашлялся.

— Мертвец куда-то делся? — поразилась я.

Компьютерщик схватил бутылку с водой и сделал несколько глотков.

— История такова. Когда Тимофею стало плохо, его положили в реанимацию дорогой больницы. Врач констатировал инсульт, попытался лечить больного, но безуспешно, тот скончался. У правоохранительных органов вопросов не возникло. В истории болезни Полканова были давние многочисленные записи о тяжелой гипертонии, диабете, повышенном холестерине. Тимофей наблюдался в клинике, несмотря на совсем не пожилой возраст, он оказался развалиной. Смерть от инсульта при таком анамнезе не удивительна. У покойного не было жены, в анкете, которую он заполнил, покупая полис, Полканов назвался холостяком и сиротой. В качестве домашнего адреса указал квартиру в Марьиной Роще. Там же проживал его единственный, очень дальний родственник, седьмая вода на киселе, троюродный брат внучатого племянника кума деда, Степан Вихрев, ему позвонили, он в больницу приехал, забрал тело, доставил покойника в похоронное бюро.

Погребение на маленьком подмосковном кладбище назначили на вторник. Но в понедельник вечером санитар Григорий Шипунов открыл гроб, в котором лежал подготовленный к отправке на погост мертвец. Почему парень сунул нос в полированный ящик, на котором висела табличка: «Не трогать»? Шипунову двадцать лет, он нигде не учится и работать не хочет, Григорий желает только бегать по клубам и веселиться. Ритуальной конторой владеет его дядя, он решил обучить племянника-лентяя семейному бизнесу. Юноша работал у брата мамы всего месяц, но получил кучу замечаний. Чтобы наказать откровенного бездельника, дядя велел ему остаться на ночь дежурить. Гриша обрадовался. Его девушка Лена давно просила отвести ее в покойницкую. В отличие от большинства юных красавиц, Леночка не боялась умерших, она училась на журналиста, мечтала попасть в штат газеты «Скандал дня» и подумала, что репортаж о вечеринке в морге заинтересует редакцию. Лена позвала своего брата Юру, его приятеля и предложила всем выпить, использовав вместо стола гроб. Бойкая девица хотела сделать фото недр похоронного агентства, затем снимок гроба с расставленной на крышке закуской и бутылкой, написать, что система ритуальных услуг Москвы прогнила насквозь. Вон какие безобразия творятся в местах, куда не заглядывают родные покойных. На домовинах водку распивают. Ничего святого нет у людей!

— Девица имела все шансы стать репортером, — заметил Сеня, — она усвоила основной принцип российской прессы: свобода слова — это свобода врать что угодно.

— Компания, понятия не имевшая о планах Лены, нашла идею «пикника с трупом» восхитительной и расположилась вокруг последнего приюта Тимофея. Выпили-закусили-поругались. Брат Елены полез в драку с Григорием, тот ответил... Гроб Полканова свалился с подставки на пол, от удара слетела крышка. Компания удивилась. Внутри оказались тряпки, всякая ерунда. А тело отсутствовало. Пока юноши думали, как быть, Лена сделала несколько снимков, отправила их в «Скандалы дня» и в телепрограмму, которая специализируется на подобных новостях.

Кузя почесал нос.

— Никто не может предугадать, какое событие вызовет истеричный интерес СМИ. Можно тщательно выстроить пиар-компанию, придумать гениальные рекламные ходы, задействовать актеров, заплатить корреспондентам, и все равно никто не обратит внимания на опубликованную новость. А можно, как Лена, написать на коленке безграмотный текст, просто сбросить его на редакционный емайл и утром услышать по телику почти по всем каналам: «Как нам сообщила корреспондент Елена Чуйкина, по Москве ходит зомби Тимофей Полканов».

— Здорово у нее получилось, — согласился Собачкин, — небось мигом на службу такой ценный кадр взяли.

— Судьба девицы никого не волнует, — фыркнул Кузя, — а вот с Тимофеем интересно получилось. Корреспонденты всех мастей бросились в погребальное агентство. Его владелец отрицал пропажу тела, говорил, что Елена соврала. Степан Вихрев, дальний родственник Тимофея, тот, кто получил тело для погребения, пел ту же песню. Служители морга, врач, подписавший свидетельство о смерти, в один голос восклицали: клиент был мертвее некуда. Несколько дней СМИ только и говорили, что о зомби Полканове. В редакцию звонили люди, которые уверяли, будто они только что видели Тимофея в магазине, возле метро, рядом с кафе, на улице. Он сидел в такси, шатался по проспекту, приставал к прохожим, нападал на женщин, курил, пил, ел...

— Ясно, — поморщилась я, — остановись. И что дальше?

— Ничего, — пожал плечами Кузьма, — Полканов считается умершим от инсульта. Зинаиду Семеновну никак к нему никто не привязывал. Брак с Тимофеем она не заключала, официальные отношения зарегистрировала с Андреем Юрасовым. Он же записан как отец Софьи. Как выяснить, что Тима и Зина пара? И зачем это делать, учитывая ненасильственный уход из жизни Полканова?

— Ага, — подпрыгнула я, — надо найти законного супруга Нечеткиной.

— Ой, беда бедовая! — заголосил Кузя. — Господин Юрасов умер за пару лет до появления на свет дочери. Еще один зомби у нас. На сей раз чудовищно сексуально активный, ухитрился после смерти девочку сделать. Ну и какие мысли у тебя о том, что ты, Дашенька, услышала?

— Очень простые, — вздохнула я. — Полканов — фактический муж Зинаиды и родной отец Сони. Тимофей был тесно связан с криминальным миром и не хотел, чтобы на его любимой супруге стояло клеймо «жена преступника», поэтому никогда не оформлял брак. Полканов всегда содержал семью, денег у него, похоже, на всех хватало. Софья работает в салоне не ради заработка или щедрых чаевых. Девушке пора замуж, но женихи почему-то около вполне симпатичной внешне и обеспеченной материально Нечеткиной не роятся. Вот Зинаида Семеновна и пристроила чадо туда, куда постоянно ходят богатые и знаменитые, надеется, что Софья найдет себе супруга среди клиентов. Ты узнал, кто такой Вадим? Чем парень занимается? Где его можно найти?

— Вадим Вибров, — ответил Собачкин, — у Семена Нечеткина была сестра, а у той дочь Светлана, соответственно, двоюродная сестра Зинаиды.

Света вышла замуж за Кирилла, а у того был сын от первого брака Вадим. У Виброва фирма, которая занимается организацией веселых мероприятий с розыгрышами. Допустим, хочешь нестандартно поздравить с днем рождения приятеля, заходишь на сайт к Вадиму, а там масса вариантов. Подарок от тебя может вручить, например, медведь. Ну, представь, открываешь дверь, Топтыгин протягивает коробочку конфет и басит: «Дорогая Дашенька, хеппи бездей ту ю!» Как ты отреагируешь?

— Заору от ужаса и убегу куда подальше, — ответила я.

— И зря, — развеселился Собачкин, — косолапый из цирка, неподалеку прячется дрессировщик, это он вместо мишки разговаривает. Вот тебе сразу две ягодки на торт! Мы нашли фото Вадима и установили: он труп. Тот самый, сбежавший из морга от малоопытного горе-патологоанатома Григория Деревянкина.

— Какие вы молодцы! — обрадовалась я. — А вторая вишня какая?

— Чем занимались Семен и Олимпиада Нечеткины, когда работали в НИИ? — неожиданно спросил Кузя.

— Понятия не имею. Да и зачем это выяснять? Их давно нет в живых. Кому теперь интересна их научная деятельность? — удивилась я.

Глава 31

Собачкин с сожалением посмотрел на пустую коробку из-под пирожных.

— Еще один вопрос. Слышала ты что-нибудь про Константина Рокова? Серийного убийцу начала шестидесятых годов?

Мое удивление переросло в изумление.

— Нет.

— Его поймали, осудили, отправили в особую тюрьму, где должны были расстрелять, но Роков убил конвоиров и сбежал. Дальнейшая судьба мерзавца неизвестна, — объяснил Сеня, — его так и не поймали.

— Бывает, что преступники удирают, — согласилась я, — но какое отношение монстр, который жил много лет назад, имеет к смерти Валерия, Кати Носовых и Вероники Невзоровой?

— Такое же, как и Николай Буракин, он нападал на женщин в семидесятых. Его осудили на длительный срок, маньяк почему-то избежал смертной казни. Мерзавец сумел сбежать, когда его из лагеря с приступом аппендицита повезли в больницу на операцию.

— Заключенный мастерски изобразил приступ, — вмешался Кузя, — тюремный, не очень опытный доктор поверил негодяю. И вот результат: чудовище смылось, осталось на свободе. Буракина тоже не нашли.

Кузя показал пальцем в потолок.

— О таких ЧП в советские годы докладывали самому высокому начальству. Партия и правительство, шокированные побегами опасных преступников, которых так и не удалось задержать повторно, поставили перед учеными задачу: придумать лекарство, которое при перевозке обездвижит преступника, лишит его голоса, образно говоря, превратит в мебель. Препарат должен быть очень простым в употреблении. Не капельница, не укол, не уж тем более наркоз, для которого нужен опытный врач, а нечто примитивное: таблетка, микстура. На зонах часто нет даже квалифицированных фельдшеров, чего уж там говорить об анестезиологах. А пилюлю или порошок тому, кого должны куда-то перевезти, сможет дать даже не имеющий ни малейшего отношения к медицине человек. Применять средство собирались только к особо опасным преступникам, осужденным к смертной казни, или к тем, кто получил пожизненный срок. Разработать «перевозочное» средство поручили НИИ, которым руководил Семен Нечеткин, где работала его жена и куда после окончания вуза пришла Зинаида, писавшая кандидатскую. Работа велась в условиях строжайшей секретности. В перестройку НИИ скончался. Спустя несколько лет после его закрытия один из бывших сотрудников Семена, желая заработать, дал интервью газете «Особо интересно», рассказал об опытах, которые Нечеткин не стеснялся проводить на людях. Подчиненный не пожалел черной краски для академика, его жены и дочери, сообщил, что в НИИ процветало кумовство, там работали в основном приятели Нечеткина или те, кто лизал руки академику и его родне. А еще он выложил, что Семену таки удалось придумать зелье для перевозки особо опасных зэков. Нечеткин якобы летал на Гаити, общался с колдунами вуду, испробовал массу рецептов и, наконец, получил медикамент без вкуса, цвета, запаха, который легко подливался в любую еду, воду, компот. Человек ел-пил, не подозревая, что вскоре впадет в состояние между жизнью и смертью, его сердцебиение сильно замедлится, а температура понизится до такой отметки, что даже врачи примут его за покойника. Длительность подобного состояния строго индивидуальна. Кое-кто может очнуться и через двое-трое суток, а кто-то вернется к жизни спустя час-два.

Кузя отъехал на кресле от стола.

— Ну? Понимаешь?

— Академик имел запас лекарства, который после кончины отца перешел к Зине, — предположила я. — По какой-то причине Тимофею понадобилось сымитировать свою смерть. Зина дала ему препарат, Полканов «умер», потом «воскрес». Похоже, Вадим поступил так же. Зинаида Семеновна могла и ему отсыпать зелья. Непонятно.

— Возникли неясности? — спросил Сеня. — Говори, растолкуем.

Я пересела на диван и поджала под себя ноги.

— То, что придумал Тимофей, не ново. Некоторые преступники, чтобы избежать правосудия или смерти от руки своих, так сказать, коллег по разбою, прикидывались мертвыми, делали себе документы на другое имя и исчезали, оставив на кладбище пустую могилу. Полканов воспользовался чужим опытом. Он принял лекарство, которое ему дала Зина, «умер», потом «воскрес». Думаю, в афере участвовали несколько человек, в их числе владелец похоронного агентства. Не устрой его племянник ночью пикник на крышке гроба, никто бы и не узнал, что Полканова в домовине нет. Утром гроб зароют в землю, поставят памятник с фамилией и датами. Вечная память. А живой и здоровый Тимофей с другими документами будет греться на солнышке в какой-нибудь безвизовой стране. В случае с Полкановым все ясно, понятно, объяснимо. Но вернемся к Вадиму! Он лежит одурманенный в лесу. Зачем прикидываться покойным в месте, где никого нет? Если хочешь сменить личность, сделать так, чтобы тебя никогда не искали, логично упасть без сознания на людной площади. Поднимется суматоха, все узнают, что Вадим покойник, весть о смерти Виброва дойдет до его врагов.

— Там находилась Вероника, — напомнил Сеня, — возможно, спектакль был для нее. Хочешь третью вишенку на бисквит?

— Что-то слишком много ягод, — насторожилась я.

— Да, мы такие, — гордо объявил Кузя, — всегда нечто экстраординарное нароем. Вадим после смерти Кати женился. После кончины Носовой отвел в загс Юлию Милованову. Хочется думать, что парень влюбился в нее без оглядки.

— Однако быстро он забыл Екатерину, — с осуждением заметил Кузя, — Вибров сочетался браком спустя семь месяцев после гибели Носовой. На момент свадьбы он был весь в долгах. В России наступил очередной кризис, у народа появились финансовые проблемы, одни предприятия закрывались, другие сократили штат. Пышные корпоративы фирмы закатывать прекратили, розыгрыши потеряли популярность. Бизнес Виброва стал тихо идти ко дну. Чтобы не захлебнуться окончательно, Вадим взял кредит, влил его в дело, не справился с выплатами, оформил заем в другом месте, чтобы вернуть первый долг.

— Начал играть в национальную игру идиотов, — фыркнул Сеня, — хватаем денежный кусок у одних, чтобы запихнуть его в рот тем, у кого ранее сцапали хорошую сумму, потом несемся к третьим...

— Пинг-понг с банками, — скривился Кузя, — дураку, который затеял эту игру, кажется, что он здорово придумал. Сейчас поднапряжется, икнет, пукнет и всем раздаст долги. Но время идет, проценты капают. Плохо, как правило, такое развлечение заканчивается. Но у Вадима был человек, способный в секунду решить его проблему. Тесть!

— Верно, — потер руки Собачкин, — Арсений Сергеевич владелец...

— Фабрик, заводов, дворцов и пароходов, — усмехнулась я.

Кузя потянулся.

— Не так жирно, но тоже не плохо, господину Милованову принадлежат несколько гламурных журналов, радиостанция, телеканал и издательство «Крот».

— Вроде это оно выпустило книгу Карелии? — спросила я. — Или я ошибаюсь?

— Твоей памяти позавидуют слоны Африки, — похвалил меня Собачкин, — верно.

— И где ваша очередная вишенка? — не сообразила я.

— Редактором сего произведения, то есть тем, кто скорей всего написал опус от лица Карелии, является Юлия, жена Вадима. Она в «Кроте» большой начальник, заведует департаментом прозы. Не царское дело самой текст не пойми кого сварганить, — сказал Кузя. — Правда интересно?

Я потрясла головой.

— Вибров не кровный родственник Зинаиды Семеновны, но он член семьи. Вадим — жених Кати. Носова проглотила капсулы с содой и умерла, выйдя из самолета. Вадим вскоре женится на Юлии, дочери богатого человека. Учитывая, что владелец агентства розыгрышей по уши в долгах, возникает мысль, что Вадик больше любит деньги тестя, чем свою супругу. Юлия пишет и выпускает книгу Карелии, в которой изо всех сил поносится Зинаида Семеновна. Вибров «умирает» в лесу на несуществующем кладбище среди фальшивых золотых монет. Зачем он отправился в чащу? «Труп» Вадима видит Вероника Невзорова, которая падает бездыханной в прихожей нашего дома в Ложкине. Валерий, отец Кати, неустанно ищет тех, кто лишил жизни его дочь. Он считает, что девушку убили. Экспертиза установила, что в желудке Кати были сода и противозачаточное средство, яда не нашли. Что Носов делал в лесу? Зачем он туда пошел? Следил за Вадимом? Почему внезапно вспыхнула и взорвалась изба мастера на все руки? Перед смертью он пробормотал, что в кончине Кати виноваты некие Вадим и Петя. И если Виброва хоть както еще можно притянуть к делу, ведь он находился с Катей в близких отношениях, то при чем тут Петр? У него с Катей ничего не было. Петя просто привел в клуб на вечеринку, билеты куда выиграла Катя, свою приятельницу Веронику Невзорову.

Я остановилась.

— Ну и как все это сложить вместе? Вы чтонибудь понимаете? Лично я нет. Зачем жене Вадима готовить книгу, в которой столь нелицеприятно говорится о Зинаиде Семеновне?

— Да уж, — согласился Кузя, — Карелия проехалась по матери Сони танком, сообщила о той много разного, опустилась до описания бытовых вещей. Например, поломойка повествует, как Зинаида вечером залезала в кровать и ела сосиски с томатным соусом в сопровождении жареной картошки. Вилкой не пользовалась, хватала еду руками, потом вытирала их о пододеяльник, о свою одежду.

— Пасквиль называется «Мой сын мертвый убийца», — напомнила я, — издатели хотят привлечь максимум покупателей, поэтому придумали такое эпатажное название. Карелия должна была сообщить подноготную сына. При чем тут сосиски, которые обожала избранница сына?

Кузя начал ходить по комнате.

— Родителям Зинаиды, их быту, описанию квартиры с обстановкой посвящена большая часть текста. Каждая глава оканчивается воплем автора: «И эту бабу он взял в жены, отрекшись от матери?»

— С Карелией понятно, — отмахнулась я, — в ней кипели обида и злость на сына. Но Юлия! Кто ей бывшая домработница Нечеткиных? Совершенно чужой человек. А вот Зинаида почти свекровь, старшая Нечеткина прекрасно относится к Вадиму, несмотря на отсутствие общей крови, считает его своим племянником. Со стороны Миловановой очень глупо ссориться с Зиной и публиковать книгу, в которой даму по всем кочкам прокатили.

— Опус вышел уже после развода пары, — уточнил Сеня. — Вибров прожил с женой совсем мало времени, потом Юлия подала на развод, и вскоре на прилавках появилась книга.

Кузя сел к компьютерам.

— У меня тоже непонятка. В магазинах косой коси воспоминания селебрити. Но все авторы узнаваемые люди, они из телевизора не вылезают. Или кто-то об умерших великих рассказывает. Есть биографии преступников, но опять же тех, кто на виду и на слуху, вроде наемного киллера, который ухитрился из Бутырского изолятора сбежать. О нем все газеты строчили, «Крот» мигом книжонку выпустил. Но кому нужен Тимофей Полканов? Банкир братков... Мелочовка. А уж про его мамашу даже «Желтуха» не слышала. И в опусе Карелии нет ничего интересного о криминальном мире, она не раскрыла тайны главарей ОПГ, она вообще ничего о делах сына не ведала. Броское название книги не соответствует ее тусклому содержанию. Тираж напечатали скромный, биография Тимофея Полканова никого не интересовала, ее не покупали. Потом кто-то приобрел тысячу экземпляров. Непонятно, зачем они человеку понадобились в таком количестве. Может, дарил кому. Думаю, воспоминания, написанные якобы Карелией, — это месть. Но не домработницы, а Юлии. Что-то она с Зинаидой не поделила и воспользовалась тем, что является дочкой издателя, выпустила пасквиль.

— Сообщать всем про грязный халат и про привычку хозяйки лопать ночью руками сосиски с кетчупом низко, — поморщилась я. — Если работаешь в доме, то тебе доверяют. Конечно, в какой-то момент становишься свидетелем семейной ссоры или узнаешь...

— Карелия приходила не каждый день, ее вызывали в помощь постоянной прислуге, — остановил меня Сеня.

— Действительно, — протянула я, — Полканова появлялась раз в неделю, ночевать не оставалась. И откуда тогда она знала про сосиски? В то время, когда Зинаида укладывалась в постель, Карелии уже не было в квартире. У Юлии Миловановой имелся еще один информатор, но он пожелал остаться неизвестным, спрятался за спину поломойки. Редактор совершенно точно знает его имя. Надо с Миловановой поговорить. А еще лучше поболтать с Карелией. Кузя, дай мне ее адрес и телефон, прямо завтра к тетушке отправлюсь.

— Не получится, — сообщил Собачкин, — Полканова умерла вскоре после выхода книги. Легла спать и не проснулась. Тело через несколько дней в квартире обнаружили — соседи пожаловались на запах.

— Милованова, надеюсь, жива? — уточнила я. — Сколько ей лет?

— Она ровесница Сони и Кати, — объяснил Кузя, — с ней полный порядок. Попробуй пообщаться с Юлей, может, она тебе правду выложит. Лично мне пока ничего не понятно. Вдруг Юля объяснит, из каких таких соображений ее бывший супруг решил зомби стать.

Глава 32

Не успела я войти домой, как в прихожую выбежала Маша и заговорщицки прошептала:

— Только ничего не говори.

— Никогда? — испугалась я. — Тебя теперь тошнит от звука голоса?

— Нет, — захихикала Манюня, — только от запаха. Фу! Чем ты надушилась?

— Брызнула на себя утром парфюмом «Lunex», — ответила я, — всего один пшик сделала. Тебе этот аромат всегда нравился. Ты же меня сама в бутик, где им торгуют, в Париже привела.

Маруся зажала рот рукой и унеслась, на смену ей явился Юра.

— Даша! Только ничего не говори.

Я попятилась.

— Что случилось? Это тебе плохо от моих речей? Машуню выворачивает только от того, как я пахну.

— Юра! — донесся из глубины дома голос Манюни. — Иди сюда!

Муж ринулся на ее зов. Я в глубоком недоумении пошла в гостиную. Что происходит? Маруся всегда подсмеивается над моей привычкой лопать в кровати шоколадки. Дегтярев не преминет укорить меня в поглощении детективов. Хучик начинает выть, падает на бок, корчится, а потом прикидывается мертвым всякий раз, когда хозяйка самозабвенно распевает в ванной свои любимые песни. Надо отдать должное домочадцам, они меня воспитали. Шоколад я теперь ем, тщательно заперев дверь в спальню и натянув на голову одеяло, криминальные романы при виде полковника живо прячу, а когда собираюсь принять душ, выгоняю Хуча на первый этаж и пускаю воду во всю мощь, чтобы пес не слышал мои вокализы. Но к моей манере беседовать пока претензий не было.

— Дарья, — зашептали сбоку, — соблаговолите остановиться.

Я притормозила и увидела в коридоре Женю. Рукой, затянутой в белую перчатку, Коробко протягивал мне нечто, похожее на полотенце, сшитое из гипюровой ткани.

— Что это? — спросила я.

— Я служил недолго у барона фон Гауса, — зашептал Женя, — у него была жена. Прекрасная дама. Само очарование и безукоризненное воспитание. У них с мужем родилось одиннадцать детей, соответственно было столько же нянь и шоферов для юной поросли. Амалия Генриховна сама вела хозяйство.

— Как она с ума не сошла? — пожалела я незнакомую женщину.

— Безукоризненное воспитание, — повторил Коробко, — оно сдерживает. Начав работать в доме фон Гауса, я заметил, что раз двадцать в день госпожа Амалия вынимает вот такой... — Женя потряс передо мной куском ткани, — ...носовой платок. У баронессы их в шкафу большие стопки хранились. Все восхитительного качества. Из крюшонского гипюра. Вы, конечно, по достоинству сейчас оцените сей аксессуар. Крюшонский гипюр! Понимаете?

Не знаю, по какой причине Коробко считает меня аристократкой, которая разбирается во всяких тонкостях. Крюшонский гипюр? О да, естественно, я знаю о нем: это ткань, которую выстирали в крюшоне.

Женя тем временем вещал дальше:

— Прослужив в доме энное время, я заметил, что хозяйка раз двадцать-тридцать в день подносит платок ко рту и грызет его. К вечеру он превращался в лохмотья и выбрасывался. Я не склонен судить людей, но порой подвержен страсти удивления. Признаюсь, строил предположения, зачем дама жует ткань? У нее болят зубы? Или она их таким образом полирует, чтобы вечером они красиво блестели в свете ламп? Расставались мы с баронессой со слезами. Фон Гаусы уезжали жить в Испанию, я отказался покинуть Москву. Госпожа Амалия подарила мне чемодан своих платков и дала совет: «Милый Эжен, окружающие нас люди глупы, вздорны, самонадеянны, гневливы, лживы, неаккуратны как в мыслях, так и в словах, вороваты, необразованны, грязны, жадны, злы, болтливы, обжоры, прелюбодеи. Но что делать? Других нет, приходится работать с тем материалом, который предлагается. Друг мой, когда очередной представитель человеческой породы проявит себя с худшей стороны, а вам захочется затопать ногами, заорать, высказать дубине стоеросовой прямо в лицо все, что вы о ней думаете... в этот момент вынимайте платок и грызите, кусайте его. Только не произносите ни слова, не опускайтесь на уровень скандалиста, оставайтесь на вершине homo идеально воспитанного. Я по куску гипюра в день уничтожаю, но никогда не снисхожу до базарной склоки». Понимаете?

— Не совсем, — пробормотала я.

Коробко вложил в мою ладонь кружевную тряпку.

— Мой долг охранять покой хозяев. Физический. Моральный. Сейчас, когда войдете в столовую, вы испытаете желание завопить. Не поступайте так, грызите платок. Прошу прощения за совет, просто я выполняю свою работу.

Коробко убежал. Меня охватило беспокойство. Что случилось в доме? Маша и Юра просили меня помалкивать, Женя посоветовал рвать зубами гипюр... В столовой сидит чудовище? К нам приехал в гости Дракула? Или в комнате упал потолок?

Ожидая всего самого ужасного, я вошла в столовую, увидела Дегтярева, который, сидя спиной к двери, мирно пил чай, и выдохнула. Все нормально. Посторонних нет, Александр Михайлович лопает запрещенную ему кардиологом сырокопченую колбасу. Все обычно. Только собак нет, что, учитывая еду на столе, странно. По спине потек холод. Хучик, Банди, Снап, Черри, Афина, Мафи... Что с ними?

— Кто там сопит? — недовольно прогудел полковник.

Я открыла рот, но ничего сказать не успела, толстяк оглянулся.

— О Mere de Dieu![1] — почему-то по-французски закричала я и мигом запихнула в рот тряпку, которую дал мне Евгений.

Только сейчас я по достоинству оценила подарок Коробко. Гипюровый платок баронессы заткнул фонтан вопросов, который рвался из моего рта.

— В доме варенья не допросишься, — сердито проворчал полковник, встал и вышел из комнаты.

— А вот и мы! — бодро оповестила Маша, появляясь в столовой.

Глава 33

Я плюхнулась на стул.

— Мусик, — хихикнула Манюня, — ты слишком ответственно относишься к моим советам. Когда я предупредила тебя о молчании, не имела в виду, что рот надо заткнуть в прямом смысле слова.

Я выплюнула платок баронессы.

— Господи! Что у Дегтярева с бровями?

— Здорово, да? — развеселилась Манюня. — Они похожи на клюшки, у переносицы широкие,

---

[1] О матерь Божья!

загнутые вниз, потом истончаются и задираются вверх.

— Еще сегодня утром у Дегтярева было нормальное лицо, — прошептала я. — Как за один день он смог отрастить на лбу черные густые заросли, смахивающие на хвост нашей пуделихи Черри?

— Микроблендер, — ответил Юра, — он им воспользовался.

Я уставилась на зятя.

— Блендер? Прибор для готовки супа-пюре? Полковник приставил его к лицу, включил и получил огромные брови? Плохо верится в подобное.

— Мусик, — простонала Манюня, — нашла кого слушать. Юру! Не микроблендер, а микроблейдинг!

— Я так и сказал, — заспорил Юрасик, — микроблендеринг.

Маруся закатила глаза.

— И это мой супруг? Как жить с человеком, который не в курсе последних трендов?

— Блендинг, блендеринг, блайдинг... Как ни назови, я тоже понятия не имею, о чем идет речь, — призналась я.

— Муся, ты темнее пещеры неандертальца, — засмеялась Манюня. — Что у тебя над глазами?

— Лоб, — ответила я.

— Брови, — поправила Маша. — Про бровистов слышала? Знаешь, кто они?

— Наверное, люди, которым от рождения досталась густая растительность на лице, — предположила я, — ресницы, брови, борода...

— Усы еще, — прибавил Юра, — если везде много волос, то их полно и над губой, и на ногах.

Нельзя быть волосатым в одном месте и лысым в другом.

— В корне неверное рассуждение, — остановила я зятя. — У полковника на голове нет почти ничего, зато голени у него, как лапы у Хуча, все покрыты густой шерстью.

— Ой не могу, — простонала Манюня, — бровистом называется специалист, который придает форму бровям.

— Есть и такой? — удивилась я.

— Да, — подтвердила Манюня, — и они берут немалые денежки.

— Надо же! А я обхожусь простыми щипчиками. Наверное, теперь еще есть ресницист, — предположила я. — А что такое это микромиксеринг?

— Блейдинг, — поправила Маша, — особая техника нанесения красящего пигмента на область бровей. Мастер острым скальпелем делает крохотные надрезы и втирает в них краску.

— Брр, — передернулся Юра, — больно же.

— Физические ощущения не очень приятные, но можно потерпеть, — менторски заметила Маша.

— И потом ходить с лицом, на котором нарисовали рельсы? Да никогда, — заявил Юра. — Машунь, ты ничего не путаешь? Не похоже, что Дегтяреву блендером рисунок сделали. У него волосы торчат, как иголки у ежа! И ресницы, как у кошки породы русская псовая.

— Есть такие кисы? — изумилась я. — Псовые же собаки!

— У моего брата такая живет, — заверил зять.

Я удивилась. Впервые слышу, что у родителей Юры есть еще один сын. Сегодня день интересных открытий.

— Наверное, Дегтярев сделал наращивание, — протянула Манюня, — я ошиблась с микроблейдингом, это просто татуаж. А у полковника прямо черный лес.

— Ты снова ошиблась, — осторожно возразила я, — у толстяка по-прежнему лысина, кудри не появились.

— Мусик, — снисходительно сказала Маруся, — нарастить теперь можно и ресницы, и брови. Берут нужный материал да и приклеивают. Если хорошо сделают, продержатся дней семь-девять.

— А потом? — спросила я.

Маша налила себе из кувшина компот.

— Отвалятся. Заодно лишишься и своих ресниц. Они не выдерживают соседства с искусственными. С волосами на голове так же. Некоторое время хвастаешься роскошной гривой, правда, с ней жуть как неудобно — ни помыться, ни причесаться самой. А когда капсулы снимают, стартует волосопад, половина собственной шевелюры сгинет.

Юра взял на руки Хуча.

— Зачем тогда женщины такие процедуры делают?

— Ой, как воняет, — простонала Манюня и убежала.

— От меня плохо пахнет? — испугался Юра.

— Нет, — успокоила я зятя, — Манюня сидела около меня.

Юра потянул носом воздух.

— Не похоже. Очень слабый аромат духов. Наверное, Хуч чем-то попахивает.

Мы с парнем наклонились над собакой.

— Чем занимаетесь? — спросил полковник, входя в комнату с литровой банкой варенья.

— Нюхаем мопса, — ответила я.

— Вечно в голову Даше лезут глупости, — немедленно окрысился полковник.

— Хотим понять, от какого запаха Манюню затошнило, мы вдвоем мопса изучаем, — защитил меня Юра.

Дегтярев вздернул подбородок.

— Действительно, веет чем-то... таким... как от человека, который несет в руках грязного пингвина.

Я опешила. Никогда прежде не слышала от полковника столь поэтичного сравнения. И откуда он знает, какой аромат издает грязный пингвин. Ну где в столице можно встретить это милое животное? Вы часто видите в метро или магазинах пингвинов?

— Пару лет назад мы приехали с обыском в поместье одного мужика, — продолжал толстяк, — к нам вышел пингвин. Я чуть не умер тогда от запаха рыбы. Фу! До сих пор при одном воспоминании в носу кошки скребут.

Александр Михайлович наклонился над пустой тарелкой и оглушительно чихнул. Хучик подпрыгнул, свалился с коленей Юры и удрал.

— Пойду гляну, как там Маша, — странным голосом произнес зять и испарился.

Я, не понимая, почему Юра столь спешно ретировался, повернулась к полковнику, хотела задать ему вопрос, обомлела и взвизгнула:

— Фантомас!

Александр Михайлович мигом стал занудничать.

— Столетнее кино. Когда-то всем очень нравилось. Но теперь ни малейшего впечатления не производит. Что случилось? Почему ты сидишь с таким видом, будто проглотила электролампочку?

На тернистом жизненном пути толстяка встречаются подчас удивительные люди, очевидно, среди них была и дама, которая съела прибор накаливания. Но меня сейчас ввергла в состояние ступора не мысль о странной тетушке. Способности двигаться и выражать мысли словами я лишилась, взглянув на толстяка. Только что у него были брови и ресницы, которым мог бы позавидовать волосатый человек Евтихиев, чье фото, помещенное в учебнике по биологии, сильно напугало когда-то школьницу Васильеву. А сейчас передо мной сидел мужчина с абсолютно «голым» лицо, у него не было ни малейшего признака растительности ни над глазами, ни на веках.

— Что? — начал злиться Дегтярев. — У меня на носу рог вырос?

Я покачала головой и обрадовалась. Ура! Паралич прошел! Толстяк разгневался еще сильнее:

— Тогда почему ты так уставилась? Сколько раз просил: следи, чтобы Черри не залезала на скатерть. Отошел за вареньем, а ты разрешила пуделихе около моей тарелки шнырять.

— Черрепета даже не приближалась к столовой, — начала оправдываться я, — вон она в гостиной на диване храпит.

Александр Михайлович демонстративно ткнул пальцем в сторону большой розетки для варенья.

— И кто тогда натряс сюда клочья собачьей шерсти, а? Это что?

Я проследила за пальцем полковника и от неожиданности увиденного ответила честно:

— Твои брови и ресницы.

Полковник встал.

— С тобой невозможно разговаривать! Ты не способна сознаться в своей неправоте. Очень нехорошее качество. Оно сродни глупости.

Мне следовало сказать: «Прости, как всегда, я поступила по-своему, то есть по-идиотски. Черри прошлась по скатерти, расшвыривая повсюду клоки шерсти». Но я...

Вместо того чтобы применить на практике метод баронессы, сунув в рот кусок гипюра, я ввязалась в спор:

— Посмотри в зеркало, и все поймешь.

И тут Александр Михайлович поразил меня до глубины души. Он вынул из кармана нечто круглое, открыл крышку, полюбовался на себя и заявил:

— Я слегка не брит. Брови, ресницы на месте. Надоели мне твои глупые шутки.

Я не поверила своим глазам.

— Ты носишь с собой пудреницу?

— Конечно, нет, — хмыкнул полковник, — сегодня я заехал в аптеку. Видишь, на спинке стула висит пакет? Покупал зубную пасту. В подарок мне всучили эту ерунду. Если хочешь, забирай себе.

Толстяк положил презент на стол и ушел. Я осталась в комнате одна и стала переваривать услышанное. Дегтярев сам решил приобрести себе зубную пасту? Такого в последние лет десять не случалось. У него в ванной просто выбрасывают старый тюбик и кладут новый. До сих пор я считала, что Дегтярев думает, будто мыло, шампунь и все остальное в его санузле материализуется из воздуха. Что он приобрел?

Я взяла со спинки стула пакетик с надписью «Здоровые челюсти — веселая страна» и заглянула внутрь. На дне обнаружился чек, цифра, которую сняли с карточки, вызвала у меня удивление. Пять тысяч рублей? Из чего сделали средство для чистки зубов? В него добавили пыль платины? Как называется необыкновенная паста. Я прищурилась. «Сам себе дантист. Жемчужный клык. Подарок. Зеркало “Веселая обезьянка”. Бесплатно».

Я взяла то, что приняла за пудреницу, и подняла крышку. На ее внутренней стороне была фотография радостно ощерившегося примата с белоснежными огромными клыками. А на нижней части подарка виднелась надпись: «Вот такой станет твоя улыбка, когда ты используешь набор “Сам себе дантист”».

Стараясь не расхохотаться во весь голос, я пошла к лестнице. Полковнику давно пора носить очки, у него развилась возрастная дальнозоркость. Он пребывает в уверенности, что в аптеке в качестве презента ему всучили зеркало, поэтому остался очень доволен растительностью на лице. А из-за того, что он не хочет носить очки, пытается продемонстрировать всем орлиное зрение, наш бравый борец с преступностью не сообразил, что видит фото гиббона, орангутанга или мартышки. Простите, я не разбираюсь в обезьянах.

Посмеиваясь, я пошла наверх, услышала щебетание мобильного и вытащила трубку.

— Кто там? То есть алло.

— Собачкин, — произнес знакомый голос.

— Твой телефон не определился, — удивилась я.

— Случается иногда. Помнишь, мы говорили про редактора Юлию Милованову?

— Конечно, она работала над книгой Карелии, — ответила я.

— Мы связали ее с Катей, Соней и поняли, почему девушка терпеть не может Зинаиду.

— Рассказывай скорей, — обрадовалась я.

Глава 34

— Отвратительная шутка! — прогремело в комнате.

Я открыла глаза и тут же зажмурилась.

— Который час?

— Шесть, — прорычал Дегтярев, — мне скоро на работу.

Я осторожно приоткрыла правый глаз.

— Я никуда не тороплюсь, могу поспать до десяти. Зачем ты меня разбудил?

— Какого черта! — взревел полковник. — Есть веселые шутки, а есть тупые! Тупейшие! Наитупейшие! Мегатупые!

— О чем ты говоришь? — спросила я. — Ой!

Из груди помимо желания вырвался смех.

Толстяк побагровел.

— Хватит прикидываться. Радость на твоей физиомордии свидетельствует о твоей вине. Зачем ты это сотворила? А?!

Я села.

— Милый, я вчера легла спать и только сейчас проснулась, из комнаты не выходила. Но, даже залети мне в голову идея бродить за полночь по дому, как я могла покрасить твои зубы в синий цвет? Понадобилось бы открыть тебе рот, ты непременно бы проснулся!

— У меня отличный сон, — зашипел Дегтярев, — богатырский! Перед тобой молодой, стройный, кудрявый парень, который выглядит и ощущает себя на двадцать лет. А ты... ты... нет слов! Взяла бритву! Знал, что от тебя всего ожидать можно, шутки у тебя обычно идиотские. Но такое!

Я спустила с кровати ноги и начала нашаривать тапочки.

— Прости, что рассмеялась. Понимаю, ты обескуражен. Но включи логику. Как с помощью бритвы можно покрасить человеку челюсти? Я бы в данном случае подумала про фломастер. И, честное слово, не занималась я тем, что проделывала в детстве в пионерлагере. Я давно не мажу никого ночью пастой «Ягодка». А вот ты вчера купил набор «Сам себе дантист».

— Да, — неожиданно мирно подтвердил полковник, — от чая-кофе эмаль пожелтела. В аптеке посоветовали взять комплект для самостоятельного отбеливания.

— Так, — протянула я.

— Какое отношение идеальные, как свежий жемчуг, челюсти имеют к сбритым тобой ночью моим бровям и ресницам? — опять заорал полковник.

Я встала и поманила Дегтярева рукой.

— Пошли в ванную.

— Зачем? — закапризничал Александр Михайлович.

Я потянула его за руку, подвела к зеркалу и спросила:

— Сегодня ты встал, увидел свое отражение и кинулся ко мне. Два вопроса. Почему ты решил, что лишился растительности вследствие происков лучшего друга? И второй: ты себе улыбался?

— Какого дьявола я должен лыбиться? — зашумел толстяк. — Чему радоваться?

— У любого человека по утрам всегда найдется минимум три причины для радости, — ответила я, — он проснулся, значит, не умер. Стоит на ногах, следовательно, не болен. Глядится в зеркало. У него есть где жить и где умываться. А ведь кто-то этой ночью умер или заболел, и совсем не у всех есть крыша над головой, и не у каждого в доме есть вода не то что для умывания, а даже для питья. Ты счастливчик. Потому сейчас улыбнись.

Дегтярев покорно оскалился и завопил:

— Офигеть! Жуть! Катастрофа! С ума сойти! Как ты это проделала?

— Ну почему у тебя всегда и во всем виновата я? — укорила я скандалиста.

— Кто еще способен на столь беспредельное идиотство? — взвизгнул толстяк. — Где мои брови и ресницы?

— Они еще вечером выпали, — вздохнула я, — кое-кто сходил в салон к неумелому мастеру, тот нарастил красоту на твоей морде лица, но, похоже, действовал неправильно. Поэтому, когда ты вчера вечером оглушительно чихнул, очарование упало на стол. Тебя не предупредили, что после этой процедуры многие женщины теряют волосы?

— Не посещал я никого, — буркнул Дегтярев.

— Стой тут, — велела я и помчалась в спальню к толстяку.

— И не подумаю тебя слушать, — гудел полковник, с грацией беременного бегемота гарцуя следом. — Эй, перестань копаться в моей сумке?

— Секундочку, — пропела я, вытаскивая портмоне, — отлично знаю твою манеру не выкидывать чеки сразу. Ты их бережно складируешь, а когда места уже нет, вытряхиваешь вон в напольную вазу. Вуаля, вот нужная бумажка. ООО «Страшная сила красота». Адрес: Курский вокзал. Милый! Нет слов!

— Что тебе не нравится? — взвыл приятель. — Ехал по Садовому кольцу, застрял в пробке, увидел рекламу: «У нас обвал цен. Только сегодня. Минус сорок процентов на любой чек». Подошел к двери, а там плакат: «Лучшее заведение Москвы по версии сайта "Очарование"».

Я молча слушала Дегтярева.

— Очень достойное место, — кипятился тот, — ну вокзал. И что? Мастер приятная, быстрая. За десять минут сделала... э...

Я посмотрела на бумажку, приколотую к счету.

— Процедура «Новое лицо. Нарастититель ресниц и бровей путем оклеивания кожной поверхности протезами волос из материала синтепро, экологически чистого аналога шерсти натуральной белки чернобурки».

— Дегтярев! — простонала я. — На свете есть лиса чернобурка. Про белку я не слышала. Есть еще Сивка-бурка, вещая каурка. Но она, если память меня не подводит, скачет только в русских народных сказках. «Протез волос». Так! С бровями все ясно. Где руководство к набору «Сам себе дантист»?

— В ванной на раковине, — вдруг жалобно сказал полковник.

Я слетала в санузел, нашла брошюру и через некоторое время спросила:

— Тут написано: «Намажьте капу отбеливающим составом, наденьте, снимите утром. Ваша улыбка поразит всех». Да уж, не обманули. Сегодня все подчиненные совершенно точно изумятся, увидев у шефа темно-синие клыки. Ты вымыл капу? Обработал ее лосьоном «Антилинь»?

— Ну... нет, — неохотно признался толстяк.

— Почему? — спросила я. — В инструкции четко указано: «Форма для отбеливателя выполнена из натурального силиконово-бензо-керосина. Так как материал является растительным, он может в некоторых случаях полинять. Чтобы избежать нежелательного эффекта, форму необходимо намочить водой и протереть. Если на пальцах останется след, нужно купить спецраствор «Антилинь», погрузить в него капу, подержать ночь, затем слить жидкость, промыть капу и использовать ее по назначению». Готова спорить, ты не читал инструкцию.

— Дома изучил, — пробормотал полковник, — раздел: «Как использовать набор». Продавщица предупредила: «Купите еще жидкость “Антилинь”, она вам точно понадобится».

Я села на край ванны.

— Почему ты не последовал совету?

Александр Михайлович надулся.

— За него требовали аж десять тысяч! С ума сошли! Бутылочка размером меньше моего указательного пальца.

— Жадность наказуема, — вздохнула я, — глупость, впрочем, тоже. Капа пролиняла, брови с ресницами отвалились. Нет слов.

Полковник нахмурился и совершенно по-детски протянул:

— Что теперь делать-то?

Мне стало жаль Александра Михайловича.

— Главное, не унывай. Из каждого безвыходного положения всегда есть выход. Не факт, что он тебе понравится, но выход есть всегда. С отсутствием растительности мы справимся легко. Брови я тебе сейчас нарисую, краска у меня есть, трафарет тоже. Спустя некоторое время они вырастут. И ресницы тоже появятся. У тебя их мало было, никто и не заметит, что отвалились. А вот зубы... Ладно, садись, займемся реставрацией внешнего вида, авось и с зубами что-нибудь придумаю... О! Идея!

Я сбегала на первый этаж, вытащила из морозильника коробку черники и отдала полковнику.

— Зачем ягоды? — удивился тот. — Не люблю ее, на вкус как трава, намного вкуснее...

— ...Свиная отбивная с жареной картошкой, — перебила его я, — но она не поможет. Черника активно красит зубную эмаль. Демонстративно поставь на работе на стол упаковку и говори всем входящим: «Не хотите черники? Мне доктор велел ее есть, чтобы вес сбросить. Вот, жую и теперь хожу с синими зубами. Но, делать нечего, соблюдаю диету». Народ узнает, что босс ягодами лакомится, и смеяться не будет.

— Иногда даже тебе приходят в голову светлые мысли, — проворчал полковник.

Я решила воспользоваться его хорошим настроением и, разводя краску, с равнодушным видом поинтересовалась:

— Что-нибудь выяснил про женщину, которая скончалась у нас в холле?

— Служебные проблемы не обсуждаю, — огрызнулся толстяк.

Я молча взяла кисточку. Все ясно. Дегтярев забуксовал. Фразу про служебные проблемы он произносит, когда оказывается в тупике. Если расследование идет полным ходом, полковник на мой вопрос ответит иначе: «Лучше читай детективы, оставь настоящие дела профессионалам». Или похвастается своими успехами. Значит, я обогнала толстяка на повороте.

Глава 35

— Вы написали детектив? — уточнила Юлия, глядя на меня.

— Да, да, да, — закивала я.

Лицо Миловановой озарила дежурная улыбка.

— Уважаемая Дарья... простите, не знаю вашего отчества.

— Просто Даша, — попросила я.

— Уважаемая Даша, — повторила начальник департамента, — интерес к остросюжетной литературе большой, мы всегда рады новым авторам. Но я не занимаюсь рукописями. С удовольствием перенаправлю вас к Алине Скольдовой, она посмотрит...

— По поводу меня вам звонил господин Юров, — остановила я Юлию, — он просил оказать содействие его близкой приятельнице.

— Поэтому я сразу пригласила вас, — кивнула Юлия, — но, испытывая глубокое уважение к Андрею Петровичу, главному редактору самой рейтинговой газеты России, я не могу изучить ваш труд. Его опубликуют только в случае положительной оценки редактора. Иначе никак.

— Даже за счет автора? — прищурилась я. — И за мои деньги не выпустят?

Теперь улыбка Юлии стала искренне приветливой.

— Это другое дело.

— Если разрешите, я вкратце перескажу сюжет, — предложила я.

— Ну... хорошо, — после небольшой паузы согласилась редактор.

Я поерзала в кресле. Спасибо Андрюше, который по моей просьбе связался с Юлией. В противном случае не сидеть бы мне сейчас в просторном кабинете. Все попытки выйти с Миловановой на контакт закончились неудачей. Кузя раздобыл все ее телефоны, адрес почты. Но на мобильном стабильно включается автоответчик, служебную трубку снимает секретарь, и он же отвечает на емайл. Интересно, как с редактором связываются настоящие авторы?

Я сложила руки на коленях.

— Жила-была девочка Катя Носова. Так зовут главную героиню. Ее мать Нина болела биполярным расстройством, а отец Валерий...

Я говорила и говорила, с лица Юлии медленно сползала улыбка. В конце концов Милованова встала, приоткрыла дверь, сказала:

— Елена, меня ни для кого нет, — потом тщательно заперла дверь, выключила свой сотовый, выдернула из розетки провод городского телефона и спросила:

— Вы кто?

— Дарья Васильева, — ответила я, — имя подлинное, но я не пишу криминальных романов, нахожусь по другую сторону баррикады. Я их страстный читатель. Мой ближайший друг — Александр Михайлович Дегтярев, полковник полиции, — уверен, что в смерти Вероники Глебовны Невзоровой нет криминала. Она скончалась от инфаркта. А вот я думаю, что женщину убили хитрым образом, напугали до смерти.

— А я при чем? — спросила Юля. — Что вас ко мне привело?

— Миловановы когда-то жили в одном доме с Петром Ивановым, который привел в клуб, куда Катя получила бесплатные билеты, Невзорову, — уточнила я. — Ваши квартиры находились на одной лестничной клетке. После кончины Носовой вы стали женой Вадима Виброва, любовника Екатерины, затем выпустили книгу Карелии, в которой много злых слов о Зинаиде Семеновне. Но что самое интересное, вы вместе с Катей не один год занимались в студии танцев. Пришли туда в возрасте девяти лет. Носова перестала танцевать, потому что скончалась. Вы же до сих пор увлекаетесь танго, вальсом, сальсой.

— Да, — согласилась Милованова, — я член клуба «Хороший вечер». Сначала это был маленький кружок при школе, потом он вырос в студию, сейчас это большое предприятие с балетным колледжем и танцевальными вечерами по выходным. Что вы от меня хотите? Вы из полиции?

Я не стала врать.

— Вероника Невзорова умерла в холле нашего дома, мой ближайший приятель полковник Дегтярев пытается выяснить, почему совсем не пожилая женщина скончалась. Александр Михайлович опытный, умный следователь, но иногда он бежит не по той дороге. Нет, я не имею погон на плечах, просто хочу докопаться до истины. Вы знали Петю, были женой Вадима, определенно встречались с Носовой на танцах и издали книгу Карелии. Извините, повторяю то, что уже сказала. Получается: вы в центре событий. Возможно, знаете нечто важное.

— Мы с Катюшей дружили, — очень тихо сказала хозяйка кабинета.

— Зачем Катя глотала соду? — тут же спросила я. — Почему решила незадолго до посадки в самолет выпить противозачаточные таблетки?

Юлия встала, подошла к книжному шкафу и оперлась о него спиной.

— Сода... мда! Идиотский розыгрыш! Из-за денег все!

— Пари? — удивилась я. — Какое?

Юлия прошлась по кабинету, села на диван.

— Ох, как мне хочется наказать Вадима и мерзкую Соню! Вибров гад! Я говорю путано. Сейчас задушу в себе бабу, включу редактора, буду излагать материал последовательно.

Милованова приложила руку к левой стороне груди.

— Здесь словно бетонная плита лежит. После смерти Кати не один месяц прошел, думала, мне станет легче, но... Нет. Когда Носова скончалась, я побежала в полицию, нашла следователя, который разбирался со смертью моей подруги, попыталась донести до него правду: Катя не могла быть наркокурьером. Невозможно это. Мы доверяли друг другу бесконечно, я знала все ее проблемы. Но про дурь ничего никогда не слышала. Следователь коротко ответил: «О деятельности по перевозке запрещенных препаратов никто даже лучшим приятелям говорить не станет. Криминала нет. В желудке у нее контейнеры с гидрокарбонатом натрия. Полиции незачем в это вмешиваться. Тело выдадут родственникам. Сожалею о вашей потере. До свидания». Я начала спрашивать про соду, да ничего не узнала, правда открылась, когда я находилась в браке с Вадимом. Случайно! Ох! Опять в сторону мыслями утекаю. Все.

Говорю по порядку. Вот только нет у меня доказательств ничьей вины. Исключительно чужие слова и собственные мысли. В полицию с этим не пойдешь. Если вам интересно, сообщу, что знаю. Может, вы придумаете, как Соню, Вадима и Петю прижать можно? Давайте, сварю нам кофе под беседу?

Я не люблю горький напиток, предпочитаю ему чай, но сейчас не стоило отказываться.

— Спасибо, с удовольствием.

Милованова открыла шкаф, я увидела внутри большой никелированный аппарат.

— Катюша обожала кофе, собирала оригинальные рецепты. Мне больше всего нравилось, как она готовит напиток в апельсине.

— Ничего об этом не слышала! — удивилась я.

Юлия открыла жестяную банку, по кабинету незамедлительно потек аромат арабики.

— Берем большой апельсин, толстокожий. Аккуратно срезаем верхушку, ложечкой выгребаем мякоть, но чуть-чуть на стенках оставляем. Главное, кожуру не порвать, из нее должен получиться горшочек. В него насыпаем молотый кофе, сахарный песок, заливаем водой почти до верху импровизированной апельсиновой джезвы, ставим на огонь...

— На огонь? — повторила я. — Сгорит же!

— Нет, — возразила Юля, — не делайте пламя сильным, помешайте напиток, дайте ему три раза подняться и вылейте в чашку. Вкус замечательный. Но если есть аллергия на цитрусовые, то лучше пить обычный эспрессо, как у меня сейчас. Вот сахар и печенье. Вы угощайтесь, а я начну.

Глава 36

Милованова на год старше Носовой. Но ни незначительная разница в возрасте, ни различие в социальном положении не помешали девочкам подружиться, когда они начали заниматься танцами и пришли в небольшой кружок, который был открыт при одной из школ района. Юля никогда не хвасталась обеспеченностью своей семьи, Катя не жаловалась на материальные трудности. У Юли было много красивой одежды, у Носовой всего пара платьев, но Юлечка не стыдилась позвать Катюшу на свой день рождения, куда приходили дорого наряженные дети. Катя приносила в подарок дешевую плюшевую игрушку. Юля радовалась ей и сразу сажала на свою кровать. Сама она, чтобы не смущать Екатерину дорогим подношением, притаскивала ей на Новый год, именины и прочие праздники скромную ерунду: бисерные фенечки, обруч для волос, коробку конфет. Со временем кружок вырос в студию, и там появились Соня и Вадим. Это случилось, когда девочки уже учились в институте. Милованова слышала от Кати про Софью, но увидела ее лишь тогда, когда Нечеткина пришла в танцзал. Софья ей совершенно не понравилась. Капризная, избалованная, завистливая, жадная, она всегда хотела быть в центре внимания. Танцами Соня занималась недолго, меньше недели. Герман Николаевич, балетмейстер, поставил новенькую в пару с Колей Жориным. Первый день Нечеткина просто морщилась при виде кавалера, а на второй во всеуслышание заявила:

— Фу! От него воняет!

— В балетном классе всегда стоит запах пота, — спокойно пояснил педагог, — мы же физически трудимся.

— Николай некрасиво одет, — капризничала Соня, — мне нужен другой партнер. Вадик, например, или Сережа.

— Сергей не первый год танцует в паре с Леной, — терпеливо ответил Герман Николаевич, — а Вадима я поставил с Екатериной, они по росту подходят друг другу. Ты ниже Кати, поэтому...

— Я? — взвилась Соня. — Ниже Кати? Да никогда! Я ее выше по всем показателям. И вообще мне у вас не нравится.

Софья ушла из секции и более не появлялась. А Вадик привел своего приятеля Петю, неуклюжего толстого паренька в очках, который танцевал хуже косолапого носорога.

Герман Николаевич, тихий, интеллигентный, не выгонял никого, даже Петю. Парень старался, но таланта к танцам Господь ему не дал. Все девочки, с кем педагог объединял Иванова, ныли:

— Петяша мне все ноги оттоптал, он музыку не слышит.

Балетмейстер молча вздыхал и находил Пете другую партнершу.

Через некоторое время в студии не осталось девушки, которой «носорог» не испортил бы туфли, и тут на общую радость появилась Вероника Невзорова.

В это сложно поверить, но Ника танцевала хуже Пети. Народ едва сдерживал смех, когда эта пара, наступая друг другу на ноги, пыталась изобразить вальс. У самозабвенных балерунов под любую музыку всегда получалось нечто вроде краковяка, польки и падекатра одновременно. А на танго, которое они разучили, прибегали посмотреть из соседнего зала гимнастки. Спортсменки потом говорили: «Ну как здорово! Офигеешь от тренировок, повеселишься у вас и опять за работу». И выглядела пара комично: толстый Петя в слишком узких коротких штанах дергает постоянно рубашку, которая расстегивается на его круглом, как барабан, животе. А тощенькая, похожая на голодную кильку Ника путается в излишне широкой юбке. Петр хотел казаться тоньше, поэтому носил обтягивающую одежду. Ника мечтала иметь большую попу, пышную грудь, покупала платья с объемными рукавами, оборками и воланами на всех возможных и невозможных местах. Но в результате всех усилий Петяша походил на колбасу в синюге, а Невзорова выглядела зубочисткой, замотанной в тряпки.

То, что Веронике нравится Вадим, всем стало ясно довольно быстро. Вибров никакого интереса к Невзоровой не проявлял, вел себя с ней приветливо, но и только. А вот то, что у Кати роман с Вадиком, знала одна Юля. Почему пара скрывала свои отношения? Из-за Зинаиды Семеновны, матери Сони. Вадим зависел от старшей Нечеткиной, постоянно выполнял для нее разные поручения, получая за это деньги. Катя частенько жаловалась Юле:

— Вадик опять отправился куда-то по приказу Зинаиды.

— Что он для нее делает? — поинтересовалась Юлия.

— Понятия не имею, — вздыхала подруга, — спрашиваю, он не отвечает, говорит: «Не интересно. Курьерская работа».

А Невзорова, которая и не подозревала о связи Виброва и Носовой, дружила с Петей, везде ходила с ним, восхищалась каждым его словом. Большая часть общих знакомых полагала, что Ника влюблена в Петра, но Юля знала истину. Откуда?

Как-то раз Милованова забыла в раздевалке клуба свои перчатки, вернулась за ними, услышала тихий плач и увидела Веронику.

— Эй, ты чего? — удивилась Юля. — Что случилось? Помощь нужна?

Невзорова разрыдалась еще горше и призналась, что любит Вадика и делает все возможное, чтобы рано или поздно тот обратил на нее внимание.

Юлечка от души пожалела некрасивую Нику, осторожно сказала:

— Ну... вдруг у него невеста есть? Просто он о ней сообщать не хочет.

— Буду ждать, когда Вадюша с девчонкой порвет, — заявила Невзорова, — высижу свое счастье.

— У вас с Петей хорошие отношения? — поинтересовалась Юля.

— С Ивановым нелегко дружить, но у меня получилось, — похвасталась Вероника, — мы с ним как пальцы на одной ладони.

— Хочешь совет? — спросила Юля. — Откажись от желания выйти замуж за Вадика, переведи стрелку своего интереса на Петра. Да, он не очень симпатичен внешне, одевается по-идиотски, денег не зарабатывает, но, если им заинтересуется такая умная девушка, как ты, то он добьется успеха.

Юля не врила в то, о чем говорила. Она просто хотела отвадить Невзорову от Виброва. Сомнительно, что, имея рядом с собой красавицу Катю, Вадик заинтересуется «зубочисткой». Но он мужчина, а тут прямо в руки падает особа женского пола, пусть и некрасивая. Милованова не хотела, чтобы жених любимой подруги соблазнился.

Вероника вытерла слезы.

— Извини. Выношу тебе мозг. Очень прошу, не рассказывай никому о моих откровениях. Что же касается твоего совета. Мне нужен только Вадик. Больше никто. С Петей мы друзья. Лучшие. Спать с ним это как инцест, как с братом в кровать лечь.

Спустя некоторое время после этой беседы Катя выиграла билеты в клуб. Почему она не пригласила Юлю? Та улетела с родителями в Испанию. Вернулась в день кончины Екатерины. Носова ничего не рассказала лучшей подруге о наркотиках и поездке в Питер.

Для Юли настали тяжелые времена, она постоянно плакала. На девятый день прорыдала до обеда, потом, решив хоть немного развеяться, отправилась на занятия танцами, у входа в зал встретила Вадима, Вибров позвал ее в кафе, предложил выпить за помин души покойной.

Проснулась Юля в крошечной квартире Вадика в его постели. Поняв, что случилось, она впала в истерику:

— Я сволочь! Как могла так поступить! Отняла жениха у подруги.

Вадим обнял девушку.

— Нет, нет! Катя умерла. Ей уже никто не нужен. И мы просто много выпили.

— Всего полбокала, — всхлипнула Юлечка.

— Вино оказалось паленое, — предположил Вибров, — сам не помню, как до дома добрался.

Мы просто спать легли, оба в таком состоянии находились, что ничего не сделали.

— Думаешь? — прошептала Юля.

— Я тебя пальцем не тронул, — заверил Вадик, — помню, как свалился кеглей на матрас и отключился.

Милованова успокоилась, Вадим проводил ее до дома, впервые зашел в гости к ней, понравился ее родителям. Арсений Сергеевич пригласил парня на праздник, посвященный юбилею своего издательства «Крот», Вадим стал часто проводить время в семье олигарха и в конце концов сделал Юлии предложение.

Настоящей любви к Виброву Юлечка не испытывала, но он ей нравился, а еще она хотела избавиться от давящей опеки родителей, поэтому ответила:

— Да, — и тут же испугалась. — А Катя?

— Ее нет, — скорбно заметил жених, — жизнь продолжается. Уверен: Катюша сейчас радуется, глядя на нас с небес, она точно хочет нашей свадьбы.

Глава 37

Юля знала, что Вадик владеет небольшой фирмой, которая занимается розыгрышами, но только после появления в паспорте печати жених признался, что весь опутан долгами, не знает, как выкарабкаться из залоговой ямы, попросил жену взять у отца немалую сумму, чтобы погасить заем.

— Я все верну, — клялся он. — Вот увидишь, ко мне скоро притечет река клиентов.

— Ладно, — пообещала супруга и побеседовала с папой.

Арсений Сергеевич буркнул: «Не сейчас», раскошелиться он не спешил. Вадим нервничал, умолял молодую супругу еще раз поговорить с отцом. Юлия через несколько месяцев снова отправилась к Арсению Сергеевичу, а тот объявил:

— Вы поженились недавно, а зять уже хочет, чтобы я влил средства в его дохлый бизнес. Рано он на мои деньги рот разинул. Не заслужил еще. Через десять лет и двух детей пусть приходит. Хочу удостовериться в надежности вашего брака. Не намерен поддерживать альфонса. Я его в долги загнал? Нет. Сам в них влез, вот пусть сам и выкарабкивается.

Юлия вернулась домой, там на нее налетел Вадик.

— Ну как? Даст?

— Не хочет, — ответила жена.

— Ты плохо просила! — обозлился Вадик. — Что отец сказал?

Юля передала слова папы, Вадик позеленел, открыл бар, налил себе водки, одну рюмку, другую, третью, четвертую. А потом у парня сорвало стоп-кран. Он начал орать и в истерике, с пьяных глаз, выложил Юле нелицеприятную правду. Она только моргала, слушая Вадика.

— Катька дура! Любовь-морковь! Свадьба-дети! Идиотка! — вопил парень. — Жениться на ней я никогда не собирался! Просто спал с кретинкой! Не с проститутками же связываться?! Заболеть можно. За фигом мне в жены нищеброддка без связей? Да еще с психованной мамашей. Нина не богомолка! Она сумасшедшая. Не по монастырям баба катается, в психушку ее муж прячет периодически, от всех правду скрывает. Но я любую тайну расковыряю. Петька мне поможет чужой секрет разгрызть.

— Смешной толстяк? — не удержалась от вопроса Юлия. — Каким образом?

Вадик расхохотался и влил в рот очередную порцию «огненной воды».

— Дура! Петруха ворочает миллиардами.

— Лучше ляг, поспи, — велела Юлия.

Муж кинулся к ней, энергично потряс ее и рявкнул:

— Не смей, мартышка гадкая, никогда со мной в подобном тоне разговаривать. Усекла? Петька владелец соцсети, бабла у него немерено. Но у кретина фишка: хочет, чтобы любили его, а не счет в банке, поэтому и прикидывается, что в рваных трусах ходит. В танцевальный клуб на ржавых колесах приезжает, а «Ламборджини», «Порше» и еще штук пять дорогих машин в гараже ждут. Особняк на Рублевке, дом в Испании — всего не перечислить, что у Петрухи есть в загашнике.

— Хватит придумывать, — велела Юля.

— Из-за него Катька умерла, — взвизгнул Вадим. — Мы поспорили! Носова пригласила меня в клуб, захотелось ей, блин, интима в темноте. А чего не пойти, коли платить не надо? Нет в кошельке денег! Денег в кошельке нет! Нет денег! Зинка мне копейки платит, скотина, заставляет всякую хрень возить. Ну ничего, я докажу, что отец Соньки жив. Точно не знаю, но подозреваю: я ему все вожу!

Юля опешила.

— Вадик! Престань глушить водку. Ложись спать. Завтра тебе стыдно будет за ерунду, которую нес сегодня вечером.

— Сама ты ерунда и дерьмо, — ответил ласковый муженек.

Следовало обидеться и уйти. Но Юле неожиданно стало смешно. Надо же так набраться! Милованова решила воззвать к остаткам логики Виброва:

— Вадюша, отец Сони, гражданский муж Зинаиды Семеновны, очень давно умер, чуть ли не через неделю после рождения дочери. Мне Катя рассказывала. Его звали Андреем. Отчество у Сони Андреевна.

— Дуры обе, — рыкнул Вибров, — и ты, и Носова. Сонька от бандита родилась, поэтому Зинка правду скрывает. Звать настоящего папашу Софьи Тимофей Полканов. Он преступник, руководитель ОПГ, я подозреваю, что мужик удрал из-под стражи, сейчас ховается по разным местам, боится, что его вычислят, поймают, не пользуется ничем электронным, небось у него нет кредиток, емайла, Инстаграма. К услугам обычной почты он тоже не прибегает, побаивается. Поэтому я служу курьером, вожу ему всякое-разное. Мне за это гроши платят. Фирма моя в заднице! Поэтому я и поспорил с Петькой. Тот на кон сто тысяч баксов бросил.

— Да ну? — пробормотала Юля. — Деньги у Иванова из игры «Монополия»?

— Настоящие, — вдруг тихо ответил Вибров, — ему такая сумма, как мне за семечками сходить. Ты все ныла: «Почему у Кати в желудке сода?» Да потому что я ей контейнеры дал.

— Зачем? — ахнула Юля.

— Чтобы она их проглотила, — ответил муж.

— Какова цель этого дурацкого поступка? — не поняла Юлия. — Твой очередной розыгрыш?

— Хотел отхапать у Петьки сто тысяч долларов и получил их, — похвастался Вадик, — погасил один кредит, на остаток средств порадовал себя, купил кое-что.

— Ничего не понимаю, — сказала Юля.

— Петька в клуб пришел с Вероникой, — начал объяснять супруг, — она за ним увивается везде, хвостом тащится. Зачем я Петьку позвал? Да просто так! Скукота вдвоем с Катькой сидеть. Меня от нее вне постели блевать тянуло. И че бабье такое романтичное? Покувыркались в кровати и разбежались молча. Так нет! Поговорить им надо! «Милый, как ты меня любишь?» — «Как от земли до неба, родная». Фуу! Бее!..

Юля потерла пальцами виски.

— Ладно, понимаю, по какой причине ты приходил к Кате в гости, когда ее родителей не было дома. Любви никакой не испытывал, просто использовал Носову в качестве бесплатной проститутки. Не оцениваю твое поведение, просто констатирую факт.

— И чего? — вдруг мирно спросил Вадим. — Честно сейчас все рассказываю. Другие мужики так же поступают. Бабы, с которыми они спят, и бабы, на которых женятся, — это разные бабы. В загс надо идти с женщиной из обеспеченной семьи, у нее должно иметься приданое: квартира, машина и родители, которые дочь любят, поэтому будут к зятю хорошо относиться, помогут ему в бизнесе.

Юлия молча слушала мужа, которому выпитая водка развязала язык, а Вибров вещал дальше:

— Но я не сразу такую отрыл. Что делать? Лично мне шлюхи противны, я брезгливый, поэтому нашел временный вариант. Катька на роль любовницы подходила: чистая, аккуратная, не требовательная, в квартире часто одна остается, не навязывается, я к ней приезжал тогда, когда мне надо. Водить ее в кино, кафе денег не было, но она и не требовала. Удобная девушка. Дешевая. В клуб с ней потопал, потому что билет бесплатный, Петьку для компании позвал, с ним, как всегда, Невзорова приперлась. Через день мы с Ивановым о бабах разговорились. Он сел на любимого коня: «Им только деньги нужны». Я возразил: «Есть идиотки, которым слов хватает. Катька, например». Петя заржал: «Да ладно! Точно знаю: они только за лавэ любят». Ну и начали мы спорить, он в конце концов предложил: «Давай проверим твою Катьку. Скажи ей, что взял в долг у барыги денег на бизнес, а тебя обокрали, отдавать нечем. Катя может помочь, для этого ей надо наркотики из Питера в Москву доставить. Предупреди, что ей ни копейки не заплатят, но с тебя за доставку долг спишут. Если она в северную столицу помчится, там контейнеры сожрет и в Москву с ними прилетит, я тебе сто тысяч баксов дам»...

Юля встала.

— Вот тут я не выдержала, закричала: «Как ты мог! Катя живая девушка! С ней нельзя так! Контейнеры разорвались, героин высыпался. Вы ее убили!»

Юлия взяла у меня пустую чашку и опять направилась к кофемашине.

— И тут Вадим начал хохотать так, что слезы по щекам потекли, заорал: «Я, по-твоему, кретин, да? Никакой наркоты и в помине не было. Пусть дуру ловили бы, нехай все в клочья у нее внутри разорвалось бы и высыпалось. Ничего не случилось бы. Ничего!»

Милованова сложила руки на груди.

— Оцените мою глупость! Я задала вопрос: «Почему?» Он прямо со смеху покатился.

— Да сода в упаковках была! Пищевая. Ею посуду моют, от изжоги пьют. Какой от нее вред?

Юлия, забыв взять новую порцию кофе, села на диван.

— А до меня все равно не доходит. Зачем тогда про наркотик говорить? Вадим подошел, ладонью меня по лбу похлопал. «Ау, войдите. Включи, наконец, кукушку. Мы с Петькой поспорили. Если Катька ради меня согласится героин из Питера в Москву бесплатно из-за любви тащить, Петька мне сто тысяч гринов отвалит. Если нет, то фига мне! И она полетела. Заработал я свои денежки».

Юля передернулась.

— Потом он еще водки выпил и заснул, а я долго не могла в себя прийти. Сначала холодно стало, потом жарко, после снова озноб затряс. Понимаете?

Я поежилась.

— Жуткая история.

Юля дернулась.

— Вы Катю не знали, а я ее как книгу читала. Внешне Катюша всегда выглядела спокойной, рассудительной. А на самом деле внутри у нее эмоции кипели. Мне вмиг стало понятно, почему моя подруга умерла. Да, сода вреда не причинит. Но Носова-то полагала, что перевозит героин. Катюша на редкость законопослушной выросла. Отец ей вменил в обязанность коммуналку платить, деньги давал... Один раз я ей звоню, предлагаю купаться поехать. Она отвечает: «Нет, нет, в сберкассе очередь огромная, часа на два». Я удивилась: «Тебя там в пол врыли?

Завтра придешь». У нее прямо паника началась: «Ты что! Папа велел точно третьего числа платеж провести. Нельзя нарушить». Да она дорогу только на зеленый свет переходила, даже если ни одной машины в радиусе километра было не видно, стоит, ждет. Вадима она обожала, от большой любви решила наркотики везти, думала — спасет жениха от беды. Представляю ее ощущения в Питере в аэропорту при посадке. Вся на взводе, дрожит от ужаса. Наверное, когда упаковка лопнула, подруга ощутила во рту посторонний вкус. На пике эмоций Катюша не сообразила, что это сода. Да и откуда ей знать, каков героин на вкус? Она скончалась потому, что знала: от передозировки погибают. Про эффект плацебо слышали?

Я кивнула.

— Врач дает пациенту таблетку из сахара, уверяет, что это новейшее импортное средство от болезни. И особо впечатлительные, внушаемые люди выздоравливают.

— Катя как раз и являлась такой впечатлительной и внушаемой, — печально подхватила Юлия. — Как вам эта история?

Глава 38

— На первый взгляд отвратительная забава, — поморщилась я, — на второй возникает недоумение. Вадим не любил Катю, просто пользовался ею. Парень нуждался в деньгах, решил заработать, выиграв спор. Носова для него временная удобная постельная принадлежность, ее ему не жалко. И, наверное, Вибров не думал, что она умрет, максимум испугается. До этого момента мне все понятно. А вот дальше много странного. Сто тысяч долларов? Огромная сумма. Даже учитывая, что Петр фантастически богат, он навряд ли столько денег на ветер выбросил бы. Путешествие Кати. Ей же следовало прилететь из Москвы в Питер, там кто-то должен был вручить девушке контейнеры, и она вернулась бы в столицу. Слишком много хлопот для столь незначительного спора. Покупка билетов, незнакомец с «героином» — это стоит денег и надо все организовать. И что получит Петр, если Вадим проиграет? Обычное пари заключают так: Петя уверен, что Катя не полетит. Вадик стопроцентно убежден, что она сядет в самолет. В случае выигрыша Виброва Петр платит ему деньги. Но и Вадим обязан вручить Пете нечто, если тот победит. И при чем тут противозачаточные таблетки?

Милованова глянула на пустой столик и вернулась к кофемашине.

— Про таблетки я от вас впервые слышу, Вадим только про соду говорил. Насчет бакшиша Петра я не подумала. А по поводу ста тысяч баксов и хлопот с поездкой я размышляла. Всю ночь не спала. Утром глянула на храпящего Вадима... Трудно описать мои чувства. Видели когда-нибудь кастрюлю, в которой протух суп? Ставите ее на огонь, а оттуда пена лезет, вонь поднимается...

— Случалось пару раз, — призналась я.

— Вибров показался мне таким супом, — скривилась Юля, — я почувствовала запах гнили. Он лежал... как падаль. У меня к мужу были светлые чувства, но они пропали за одну ночь. Я хорошо поняла: с этим типом нельзя оставаться рядом. Никогда.

Милованова поставила передо мной новую порцию кофе.

— В юности я могла принимать под влиянием минуты резкие решения. Есть несколько человек, с которыми я разорвала отношения, поскольку считала, что они совершили поступки, не совместимые с моими моральными принципами. А потом неожиданно выяснилось: ребят оболгали. Пришлось бежать к ним с повинной головой, просить прощения. Оба приятеля ответили одинаково: «Ты поверила клевете, значит, сомневаешься в моей порядочности. Не стоит нам возобновлять отношения». После таких уроков я старалась не опускать сразу карающий меч на голову человеку. С тех пор я сначала пытаюсь разобраться. Вадим-то вел беседу пьяным. Мало ли что может наболтать человек под парами алкоголя? Но ощущение гадливости и запах вони не уходили.

Я уехала из дома, попросила секретаря издательства найти мобильный Петра, пояснила:

— Хочу уговорить господина Иванова написать книгу о том, как он свою соцсеть создавал.

Через час его номер прилетел по эсэмэс. Я позвонила Пете, представилась редактором, дочерью Арсения Сергеевича, поэтому разговор сразу пошел дружеский. Меня пригласили в гости, вечером я уже сидела у Иванова. Он на меня взглянул.

— Такое ощущение, что мы не раз встречались.

Зачем скрывать правду? Я объяснила:

— Танцевальный клуб. Вы приходили вместе с Вероникой Невзоровой, но потом перестали посещать занятия.

И тут! Кабинет открывается. Кого я вижу? Веронику с подносом. Петя небрежно произнес:

— Сегодня у нас встреча старинных знакомых. Ника, узнаешь гостью?

Невзорова пробормотала:

— Она совсем не изменилась. Лучшая подруга покойной Кати Носовой. Если не ошибаюсь, Юлия.

Мы втроем попили чайку, я так и не поняла, кем Вероника Пете приходится. Вроде притащила угощение, как прислуга, но за стол как хозяйка села. Какое-то время мы болтали о ерунде, потом я решила от Невзоровой избавиться, повернулась к Пете.

— Хочется поговорить о деле.

Ника даже не шевельнулась, Иванов сделал широкий жест рукой.

— Начинай. Невзоровой не стесняйся, она мой лучший друг.

Но я возразила:

— Дело личное.

Петр не дрогнул.

— Обсуждаем все в присутствии Вероники. Речь идет о книге?

Мне пришлось выкручиваться.

— Ваша биография в наших планах. Но есть и вопрос о Кате Носовой. Касательно пари, которое вы заключили с моим супругом.

Тут оживилась Невзорова:

— Кто ваш муж?

Когда я ответила: «Вадим Вибров», — мне показалось, что в комнате мороз ударил. Тишина повисла. Неприятная, ледяная... Прервал ее Петя:

— Слушаю.

Я передала все, что ночью услышала. Они с Никой переглянулись, Невзорова открыла бар, достала бутылку, рюмку, налила только одну порцию и поставила перед Петей. Тот спокойно начал:

– С Вадимом мы перестали общаться после того, как он, взяв у меня деньги в долг, кстати, именно сто тысяч долларов, не отдал заем. Для моего кармана эта сумма не особо заметная. Не сочти за хвастовство, но это так. Естественно, в фирме есть отдел, который занимается финансовыми вопросами, в том числе и не очень порядочными рекламодателями, которые пытаются надуть нас с оплатой. И наличные деньги я никому, кроме близких людей, не даю. А с Вадимом у нас была дружба, он мне казался симпатичным. Я пытался научиться у него общаться с людьми. Вибров, оказавшись впервые в компании, сразу становился ее центром. А я бука, не знаю, как правильно вести светскую беседу. У Вадика миллион приятелей, а у меня только он и Невзорова. Не смотри так на нас с Никой, мы друзья. Более ничего. Возможно, тебе неприятно это слышать, но Невзорова не один год любит Виброва. У них случился короткий роман. Так?

Ника кивнула.

— Прости, Юля, не знала, что у вас серьезно. И вообще о тебе с тех пор, как танцы бросила, я не слышала. С Вадимом случайно столкнулась спустя пару дней после смерти Кати. Выходила из нашего офиса, а он мимо шел.

— Мимо шел, — хмыкнул Петр, — да он тебя поджидал, артистично изобразил, что встреча ненароком произошла.

Вероника горестно вздохнула.

— Ну да... Поговорили, пошли в кафе, и начались у нас отношения...

Милованова схватила с дивана подушку и начала ее комкать.

— Вот так выяснилось, что Вибров и со мной, и с Вероникой спал. Через несколько недель клятв в любви Веронике Вадим попросил у Пети денег в долг. Тот дал, полагая, что Вибров вот-вот женится на Невзоровой, а Петя считал ее своей сестрой. У них на самом деле только дружба и очень доверительные отношения. Получив сто тысяч, милый Вадик стал реже встречаться с Вероникой, а потом вовсе порвал с ней. Долг он не отдал, сменил свой телефонный номер.

Милованова прикрыла глаза рукой.

— И в то же время он мне букеты-конфеты носил. Прекрасного я себе жениха нашла.

— Омерзительная история, — поежилась я, — к сожалению, в такие переплеты иногда попадают обеспеченные люди или их дети. Сразу трудно понять: человека привлекаешь ты лично или денежный пирог в банке.

— Дальше еще хуже было, — буркнула Юля.

— Самое неприятное пока не сказано? — удивилась я.

— Нет, — вздохнула Юля, — Петр твердо заявил: «Я никогда не спорил с Вадимом. И уж точно никому не стану даже в шутку предлагать транспортировать наркотики. Идиотские пари не мое хобби». Высказавшись, он встал и вышел. Мы с Никой остались вдвоем. Невзорова пошла пятнами.

— Петя тут ни при чем. Он не будет в таком споре участвовать.

У меня голова закружилась. Кому верить? Вибров говорит одно, Иванов другое. А я хочу точно знать, что и как случилось с Катюшей, которую сначала считали наркокурьером. Потом обвинение сняли, но осадок остался, большинство общих знакомых по сию пору кривятся, услышав про Носову. Еще я поняла, что жить с Вадимом более не стану, разведусь прямо завтра. Попрошу помощи у отца, Арсений Сергеевич может договориться с кем надо, я стану свободной. Но мне хотелось знать: кто автор идеи с содой? Это он убийца Кати!

Глава 39

Я не сдержала любопытства.

— Выяснили?

Юля скорчила гримасу.

— Вероника мне много интересного рассказала. Катя скончалась вскоре после того бесплатного похода в клуб. Веронику только Вадим интересовал. Петя-то не собирался идти на вечеринку, а лучшая подруга его уломала, потому что хотела в очередной раз с любимым встретиться.

Я подняла руку.

— Простите, Юля, но на тот момент Петя уже поругался с Вадимом из-за ста тысяч.

— Нет, — возразила Милованова, — я не очень хорошо вам объяснила. Повторяю: сто тысяч Вадим взял в долг уже после смерти Кати. Он завертел одновременно роман со мной и с Вероникой. Деньги Вибров у Пети довольно быстро после похорон Носовой попросил. А на мне женился, чтобы к папиной казне подобраться.

— Ясно, — кивнула я.

Юлия продолжила:

— Вадик Петру напел: «Хорошая компания соберется. Будет Соня, дочка Зинаиды Семеновны Нечеткиной. Она красавица, умница, с богатой мамой, семья прекрасная, мы родственники. Чем тебе не невеста? Да ты ее знаешь, она в танцевальный клуб иногда ходила». С какой целью мой бывший муж хотел Петра с Софьей свести, не знаю. Думаю, какие-то деньги он рассчитывал от старшей Нечеткиной получить. Вероника мне объяснила, что вечеринка не удалась. Испортила ее Софья, она оказалась миленькой внешне, но противной. Нечеткина Пете откровенно дала понять: нищие вне зоны ее интересов. Иванов сразу понял, с кем имеет дело. И поиздевался над алчной девицей. Отправил Соне в подарок дорогое платье и другие вещи. И надо же такому случиться! Через день после того, как Нечеткиной посылку доставили, Петю показали по телевизору. Канал «Болтун» сделал репортаж о его соцсети. Петр не общается с журналистами, вместо него всегда начальник пиар-департамента отдувается. Но «Болтун» оказался настырным и очень хотел устроить сенсацию. Парни с камерами спрятались в машине на улице и подстерегли Петра, когда он к своему автомобилю шел. Уж как вычислили, что он владелец фирмы, не спрашивайте.

В этот же день вечером Вадим приехал к Пете в офис, что-то он от Иванова хотел. А Петито и нет, он куда-то спешно умотал, про Виброва забыл, Веронике не сказал, что он придет. Неудобно вышло. Ника Вадима в маленькой приемной усадила, одного оставила, сама в кабинет Пети зашла, позвонила ему. Он попросил:

— Пусть Вадик подождет, посиди с ним, поболтай, кофе угости, я скоро буду.

Вероника пошла назад, между кабинетом Иванова и приемной, куда только вип-гостей пускают, есть две двери, они разделены крохотным тамбуром. Ника там ногу подвернула в щиколотке! Так ей больно стало, чуть не заорала. Прямо слезы из глаз. Стоит ждет, пока отпустит. А вторая дверь, что в приемную ведет, приоткрыта. И оттуда звучал голос Вадима:

— Ну я сам не знал.

И вдруг! Бабский дискант, не очень громкий, но хорошо различимый:

— Подлец! Не сказал мне, кто Петя на самом деле. Я думала, что он нищеброд! Когда он мне платье прислал, решила, может, спер его где? Может, в богатом доме лакеем служит, у хозяйки украл! Уж больно он напоминает обмылка! А у него денег лом.

Вадим попытался остановить собеседницу:

— Соня, чего ты злишься? Петя реально нищий.

А в ответ ему визг:

— Не ври. Видела только что его по телику. Иванов владелец соцсети, самый молодой олигарх России, он есть в списке Форбс! Ты меня не предупредил! Скотина! Мразь!

Вероника поняла, с кем Вадик говорит. С Нечеткиной. Но зачем он громкую связь включил?

А Софья продолжает злиться:

— Все маме расскажу! Придешь еще у нее денег в долг просить. Ничего не получишь. Такого жениха я упустила!

Вадим истерику остановить пытается:

— Сонюшка, дело-то как было! Катька выиграла билеты, позвонила мне и занудила: «Вадюша, есть бесплатные пропуска в клуб. Пойдем?» Я понял: ох, что-то Лисе Патрикеевне надо. И угадал, она дальше поет: «Не заплатив ни копейки, могу провести еще четверых, возьми Петю. Знаю, он очень богатый, мне такой как раз в мужья годится».

— ...! — взвизгнула опять на всю приемную Соня, — дрянь.

А Вадим говорит:

— Я ей сказал: «Ошибаешься, у Иванова в карманах пусто, давай еще Сонюшку прихвачу». И почему я сразу о тебе вспомнил? Сомнения появились, вдруг Катька права? Может, у Петьки деньги есть? Передо мной он голодранца корчит, а у самого тугой кошелек. Если Носова не ошибается, то Иванов должен тебе достаться. Я всегда на твоей стороне! Мы же родня! Носова сначала ни в какую: «Нет! Петька должен на меня клюнуть», но я ее уломал. Зря ты на меня сейчас окрысилась. Я сразу подумал: вот бы Петя на Соню внимательно посмотрел, а потом женился на ней. Я, наоборот, о тебе заботился.

— Почему тогда меня не предупредил, кто он? — чуть тише осведомилась Софья. — Я себя с ним вела так, словно он на почте шнурки почтальонам гладит.

— Родная моя! Я увидел Петьку в клубе и чуть не заржал конем. Он богат? Такое только дуре Катьке показаться могло! Объедок в обносках. Решил, если тебе шепну: Иванов завидный жених, ты мне не поверишь. И сам не верил в это. Зато Катька прямо переполнилась желанием Петьку захапать. Она мне на ухо прошептала: «Запрещаю говорить Соньке правду про состояние Пети. Пусть она его как нищего отошьет, а я, наоборот, вниманием окутаю».

— Врешь! — снова взвилась Нечеткина. — Не могла она тебе ничего запретить!

— Она все знает, — почти шепотом произнес Вадим, — о посылках, о том, куда я их по поручению Зинаиды Семеновны вожу.

— Откуда ей все известно? — заорала Соня.

— Она меня предупредила, если скажу тебе хоть слово, — простонал Вадик, — о том, кем на самом деле является Петя, Катька всем встречным-поперечным про мою работу курьера сообщит. А как она правду откопала...

И возникла тишина.

— Алло, алло, алло, — заговорил Вадим, — черт!

Юлия посидела пару секунд молча, потом продолжила:

— Вам не понять мои чувства, когда Вероника это все рассказывала. Я сообразила: Соня не знала, что Вадим спит с Катей. Нечеткина поверила вранью Виброва, решила, что Екатерина пригласила его в клуб лишь по одной причине: чтобы тот Петю привел, на которого у Катюши были планы. Откуда Носова правду о финансовом состоянии Иванова узнала, алчная красотка не думала. У нее ум от злости и обиды отказал. Когда стало ясно, что Вадим разговор по телефону продолжать не станет, Вероника вошла в приемную.

Вибров мигом спросил:

— Петя скоро приедет?

Ника не успела звука издать, у него опять зазвонил телефон, Вадим сбросил вызов и так три раза, в кресле заерзал, а его сотовый снова заорал, но на сей раз Вибров ответил. Из мобильника на всю комнату разнесся женский голос:

— Вадим! Немедленно приезжай. Сию секунду! Прямо сейчас.

Парень ответил:

— Ужу мчусь, — потом обратился к Нике: — Это клиентка. Очень нервная.

— Почему ты громкую связь включил? — поинтересовалась Вероника.

Вадим стал жаловаться:

— Мобильник с виду дорогой, а на самом деле дешевая подделка. С финансами у меня пролет, совсем с деньгами плохо. Хороший аппарат мне не по карману, купил недавно фейк, а он сломался. Вопит, и все тут. Тише не делается. Посреди разговора вызов скидывает. Я поэтому к Пете и приехал. С моим телефоном никакие дела вести невозможно. Может, друг подкинет монет на новую трубку?

А Петя именно в этот момент входит. Они с Вибровым в кабинет удалились, обе двери за собой закрыли, о чем говорили, Невзорова не слышала, она была по уши влюблена в Вадима, поэтому при мысли о Соне в ее душе поднялась волна негодования. Кто разрешил этой твари, жирной, тупой гадючке делать Вадюше выговор? Желание напакостить Соньке охватило Веронику, она в порыве вдохновения придумала, как досадить мерзавке.

Ника попросила начальника техотдела добыть ей мобильный телефон Нечеткиной, позвонила ей и нежно пропела:

— Дорогая Екатерина! Вас беспокоит секретарь олигарха Петра Иванова. Он очень извиняется, что не сам звонит, но шеф срочно улетел в Париж по делам. Он вас разыскивал, но телефон не отвечал, поэтому босс велел мне передать, что очень просит вас освободить день и прилететь к нему в Париж погулять. Катя, сделайте одолжение, запишите информацию. Завтра, девять утра. Внуково, терминал частных рейсов. В шесть за вами приедет шофер. Алло, вы меня слышите?

— Кому вы звоните? — сладким голосом спросила Соня.

— Екатерине Валерьевне Носовой, — ответила Невзорова, — ох, наверное, я не туда попала, прошу прощения.

— Нет, нет, — зачастила Соня, — номер верный, но Катя пошла со своим мужем в кино. А я свободна. Могу завтра в Париж направиться.

— Не надо врать, — отрезала Вероника, — у Кати нет супруга. Не берите чужую трубку, вас Петр в Париж не звал. Я напишу Катюше на емайл.

Вот таким образом Невзорова отомстила Соне и почувствовала себя весьма довольной. Пусть теперь Нечеткина корчится от зависти, кусает локти и льет слезы. Никто не смеет с Вадиком грубо разговаривать.

Юлия мрачно усмехнулась.

— Поговорив с Петей и Вероникой, я ушла, зная, что более никогда не вернусь к Вадиму. Приехала к отцу, все ему рассказала. Развод оформили на следующий день.

— У вашего отца большие связи, — кивнула я.

Милованова посмотрела на свой письменный стол.

— Да. Мне повезло с родителями, они ради меня на многое готовы, всегда поддержат, поймут, защитят. Папа меня выслушал и сказал: «Заинька, всем свойственно ошибаться. Отрицательный опыт тоже полезен. Умный человек выйдет из неприятной ситуации закаленным. А мой ребенок из породы «homo разумный». Поужинай, мама очень вкусную запеканку приготовила, и ложись спать. Я решу все вопросы». На следующий день в районе обеда мне принесли паспорт со штампом о разводе. В девять вечера я вернулась в свою квартиру, там ничего не напоминало о Вадиме, не осталось ни одной его вещи! Ни нитки!

— Арсений Сергеевич молодец, — похвалила я медиамагната.

— Да, — согласилась Юля, — мой папа лучше всех. Он выяснил, кто и почему убил Катю.

— Это сделала Соня? — предположила я. — Вероника позвонила ей, осталась очень довольна тем, как она больно ущипнула Нечеткину, сообщив о том, что Петя приглашает Катю в Париж. Софья рассвирепела и придумала историю с перевозкой героина. Подобное можно нафантазировать, только полностью потеряв самообладание от зависти и злости.

Юля взяла телефон.

— Папа, ты на месте? Отлично. Сейчас придем вместе с гостьей.

Мы с Юлией вышли из кабинета, поднялись на последний этаж офисного здания. Моя спутница достала из кармана пропуск, провела им по закрытой створке, раздался щелчок. Я увидела небольшой холл и охранника в черном костюме, который сидел за столом.

— Добрый день, Юлия Арсеньевна, — сказал секьюрити, вставая.

— Здравствуйте, Сергей, — улыбнулась моя спутница. — Дарья, нам сюда.

Мы миновали холл, коридор, приемную с двумя женщинами на рецепшен и вошли в большой кабинет. Стройный мужчина встал из-за стола.

— Арсений Сергеевич, — официально обратилась к отцу дочь, — ко мне сегодня приехала Дарья Васильева. Я узнала от нее новость: Вадим Вибров недавно был найден в лесу мертвым, его отвезли в морг, где труп ожил и ушел.

Милованов не изменился в лице, он показал рукой на кресла возле круглого стеклянного стола.

— Присаживайтесь. Слушаю вас. Почему вы вдруг приехали к Юлии с сообщением о Виброве?

Я опустилась на сиденье.

— Все началось со смерти Вероники Невзоровой, она умерла в холле нашего дома в Ложкине и, в отличие от Виброва, не ожила. Мне придется повторить все, что я рассказала вашей дочери.

— Пожалуйста, — по-прежнему не демонстрируя ни малейших эмоций, согласился владелец издательского холдинга, — я никуда не тороплюсь.

Разговор затянулся, часа через два я позвонила Дегтяреву, передала трубку Арсению Сергеевичу. Спустя некоторое время в просторный кабинет вошел Александр Михайлович, и беседа с Миловановым продолжилась.

Глава 40

Миновала неделя. Во вторник утром Феликс, который успел вернуться из командировки, сказал мне:

— Кто-то из нас должен остановить Дегтярева. Пора ему объяснить, что и дома, и на работе люди знают про его Инстаграм с бодрым названием «Саша Крут».

Я захихикала:

— Побывал в его аккаунте?

— Да уж, — вздохнул Маневин, — помыслить не мог, что умный, состоявшийся мужик может столь глупо себя вести.

— Это нам кажется глупым, — засмеялась я, — потому что мы знаем правду про Александра Михайловича. Но у него много подписчиков, в основном женщины. Они в полном восторге от Александэра, частного детектива, владельца международного сыскного агентства.

— Хуже ребенка, ей-богу, — вздохнул Маневин.

— Мне самой Александэр нравится, — веселилась я, — ему сорок с небольшим. Стройный, спортивный, имеет квартиры в Москве, Париже, Нью-Йорке, летает по всему миру в сопровождении любимого мопса Хуча, распутывает дела невероятной сложности.

Феликс прикрыл ладонью глаза.

— О боги Олимпа! Я не изучал детально тексты полковника. Просто заметил, что он умело исправляет свою внешность и изменяет интерьер комнаты, одежду. Хуча я не узнал.

— Дегтярев омолодил не только себя, но и мопса, — расхохоталась я, — почитай его сообщения. Александр Михайлович Джеймс Бонд! Но в отличие от героя Яна Флеминга, наш полковник не носится за каждой юбкой. Он ценитель вина, картин, музыки, читает на ночь Шарлотту Бронте и Джейн Остин.

— С ума сойти, — подпрыгнул Маневин. — Вино? Да Александр Михайлович рислинг от токайского не отличит. Он частенько говорит с тоской о прекрасных напитках, которые приобретал в советские годы: «Арбатское» и «Солнцедар»[1]. А когда я ему на день рождения привез из Франции из провинции Шампань бутылку настоящего шампанского, он, пригубив его, произнес: «Букет не очень ароматен. Вот в студенческие годы мы брали "Салют"! Восхитительное шампанское. Теперь уже такого нет!»

— «Пришла бабка на базар и купила "Солнцедар", — пропела я, — ладушки, ладушки, нету больше бабушки». Эта частушка времен моего сотрудничества. А еще помню, народ в советские годы говорил, что «Солнцедар» везут в СССР из Африки в тех же танкерах, в которых туда нефть с мазутом отправляли. И «Салют» никогда не носил гордое имя «Шампанское», так как по сути это просто шипучка. Правда, у нее было одно хорошее качество: доступная даже для первокурсников цена. Да, подлинный Александр Михайлович с трудом поймет, где красное сухое, а где портвейн, он обожает пельмени, салат оливье, холодец, домашнюю буженину, докторскую колбасу, торт с кремом, книг не читает, тайком смотрит шоу Андрея Балахова, храпит, как медведь гризли, дома ходит в старом тренировочном костюме и стоптанных тапках, а еще он лопает по ночам чипсы, орехи, конфеты и думает, что никто о его набегах на буфет понятия не имеет. Кофе он терпеть не может, пьет чай, куда вываливает полбанки варенья. Характер у него сварливый, он жутко злится, если ему пытаются дать совет. И любое, даже самое простое, бытовое за-

---

[1] Вина низкого качества, которые выпускались в СССР.

мечание вроде «не надо лопать все с майонезом» воспринимает как личное оскорбление, принимается орать: «Раз так, я ухожу из дома». Хлопает дверью и уносится во двор, но через пять минут возвращается. Полковник считает всех женщин, включая тех, кто с ним работает, высокопрофессиональных и умных, вздорными дурочками, а мысль о женитьбе вызывает у него приступ гастрита. Вот Александэр совсем другой, он ищет себе в Инстаграме супругу. Мораль: не верь тому, что видишь и читаешь в интернете. К полковнику Дегтяреву в соцсети никто не придет, а у Александэра толпа подписчиков, и постоянно прибывают новые. Не надо лишать толстяка мелких радостей. Хочется ему казаться крутым? Да на здоровье, пусть развлекается. В соцсетях полно таких, как Александэр. И ничего, все счастливы.

— Да я не против, — начал оправдываться Маневин, — пусть фантазирует, лишь бы это на его здоровье не отражалось. Но вспомни, как он покупал утягивающее белье, лишился бровей и ресниц. Вчера я услышал, что Дегтярев сегодня вечером едет в клинику, записался к доктору на прием.

— Зачем? — изумилась я.

Маневин развел руками.

— Извини. Не понял. Случайно услышал, как он по телефону с рецепшен говорит. Вроде он упоминал про сумки... Нет! Вспомнил. Он хочет убрать у себя котомки!

Я разинула рот.

— Котомки?

— Да, — кивнул Феликс, — все, уношусь, опаздываю.

Я проводила мужа и сама села в машину. Через два часа в кабинете полковника была назначена интересная встреча с разными людьми.

Вырулив на шоссе, я позвонила патологоанатому Лене с вопросом:

— Скажи, где у человека котомки?

— Умеешь ты, однако, странные вопросы задавать, — хмыкнул приятель, — не стану уточнять, зачем тебе понадобилась такая информация. Если правильно помню — котомкой называется сумка, вроде она завязывается сверху и носится как вещмешок. Но я могу ошибаться.

— Так, где у человека котомка? — повторила я.

— В руке или за спиной, — терпеливо ответил Леня.

— Ты меня не понял, — возразила я, — она в теле, ее можно удалить.

— Нет в организме котомок, — отрезал Леонид, — чушь собачья! Котомка в теле! Надо же такое придумать.

— Почему нет? — возразила я. — Вот у турок есть седло.

— Седло у турок? — повторил Леня. — Я офигеваю, дорогая редакция. Что ты на завтрак ела-пила-нюхала-жевала?

Я обиделась.

— У меня прекрасная память. Ты один раз при мне сказал: «У этого турка в голове седло разбито».

Из трубки раздался звук, смахивающий на кваканье.

— Дашуля! Способность запоминать слова свойственно попугаям. И хорошо, если у птички в придачу хороший слух. Турецкое седло — это клиновидная кость черепа человека. Она напоминает по форме седло, за что и получила такое название. В центре седла располагается гипофизарная ямка, заключающая гипофиз. Так же там есть сонная борозда, она заполнена...

— Не умничай, — остановила я Леонида, — видишь, я правильно сказала про седло у турок.

— Турецкое седло есть у каждого человека независимо от национальности, — возразил Леня.

— Ладно, — согласилась я, — пусть так. Хотя непонятно, зачем его называть турецким, если оно не является отличительным признаком этого народа.

— Потому что по форме напоминает... — завел патологоанатом.

— Ой, давай без подробностей, — остановила я его, — пусть турецкое седло будет у всех и даже у меня. Но я задала другой вопрос: где у человека в теле котомка?

— Сумка снаружи, — скороговоркой произнес Леонид, — в теле ее нет.

— Я говорю о котомках, — напомнила я.

— Она тоже отсутствует, — разозлился патологоанатом, — рюкзаков, авосек, чемоданов, пакетов, коробок, упаковочной бумаги, ленточек и самоклеющихся бантиков при всем желании в теле не найти. Прости, я занят!

Я протянула руку и выключила громкую связь. Так что собрался отрезать у себя полковник? Ох, похоже, наивного толстяка решили обмануть. И как предостеречь его от очередной глупости? Я собралась ехать к Дегтяреву, но поговорить с ним о походе к пластическому мошеннику удастся только после окончания беседы, в которой примет участие много людей.

Глава 41

— Мы с дочерью приехали к вам, потому что нас вежливо попросили прибыть к полковнику Дегтяреву, у которого возникли вопросы в связи с вышедшим несколько лет назад пасквилем, на обложке коего стоит имя Карелии Полкановой, — отрезала Зинаида Семеновна, когда Александр Михайлович замолчал. — Однако вы завели более чем странный разговор, делаете намеки на то, что моя дочь имеет какое-то отношение к смерти Екатерины Носовой и кончине ее отца.

— Мы с Катькой почти не общались, — соврала Соня, — она из очень бедной семьи, всегда была плохо одета, как только ее в компанию приличных... Мама! Ты меня ущипнула! С ума сошла?

— Что вообще происходит? — повысила голос Зинаида Семеновна. — Почему тут присутствуют посторонние? С какой стати здесь господа Миловановы? Это они выбросили на прилавки плод больного воображения Карелии «Мой сын мертвый убийца». Или как там эта пакость называется? Не помню. Жаль, что поломойка умерла, ее можно было бы за клевету посадить. Но нечистоплотная врунья отошла в мир иной сразу после выхода в свет своего творения. Я уверена, что склепала грязный опус госпожа Милованова, так называемая редактор. Большего бреда и не придумаешь. Не отрицаю, Карелия мыла у нас полы, появлялась раз в неделю или реже, была больна психически. Я жалела лишенную разума женщину, а зря. Кстати, нанимаясь к нам, она представилась уж не помню каким именем, но точно не Карелией. Машей, Таней, Валей... Я, естественно, потребовала паспорт, она отвечала: «Принесу в следующий раз». Но постоянно «забывала». В конце концов я сурово велела ей: «Без документа более к нам не являйтесь». И только тогда дамочка соизволила притащить удостоверение личности. Конечно, я задала вопрос: «Любезная, я думала вы Таня (Маша, Валя, Лена), а оказалось — Карелия». У нее был заготовлен ответ: «Имя сложное, оно мне не нравится. Зовите меня Таней (Машей, Леной, Валей)».

Я ее вскоре уволила. За воровство. Она решила мне отомстить. Связалась с нечистоплотной Миловановой, которая некоторое время считалась членом моей семьи. В книге поток вранья в отношении отца моей дочери. Сонечка, увы, его совсем не знала. Мой супруг благополучно скончался...

— Причем за пару лет до заключения брака с вами, — перебил полковник, — вот копия его свидетельства о смерти. Похоже, в вашей семье часто возникают зомби. Сначала Андрей Юрасов, потом Тимофей Полканов.

Зинаида не изменилась в лице.

— Впервые слышу эти имена-фамилии.

Арсений Сергеевич открыл папку, которая лежала перед ним на столе.

— Анализ ДНК. С вероятностью девяносто девять и восемь десятых процента Софья Нечеткина является родной дочерью Тимофея Полканова. Несмотря на то что ее отцом записан ваш муж Андрей Юрасов.

На этот раз Зинаида Семеновна поджала губы и поинтересовалась:

— Кто мог наврать такое?

— Исследование проведено одной из лучших лабораторий Москвы, — заверил олигарх.

— Подделать можно все, — кинулась в атаку Зинаида. — Где вы взяли материал для сравнения? А?

Дегтярев сказал:

— Хороший вопрос. Тимофея Полканова один раз задержали за драку с господином Сергеевым. Жена последнего, Елена, работала парикмахером, Тимофей у нее стригся, она забеременела. Законный супруг заподозрил Лену в измене, подстерег Тимофея на улице, накинулся на него. Полканов ходил без охраны, но он наподдал как следует ревнивому супругу. Мужиков отвезли в отделение. Там Тимофей сам сказал:

— Делаем анализ ДНК их младенцу и мне. Немедленно. Я его оплачиваю.

Анализ подтвердил, что Полканов не имел ни малейшего отношения к ребенку парикмахерши. А вот с Соней иначе. Она определенно отпрыск Тимофея.

— Моя дочь никогда не разрешала никому вертеть у себя во рту ватной палочкой, — взвилась Зинаида.

Арсений кивнул.

— Верно. Нанятые мной детективы взяли со стола в кафе одноразовый стакан, из которого Соня пила сок. Софья ушла, оставив его на столике. А его подобрать не противозаконно. И было доказано: биологический отец Софьи — Тимофей Полканов.

— Нанятые детективы? — повторила старшая Нечеткина. — Это вообще что? За нами следили?

— Да, — согласился Арсений Сергеевич, — и за Вадимом Вибровым тоже. После развода дочери я узнал кое-какие сведения о бывшем зяте, у меня появилось желание разобраться в истории с перевозкой наркотиков. Выяснилось много интересного.

Соня дернула Зинаиду за рукав.

— Мама, пошли отсюда.

— Нет, доченька! — возразила Нечеткина. — Послушаю господина Милованова. Пусть сообщит о своих наблюдениях в присутствии полицейского и зачем-то сидящей тут Дарьи. Мне надоела клевета, которая пачкает нашу благородную фамилию. Полковник и Васильева станут свидетелями в деле о клевете, когда я в суд на издателя подам. Приступайте. Можете плести паутину вранья. А вы, полковник, и вы, Дарья, запоминайте. Если тоже решите солгать, заявите, что ничего такого Милованов не говорил, то вот телефон, я записываю каждое слово. Я стреляный воробей. Не ожидали? А зря!

Арсений улыбнулся.

— Почему не ожидал? Я знаю, до какой степени вы умны и осторожны. Очень хорошо, если сейчас вы включите диктофон. Полковник уже это сделал, и я тоже. Итак, что выяснили мои люди. Записывающие устройства включены? Отлично. Сразу предупреждаю, в материале есть конкретные документы, наблюдения, а есть выводы, сделанные на основе найденного материала, но они не являются доказательством. Итак. Начинаю.

Я уже один раз слышала рассказ Арсения, но все равно навострила уши.

Зинаида и Тимофей полюбили друг друга. Родители девушки обожали дочь, поэтому не стали возражать против ее отношений с малограмотным шофером, который с трудом освоил школьный курс наук. Наверное, старшие Нечеткины были огорчены выбором девочки, но они не хотели портить отношения с родной дочкой, приняли Тимофея. А вот Карелия пришла в негодование, накинулась на сына с упреками...

Арсений посмотрел в упор на Зинаиду.

— Давайте не стану приводить имена-фамилии тех, с кем беседовали мои сыщики, сообщать о документах, которые они откопали в разных архивах. У меня есть копии всех бумаг, записи бесед. И, если я говорю, что Карелия закатывала Тимофею скандалы, то это так.

— Она меня ненавидела, — неожиданно призналась мать Сони. — За что? Просто так. Я не сделала ей ничего дурного, но Карелия терпеть не могла невестку, просто потому, что ее сын меня любил. Ревность. Один раз свекровь нам домой позвонила. Не могу передать ее речь, в которой самым мягким словом в мой адрес было «шлюха». Тима пытался образумить мать, но та словно с цепи сорвалась, кричала, что я потаскуха, больна сифилисом, ребенок неизвестно от кого. В конце концов пришлось положить трубку.

— Зато с вашими предками все сложилось прекрасно, — улыбнулся Арсений. — Они очень любили вас, да и Тимофей оказался не гол как сокол. И не дурак совсем. Генерал Бабиков обучил парня всякому-разному, а после смерти его и жены Полканов стал обладателем больших денег. Через подставное лицо Тимофей приобретает банк и начинает ворочать финансами. Он не глуп, поэтому нанимает опытных экономистов заниматься деньгами бонз криминального мира и в конце концов оказывается в поле зрения карающих органов. Почему Полканов не оформил брак с обожаемой Зиночкой?

Милованов обвел взором присутствующих.

— Ответ на поверхности. Он понимал, что если окажется за решеткой или сбежит куда подальше от когтистой лапы правосудия, то полицейские вцепятся в его семью. Всем известна фраза, некогда сказанная Иосифом Сталиным: «Сын за отца не отвечает», но это лишь красивые слова. На деле и родителей, и жен, и детей осужденных трясут изо всех сил, а если они отказываются сотрудничать со следствием, ссылаются на закон, который позволяет не свидетельствовать против мужа-брата-сына, то многие полицейские этого не прощают и мстят. Как? Например, сообщают на работу о том, что у сотрудницы на зоне находится муж. Тимофей очень любит Зину, обожает Соню, бережет их. Мои детективы проследили за Зинаидой Семеновной, которая, путая следы почище агента под прикрытием, нацепив парик и очки, нарядившись в несвойственной ей манере, максимально изменив внешность, сменив четыре такси, спустилась в метро, добралась до спального района, вошла в затрапезную блочную девятиэтажку и осталась там на ночь. Лифтера в башне нет, квартиры в ней снимают в основном плохо знающие русский язык или прикидывающиеся таковыми граждане ближнего зарубежья. Мои люди выяснили, что на пятом этаже в съемной трешке живет мужчина из Прибалтики. Мрачный, насупленный, слова никому не скажет. Детектив подстерег его в подъезде и сделал его фото.

Глава 42

Арсений вынул листок.

— Вот оно. Остальное дело техники. Мои компьютерщики убрали парик, бороду, усы и накладной живот. Стало ясно, что перед нами Тимофей. Где он живет на самом деле, неизвестно. Трешка в убогом месте снята для встреч с любимой Зиночкой. Лично я завидую этой паре. Дочь институт окончила, а родители как молодожены. Большинство пар с таким стажем семейной жизни испытывают при виде друг друга приступ тошноты. А Тимофей с Зиной, похоже, горячо любят друг друга.

Щеки старшей Нечеткиной пошли розовыми пятнами, но она промолчала.

Милованов тем временем продолжал:

— Почему Полканов прячется? А он умер. Когда над его головой сгустились тучи, из них повалил град, а затем камнепад, Тимофей упс! Скончался. Возможно, у следствия возникли подозрения, что уход фигуранта в мир иной — хорошо поставленный спектакль, но тело Тимофея оказалось в морге, патологоанатом не усомнился в смерти Полканова. Правда, вскрытия не делали. И вообще есть небольшие детали, о которых сейчас не стоит упоминать, они никак на общую картину событий не влияют. Замечу лишь, что у моих парней появилось ощущение, что эксперт в сговоре с Полкановым. Но! Есть свидетельство о его ненасильственной смерти от инсульта. Труп перевезли в морг, положили в гроб.

Арсений повернулся ко мне.

— Дарья, вам слово.

Я откашлялась.

— Не знаю насчет патологоанатома, не могу сказать, почему не вскрывали «покойного» Полканова. Но владелец ритуальной конторы скорей всего соучастник пьесы «Смерть Тимофея». «Тело» ушло из похоронного агентства, в домовине были посторонние предметы, по тяжести соответствующие весу Полканова. Ну как такое без договоренности с кем-то из местных провернуть? Контора крохотная, сотрудников там раз, два и обчелся. Хозяин сам с умершими работает.

И все могло бы завершиться гладко, но тут вмешалась судьба в лице девушки, которую на вечеринку в морг пригласил санитар, племянник хозяина предприятия. Григорий хотел произвести впечатление на Лену, которая совсем не боялась мертвых и мечтала работать корреспондентом в желтой прессе. В процессе веселой тусовки на гробах последний приют Полканова открылся, стало видно, что внутри пусто.

Елена не растерялась, сделала снимки, и наутро газеты и теленовости сообщали о воскрешении Полканова. Вороны клавиатуры любят приврать, фантазия у репортеров «Желтухи», «Болтуна» и иже с ними работает прекрасно. К обеду Тимофея уже называли «главный банкир мафии», «зомби», «отмыватель миллиардов Кремля», приписывали ему всевозможные преступления. К вечеру выяснилось, что именно Полканов в ноябре тысяча девятьсот шестьдесят третьего года в городе Далласе бросил гранату в Джона Кеннеди, президента США, это он его убил. Разумные люди пытались объяснить, что в Кеннеди стреляли, никакого взрыва не было, а Тимофей в начале шестидесятых еще не родился, но их слабые голоса не услышали. Глупость несколько дней тиражировалась СМИ, но потом одна эстрадная певица подожгла машину бывшего мужа и стала героиней публикаций. О Тимофее забыли. Следственные органы не поверили ни «Желтухе», ни «Болтуну».

Арсений исподлобья посмотрел на Зинаиду.

— Вам надо поблагодарить хозяина похоронного бизнеса. Он первым выяснил, что покойник сбежал. Перепуганный племянник доложил дяде об исчезновении тела. И как поступил погребальных дел мастер? Когда к нему в районе пяти вечера прибыли полицейские и потребовали продемонстрировать труп Полканова, владелец ритуального агентства округлил глаза.

— Да вы чего, парни? Спохватились, что покойника как следует не осмотрели? Ну вы даете! Труп в восемь утра отправили в крематорий. Все нужные бумаги имелись, я ничего не нарушил. У меня небольшое помещение, хранить мертвецов долго не могу, да и зачем их держать?

Следователь почесал в затылке и более Полкановым не интересовался. А вот патологоанатом заявил журналистам:

— Тот, кто сделал съемку в морге, вас, глупых, дурит. Тимофей мертвее мертвого. Мошенник решил нажиться на репортаже, вытащил тело из гроба, нащелкал пустой гроб и разослал фото. Полканова он потом на место вернул. А вы, дворняги, повелись. Но меня не облапошишь. Заявляю во всеуслышание: мужик скончался.

Арсений Сергеевич потер шею.

— Шум стих, про «воскрешение» Тимофея забыли. А я вот задался вопросом: вдруг Полканов жив? Мои детективы поговорили с Еленой, которая сделала снимки в морге. Она уже не студентка, работает в издательстве редактором, не в моем холдинге, но отлично поняла: если соврет мне, то злой дядя звякнет ее шефу! Мне как чихнуть попросить коллегу выкинуть сотрудницу за борт. Работай девушка на судоверфи — там я был бы бессилен, в области кораблестроения у меня

9 - 3816

ни знакомых, ни авторитета нет. А в издательской сфере я впереди всех со знаменем. Хотя, если приспичит, я и в доках кого надо отыщу. К чему я это говорю? Хочу, чтобы вы поняли: мне сия пронырливая особа сбрехать побоялась, понимала: это опасно. Так вот, Елена всем, чем можно, поклялась, что не организовывала акцию, никто труп не вытаскивал. Гроб случайно упал, и в нем тела не было.

Арсений улыбнулся.

— Жив Тимофей, курилка. Думаете, он прячется от налоговиков, следователей, у которых к Полканову много вопросов? Это тоже имеет место быть. Но более всего Тима опасается криминальных авторитетов, которые в его банке свои общаки держали, плюс личные средства и всякую «мелочь» в ячейках. О каких суммах идет речь? О сотнях миллионов. И не рублей.

Милованов повернулся к Зинаиде.

— Теперь о делах Полканова я поболее вас знаю. Что с кем мутил, как оборзел от безнаказанности. Попав из грязи в князи, некоторые люди начинают считать себя самыми умными, остальных держат за дураков и... падают с дуба. Да видно, у Полканова чрезвычайно авторитетный ангел-хранитель, он послал к нему Федора Ромина, жадного мужика. Тот нежно Тимофею объяснил:

— Дорогой, к тебе должны нагрянуть маски-шоу, возьмут прямо в кабинете. Невесело получится. Есть предложение: я организую паузу в акции на две недели. Совсем затормозить процесс не могу, но отодвинуть день падения топора на твою башку в моих силах. Вот за такую сумму. Уведешь свое лавэ и мне отломишь.

Полканов за пару дней спрятал активы, где — это он один знает. Кто ему помогал, не знают даже мои ищейки, а они...

Арсений махнул рукой.

— Простите, полковник, но ваши люди рядом с моими и не стояли. Но куда бабло исчезло, до сих пор неизвестно. Спрятав деньги, Полканов не сбежал, он сидел тихо. В банке начали работать полицейские, им быстро стало понятно, кто там в реальности главный, Тимофея вызвали в кабинет, вежливо поговорили, затем попросили еще раз приехать и... Полканов умер. Возникает вопрос: почему хитрый мужик, которому палец в рот не клади, не сбежал из России? А мог. Зачем остался? Он хотел, чтобы его вызвали на допрос. Какого черта Тимофею к следователю рваться?

Арсений вздернул подбородок.

— Все гениальное просто. Полканов запланировал умереть с шумом. Так, чтобы все о его кончине узнали. Поэтому и поставил спектакль. Тима наш приехал для очередной беседы, и ему стали задавать неудобные вопросы. Полканова хватил от нервяка инсульт, на глазах у следователя он реально теряет сознание, лежит, не дышит. «Скорая», как водится, приплюхала через час. Читал я рапорт следователя, находившегося в кабинете в момент кончины Тимофея. Тот минут через десять после начала допроса побледнел, вспотел, побагровел, упал со стула, и упс! Обмочился на полу. Капец. Труп. Граждане, что вокруг суетились, не раз видели, как люди к праотцам уходили. Ни малейшего сомнения у них в реальности происходящего не возникло.

Арсений хлопнул в ладоши.

— Браво! Гениально. Но! Снова возникают вопросы. Начну с простых. Зачем умирать-то? Да еще так, с шумом и звоном? Ответ: со следователем можно поладить, взятку ему всучить, да и адвокат умный в помощь. Вывернулся бы наш мальчик, не он первый, не он последний в таком дерьме очутился. Существуют наработанные методы. А вот с криминальными авторитетами как? Тимофей у них денежки скоммуниздил, каким-то образом тянул время, когда кто-то из серьезных ребят за лавэ приходил. С этими ребятами не договоришься, конверт им не сунешь. Вижу удивление в глазах Дарьи, Полканов мог улететь в страну, с которой договора о выдаче преступников нет. Мог. Легко. Государство его не достало бы. Но! Сядет Тимофей сок некоего экзотического фрукта на веранде пить. Океан! Небо голубое. Дом роскошный. Денежки затырены. Зина на кухне. Соня на пляже. Россия с ее проблемами далеко-далеко. Лепота. Бах! И нет Тимофея. Бах. И Зина покойница. Бах. Несут Софью на кладбище. Государство не вернет Полканова на родину, права по закону не имеет. А неприметный мужичонка экономклассом прилетит, в прицел глянет... Наемный киллер на международное право плевать хотел. Люди, с которыми Тимофей связался, кого обворовал, шутить не любят. Они очень большие деньги потеряли. Общаки от них ушли. Еще хорошо, если сразу убьют, а то запрут где-нибудь, сам станешь о смерти просить во время пыток. Мертвым прикинуться, автокатастрофу устроить, машину сжечь, труп чей-нибудь в салоне спалить нетрудно. Но это известный сценарий, есть людишки, которые его разыгрывали. Не поверят серьезные мужики, начнут искать Полканова. Вот он и устроил эксклюзивную постановку: смерть в кабинете на глазах у нескольких человек с репутацией неподкупных дураков. На зарплату, еж твою, живут, у фигурантов ни копейки не взяли. Честные следаки Тимофеем занимались. Остались еще такие. И уж так вовремя они за Полканова взялись, так кстати... что я даже подумал: «Неужели у этих парнишек тоже рыльце в пуху? Откуда мужик, который к Тимофею пришел с предложением все придержать на две недели, узнал о том, что на банк Полканова наехать хотят?» Ребята мои на Федю нажали и... вылезла гадюкой из-под камня истина. Ромина нашел аноним, велел ему к Тимофею идти, нужный текст сказать, а деньги, которые Полканов даст, в ячейке другого банка затырить. Ключ прилагался. Почему полиция на Тимофея наехала? Донос на него прилетел. Анонимный, но очень профессионально составленный. Шахматная комбинация. Тима наш сладкий сам гибель своего банка устроил. Деньги увел. Пьесу разыграл: донос на себя накатал. Ромина сам в свою квартиру прислал и «умер». А выглядело все так, будто за Полканова всерьез взялись. И людишки, которые общаков лишились, его искать не станут. Я снимаю кепку. Гениально.

Арсений постучал ладонью по столу.

— Скачем дальше. Коим образом Тимофей смог умереть и воскреснуть? Чисто технически? Он же это проделал не на глазах бабы Клавы, а перед теми, кто смерть много раз видел, таких людей не обманешь. Однако Тиме это удалось.

Арсений вытащил из кармана электронную сигарету.

— Дарья, вы знаете, чем занимались родители Зинаиды Семеновны?

Я кивнула.

— Они ученые, по поручению советского правительства создавали лекарство, под воздействием которого можно было без проблем перевозить очень опасных преступников. Задача непростая, о наркозе речи не было, потому что не везде есть врачи, способные правильно ввести человека в бессознательное состояние. Требовалось нечто простое, вроде таблетки.

— Молодец, — похвалил меня Арсений. — Семен Нечеткин — выдающийся ученый, гений в своей области. Жена была ему прекрасной помощницей. Лекарство придумали, проводили клинические испытания. На людях. На ком? На заключенных, которых приговорили к высшей мере. Из восемнадцати человек пятеро умерло. Препарат вел себя непредсказуемо, кто-то приходил в себя через час, другие спустя несколько дней, требовалась доработка. Семен пытался довести лекарство до совершенства, и тут в стране началась свистопляска. НИИ закрыли, лабораторию разогнали, Нечеткины остались без работы. Ученые в годы перестройки оказались никому не нужны, королями бала стали торговцы колбасой, сыром, конфетами, печеньем... В борьбе желудка с мозгом победил орган пищеварения. Полканов содержал родителей любимой Зины, которые к нему прекрасно относились, благодаря ему Нечеткины не испытывали материальных трудностей, до самой смерти жили, не зная ни в чем отказа. Тимофей благодарный человек. А куда делось все, что было в лаборатории? Препарат?

Милованов развел руками.

— Есть акт утилизации, академик все, перед тем как покинуть свой кабинет, сжег. Но я в это не верю, думаю, что Семен, уходя из НИИ, унес запас лекарства. Препарат сейчас скорее всего у Зинаиды Семеновны. И до него добрался Вадим.

Глава 43

Милованов поднял бровь.

— Изменим главное действующее лицо. Вибров. Могу дать описание характера парня, но зачем? Все и так основные качества Вадима знают: жадность, беспринципность, ради собственной выгоды готов на все, врет как дышет, мечтает разбогатеть, но не получается. Ищет общения с обеспеченными людьми, втирается к ним в доверие, прикидывается не тем, кем является. Но через некоторое время из-под маски выглядывает истинное мурло, и с Вибровым разрывают отношения.

Арсений откашлялся.

— Госпожа Нечеткина-старшая, могу ли я предположить, что очаровательный юноша подружился с Соней, а потом сделал попытку жениться на ней?

— Да, — не выдержала я, — мне Вера, администратор салона, которая замещала когда-то заболевшую домработницу Нечеткиной, рассказала, как Вадим Зинаиде говорил, что ему Софья по душе. Но та ему от ворот поворот дала: «Не для тебя моя дочь».

Я повернулась к Соне.

— А вы хорошая актриса. Беседуя с вами в салоне, я спросила фамилию Вадима. Вы разыграли сцену, позвонили маме, спросили фамилию родственника. Вы так талантливо сыграли, что я вам поверила.

— Просто я забыла, что он Вибров, — заморгала Соня, — не называла же его по фамилии. И я Вадима никогда в расчет как мужа не принимала, отлично знала: он нищий, бегает по поручениям моей мамы. Вадька ее тетей любимой называл, но он нам не кровный родственник. Сын мужа маминой сестры от его первого брака.

— У нас с Лизой отношения близкие были, — добавила Зинаида. — Однако Сонюшка, как всегда, права, Вадим чужой нам по крови. Я взяла его под крыло только потому, что Елизавета перед смертью умоляла меня Вадика не бросать. Поклясться меня заставила, что я не брошу парня на произвол судьбы. Лизочка юношу обожала, да она его не очень хорошо знала, быстро после свадьбы с Кириллом умерла. Мне пришлось пообещать ей поддерживать Вадика, хоть он этого и не заслуживал.

— Мамуля такая, — заверещала Соня, — если слово дала, непременно сдержит. Обязательная и порядочная. Вскоре после похорон тети Лизы Вадим меня позвал в кино, я с ним пошла, как с членом семьи, как с приятелем. А он! Едва свет погас, меня по груди гладить начал... Понятно, чего задумал. Я его отпихнула и на выход. Вибров следом побежал.

— Соня, ты куда?

Объяснила наглецу: даже не стоит надеяться, что я на него как на кандидата в женихи посмотрю. И расскажу маме, что он лапы распустил. Вадим сделал удивленное лицо.

— Сонечка, ты красавица. Но мы родня. Как я могу к тебе приставать? В зале летала оса, села на тебя, я ее стал сбрасывать. А ты так плохо обо мне подумала! Только уж не обижайся, честно скажу: никогда не смогу за тобой приударить, порядочность не позволяет. Дорогая, ты очаровательна. Но, понимаешь, кроме дружбы, ничего у нас быть не может. И не сердись, родная, ты не в моем вкусе.

Так он это сказал, что я поверила: оса на кофту села, а Вибров ее неуклюже скидывал. И ничего маме не рассказала.

Я повернулась к Зинаиде.

— Вы держали Вадима около себя, давали ему поручения, он возил посылки вашему «покойному» мужу. И как вы не побоялись с Вибровым связаться? Он же родную мать за деньги продаст!

Зинаида усмехнулась.

— Так ничего плохого я его не просила делать. Просто отвезти бандероль. Или ящик. Или сумку. Подруг у меня много, они бедные, отправляю им одежду, продукты.

— Мне он говорил, что подозревает, будто получатель отец Сони, что он жив, — перебила Юлия, — но точно не знает. А потом Вероника рассказала, как слышала беседу Вадима с Соней по телефону. Парень солгал, что Катя в курсе, куда Вибров посылки от Зинаиды возит. Соня сильно занервничала после этих его слов.

Старшая Нечеткина дернула плечом.

— Соня мне все рассказала. Я потребовала от Вадима ответа: что и по какой причине известно нищей девке? Он заблеял:

— Ну... Катя шантажистка, денег требует, много. За мной ездила, тайно следила, когда я очередную бандероль вез, потом сказала: «Я в курсе всего того, что тебе неясно. Зинка тебя втемную использует. Прикинь, что будет, когда ей расскажут: Вибров налево и направо треплется, куда с пакетами мотается? У меня все адреса записаны, по которым ты в последнее время катался. Живо Нечеткины тебя выгонят. Хочешь в их семье остаться? Плати мне!»

— Вранье, — взвилась Юля, — Катя такого никогда не то что произнести, даже подумать не могла.

Я не сдержала эмоций.

— Однако ненадежного парня вы, Зинаида Семеновна, на службу посыльным взяли. Вибров родную мать продаст. Извините, Зинаида, если задеваю ваши чувства, но из песни слов не выкинуть.

Старшая Нечеткина почему-то не разозлилась, наоборот, она вдруг приветливо ответила:

— Когда Елизавета собралась замуж за Кирилла, своего второго супруга, я ей прямо в лицо заявила: «Одумайся, этот тип тебе не пара. У него плохая репутация, он альфонс, живет за счет наивных женщин, тратит их деньги, а когда запасы у них иссякают, уходит от них, да еще ухитряется сделать так, что сам весь в белом, а жена в дерьме. Помирись с Андреем, он хороший человек, не знаю, почему ты с ним на развод подала. Не иначе как супа из мухоморов поела».

И тут она мне правду выложила:

— Андрей зануда. С ним скучно. Придет с работы, поест и в телик уткнется. Хочу жить весело, дышать полной грудью.

Зинаида укоризненно покачала головой.

— Так надышалась, что задохнулась. Все деньги, которые имела, дачу, драгоценности прогуляла. Кирилл кутить любил. Ну и довеселился.

Сел пьяным за руль, и конец! Не долго они вместе жили, через короткое время и Лиза умерла. Вадим ко мне прибежал.

— Тетя Зина, что делать? Ни копейки нет, где деньги на похороны взять?

Старшая Нечеткина поджала губы.

— Я-то цену парню с первой встречи знала, но жалость укусила. Он так настойчиво подчеркивал: мы родня, вел себя услужливо, ну я и подумала: «Может, ошибаюсь? Отец у него подлец, а родную мать юноши я никогда не видела, может, она приличным человеком была? Сын в нее пошел, не в папашу». Потом заметила, что хитрец к Сонечке подбирается, жестко его предупредила: запомни, моя дочь не для тебя, даже не надейся.

Он мигом задний ход дал.

— Да что вы, тетя Зина, знаки внимания я Сонечке как сестре оказываю. То, что она мне хорошей женой может стать, я сказал как комплимент. Неуклюже Соню похвалил. Простите дурака. Мы же одна семья. Даже если б я влюбился в нее, не посмел бы рассчитывать на брак. Это же инцест получается. И у меня девушка есть.

Я поинтересовалась.

— Кто?

Он смутился.

— Вы ее не знаете. Таня Иванова, продавщица в торговом центре.

Зинаида сложила руки на груди.

— Обманул он меня. Так искренне сконфузился, покраснел, что я, дура полная, начала ему ижицу читать: нельзя с торговкой связываться. А он чуть не заплакал.

— Люблю ее, не могу. Вижу все недостатки, понимаю, что для брака нужна такая девушка, как Сонечка. Но где ж такую найти? Одна ваша дочка есть! Тетя Зина, помогите мне фирму организовать, маленькую, дайте в долг. Через год верну с процентами.

И рассказал о своей идее: агентство розыгрышей, веселых поздравлений. Ну, например, у вашей матери юбилей. Утром она на работу собралась, из подъезда вышла... Глядь, подходит незнакомка с букетом: «Вы Анна Ивановна? С юбилеем вас». Такси у дома стоит, шофер выходит. «Вы Анна Ивановна? Для вас автомобиль заказан на весь день...» Ну и так далее. Мне его идея показалась стоящей. Подумала, подумала и отсчитала Виброву необходимую сумму. Он открыл офис, дела у него со скрипом пошли.

Зинаида замолчала. Александр Михайлович кашлянул.

— Софья, вы знали, чем Вадим зарабатывает на жизнь.

Девушка широко распахнула глаза.

— Конечно. Он этого не скрывал. А что плохого в его бизнесе?

— Соня, это вы попросили Вадима «подшутить» над Екатериной? — спросил Милованов. — Придумали про героин? Никто ни с кем не спорил? Пари ведь не было. Так, Петр?

Сидевший до сих пор молча владелец соцсети кивнул.

— Я не занимаюсь подобными глупостями. Вадим меня зазвал в клуб, но о том, что хочет меня с девушкой познакомить, не говорил. У нас с ним сложились дружеские отношения, он знал, что женитьба не входит в мои планы. Да, я обжигался несколько раз на женщинах, которым мои деньги нравились. Не хочу, чтобы ко мне относились как к кошельку. Да, при первом знакомстве с девушкой я прикидываюсь нищим. И понятно почему. Вадим меня в клуб затащил, потому что он его купить хотел.

— Да ну? — изумился Арсений. — Вам удалось меня удивить.

Петр почесал переносицу.

— Мы с Вибровым приятельствовали. Из очень близких людей у меня есть только Вероника. Не надо считать ее моей любовницей. Как мужчина я ей не нравился, а я ее как бабу не воспринимал. Она не очень далекий человек в плане ума, не стратег, не способна просчитать ситуацию на десять шагов вперед. Зато у нее развиты интуиция и чутье. Когда Ника говорила: «С N лучше не связываться», я к ней всегда прислушивался. Вадима она постоянно нахваливала. Я понимал, конечно, что любовь ей глаза затмила, но не считал Виброва подлецом, он себя со мной вел как друг. Но когда Ника мне спела: «Вадик хочет купить клуб, планирует устраивать вечеринки с розыгрышами. На мой взгляд, интересный формат, такого еще нет в Москве. Кто первый стартует, тот и сливочки слижет. Он нас зовет посмотреть на помещение, ему твое мнение, как мегапредпринимателя, интересно. Давай сходим. Как посетители. Вадим просит никому пока о его планах не сообщать, опасается, что цену ему задерут, хочет в тайне все держать» — я сначала отказался. Ничего в ночных заведениях не понимаю, не мой это формат. Да Вероника упрашивать принялась, я и сдался. Вадик тоже просил, сказал: «Посидим просто, будут еще две девочки, вроде как компания. Симпатичные. Катя и Соня. Ну и стал их нахваливать. Я приехал. Впечатление не ахти. Бар плохой, музыканты, как из басни Крылова: хоть куда садитесь, да никуда не годитесь. Из еды только бутеры несвежие. Но в такие заведения не за элитной выпивкой-едой приходят. За весельем. Вот атмосфера там замечательная была, у меня словно рюкзак с плеч свалился. Танцевать пошел. Я учился в студии, не особенно преуспел, но иногда под настроение могу попрыгать. Сначала с Вероникой па отчебучивали, вернулся к столику и думаю: «Может, зря по таким шалманам не хожу? Настроения давно такого хорошего не было. И никто ко мне не пристает, все со своими компаниями. В зале мелькали проститутки, но их сразу видно по ищущему взгляду, и ко мне ни одна не приблизилась».

Петя вдруг рассмеялся.

— Понимаете теперь, почему я нищим прикидываюсь? Не лезут ко мне разные мошенники, а жадные бабы вмиг проявляются. Зачем им парень, у которого денег даже на приличные ботинки нет? В общем, мне там понравилось. За столиком нас было пятеро: Вадим, я, Катя, Софья и Ника. Двое мужчин и три девушки. А что мама мне школьнику объясняла, когда я собирался в гимназию на дискотеку? «Не все девочки придут с кавалерами, из вежливости пригласи на тур вальса ту, которая у стены одна скучает. Юноше надо проявить доброту».

Иванов улыбнулся.

— Наивная мама, думала, что старшеклассницы до сих пор в падекатре вышагивают и в вальсе кружатся. И полагала, что ее сын пользуется невероятной популярностью. А как иначе? Он же красивее, умнее, стройнее всех. Я над мамиными воспитательными лекциями тихо потешался, но следы они во мне оставили. Иногда приходится скрипя зубами на банкеты-фуршеты таскаться. Мамы давно нет, но я, если вижу на вечеринке одинокую женщину, всегда подойду, поухаживаю. Вот и в тот вечер шепнул Нике:

— Пойду потанцую с Софьей, она без пары. И почему мне ее лицо знакомым кажется?

Ника так же тихо пояснила:

— Нечеткина пару раз в танцклубе появлялась. Похоже, тебя она тоже не узнала. Конечно, пригласи ее, а то сидит скучает.

Я и пошел.

Петр повернулся к Соне.

— Извини. Коктейль на тебя случайно пролил.

Младшая Нечеткина сдвинула брови.

— Я же не знала, кто ты. Внешне ты походил на тех парней, которые ухитряются в клубешник бесплатно прошмыгнуть и к чужой компании прибиться. Поест, попьет красавчик за чужой счет и рад. Думала, тебя Катя из жалости позвала.

— Кто сказал, что меня Носова пригласила? — решил выяснить правду Иванов.

— Вадик, — ответила Нечеткина.

— Знатный манипулятор, — вырвалось у меня, — сам зовет Петра, рассказывает ему о планах покупки клуба, но Соне говорит, что Иванова пригласила Носова, а Катерине сообщает: есть у меня приятель, ему девушка нужна, вечно один сидит. Как Софья ответила Петру на его приглашение потанцевать, мы уже знаем.

— Послала на катере к чертовой матери, — подчеркнул Арсений.

Глава 44

Лицо Сонечки стало злым. А Зинаида Семеновна приложила ладонь ко лбу.

— Мигрень начинается. Хочу понять, что происходило. Вадим просит Катю пригласить в клуб Петю. Зачем он это делает?

— Потому что его фирма не приносила доход, Вибров запутался в кредитах, ему грозили большие неприятности, — пояснил Дегтярев, — парень понимал, что Петр даже при хороших отношениях сто тысяч долларов ему не даст, и придумывал сказку про покупку ночного клуба. Он хитер, поэтому сразу деньги не клянчит, дескать, хочет получить от друга совет: стоит ли приобретать заведение.

— Да, — согласился Иванов, — это так. Он мне папку с какими-то расчетами совал, но я смотреть не стал.

Зинаида Семеновна потерла шею.

— Мигрень, мигрень. Понятно, почему в компании оказался Петр. Ясно, как там очутилась Вероника, она лучший друг Иванова. Сам Вадим явился в клуб, его, как своего жениха, зазвала Катя. Но зачем в это впутали Сонечку? Истинная причина какова? Для чего Соня Виброву в клубе?

Юлия положила ногу на ногу.

— Я знаю ответ. Когда мой муж, напившись, выложил правду, он... Зинаида Семеновна, незадолго до несчастья с Катей Вадим у вас просил денег?

Нечеткина кивнула.

— Сколько? — не отставала Милованова.

— Сто тысяч. Долларов, — ответила мать Сони, — естественно, я отказала, но спросила:

«Зачем тебе такая сумма?» Он пояснил, что хочет влить средства в фирму, расширить штат сотрудников, снять офис в центре. Я рассмеялась: «Твое предприятие еле живо, в стране кризис, самое глупое, что сейчас можно делать, — затевать веселые розыгрыши. Идиотство ты придумал. Откуда у нас с Соней такие деньги?»

— И тут в комнату вошла Софья, — перебила ее Юля.

— Да, а вы откуда знаете? — удивилась Зинаида.

— Мне Вадим эту сцену в красках описал, — пояснила Милованова, — вы обратились к дочери: «Солнышко, Вадим просит немалую сумму в долг. У нас такой нет. Но теоретически, как ты относишься к идее Вадика расширить бизнес?» Соня рассмеялась: «Если дело хорошо идет, денег на него не клянчат. Почему он в банк не идет? Там процент отдать надо. А у нас просто возьмет и не известно когда отдаст. Нищим не помогают». Такой разговор был, Софья?

— Точно не помню, но смысл такой, — скривилась мастер по маникюру, — терпеть не могу бедноту голимую. Очень удивилась, что Вадим у мамы денег клянчить начал. Он одет дорого, в крутые бренды, на «Порше» ездит. И вдруг! Подайте милостыню!

— Вибров любил пыль в глаза пустить, — поморщилась Юля, — он антипод Пети. Тот до маразма дошел, опасаясь нарваться на охотницу за его состоянием, в обносках ходит. Вадик на другом конце оси, мечтает жениться на Золотой Антилопе, поэтому корчит из себя обладателя миллиардов, покупает то, что ему не по карману. Машина приобретена в кредит, одежда, отдых тоже в долг. Некоторое время он на плаву держался, а потом стал захлебываться в море займов. Ему спешно сто тысяч долларов понадобились. Иначе могли большие неприятности стартовать. Вадик кинулся к Зинаиде, та ему отказала. Но когда мать у Сони мнение насчет расширения бизнеса спросила, Вибров решил, что старшая Нечеткина колеблется, она все-таки может дать валюту, если дочь пролоббирует его интересы. Ответ Сони растоптал росток надежды. Вадик возненавидел девушку, решил ей отомстить. Но как? Вибров же не мог открыто заявить Софье в лицо все, что о ней думает? Вскоре ему позвонила Катя с известием, что она выиграла пять билетов в клуб, хочет в конце недели с любимым там погулять. В голове Вадика в секунду оформился план, как раскрутить на доллары Петю и сделать Соне гадость, до субботы у него было много времени.

Юля усмехнулась.

— Софья, что вам сказал милый родственник в клубе?

Девица заложила за ухо прядь волос.

— Ну... дословно не помню... Катька, Вероника и Петр к столику порулили, Вадим меня придержал, посоветовал: «Обрати внимание на Петяху. Денег у него нет, живет в общаге, он сирота, но парень хороший, добрый. Ты его отмоешь, оденешь, отличный муж получится. А когда Зинаида Семеновна поймет, что ты с Петькой счастлива, она бедного зятя полюбит, поможет ему».

Соня сложила руки на груди.

— Я честный человек, своих принципов никогда не скрываю, ответила: «Еще чего! Делать мне больше нечего, как нищему уроду целые носки покупать!»

Юля засмеялась.

— Понятно, да? Вибров мне с пьяных глаз все выболтал, ржал безостановочно. «Хотел Соньке через пару дней правду про Петьку открыть, мол, про его миллиарды сам случайно узнал и ей сразу сообщаю. Но Иванов дуре в подарок платье отправил. Помог мне, сам того не зная. Сенкью ему!» Софья же разозлилась на Катю и решила ее под монастырь подвести. Зинаида Семеновна, это ваша дочка придумала историю с содой!

— Это не я! — взвизгнула Соня. — Не я!

— Стоп, стоп, стоп, — скороговоркой произнес Арсений Сергеевич, — давайте с Вадимом до конца разберемся. Петр, зачем же вы Вадиму денег дали? Вроде сначала не хотели.

— Верно, — согласился Петя, — не имел такого желания. Он долго объяснял, что ему всего ста тонн не хватает, остальную сумму уже отдал. Предложил мне стать соинвестором, обещал смачную долю в прибыли. Я отказался. Не моя история. И тут Вероника... Вы все спрашиваете: дал я, не дал я деньги, какого черта дал... Все про меня речь ведете!

Петя замолчал.

— Почему вы Нику официально как свою помощницу не оформили? — спросила я. — По документам она фрилансер.

Иванов опустошил бутылку.

— Зачем Веронику через отдел персонала проводить? Она совладелица нашего бизнеса, у нее доля в прибыли. Не сотрудница она. А чай в кабинет приносила, потому что не хотела, чтобы в приемной секретарь сидел, ей самой нравилось всякой чепухой заниматься. Глупо, конечно, но Нику посетители и звонки очень радовали. Я, честно говоря, не понимаю этого. Но, если

Нике этого хотелось, то пусть. Я думал, надоест ей, найму помощницу.

— Вот откуда у нее отличная квартира и дорогая машина, — сообразила я, — но в официальных документах имени Невзоровой нет.

— Правильно, нет, — подтвердил Петя, — нет в тех бумагах, до которых вы добрались, взломав все, что взламывается. Ника там не светилась. Дарья, неужели вы думаете, что кто-то мог увидеть бланки с печатями, которые я никому показывать не желаю? Полагаете, что любые коммерческие тайны есть в электронном виде? Дам вам совет: никогда не пользуйтесь услугами онлайн-банков и забудьте о программе, которая хранит ваши пароли. Да, интернет удобен. Лично я с его помощью хорошо зарабатываю. Но! Если хотите сохранить секрет, никогда не сообщайте его подруге и не прячьте в сети. Обычная бумага и ручка вам в помощь. Ладно. Раз уж вынудили меня сказать правду про то, кем была Вероника, тогда сообщу честно и про сто тысяч долларов. Не я их дал Вадиму, а Ника из своих денег. Я не хотел вообще с Вибровым связываться. Невзорова же не могла отказать мужчине, которого обожала. Меня она просто попросила:

— Петя, я вложусь в клуб Вадима. Будь другом, звякни ему, скажи, что готов поучаствовать в проекте, просишь меня ему наличку привезти.

Я попытался отговорить ее, объяснил: бумаги, которые Вибров прислал по емайлу, странные, не стоит с парнем связываться, не нравится мне его идея.

Она ответила:

— Петя, это же Вадик.

Против такого аргумента нет приема. Я ее спросил:

— Почему не хочешь сама эту сумму ему дать? Вибров сообразит, что ты не бедная, заинтересуется тобой, замуж позовет.

Она ответила:

— А ты хочешь, чтобы тебя за деньги любили?

Предвосхищая ваш следующий вопрос: по какой причине Ника не заявлена для всех, как мой партнер, отвечу — это было нашим обоюдным желанием. И объяснять вам его причины я не стану. С точки зрения закона все соблюдено, налоги мы платили.

Арсений побарабанил пальцами о подлокотник кресла.

— Подвожу итог. Вадим в результате своих махинаций получает необходимые ему сто тысяч, затыкает рот одному наиболее нервному заемщику, и вместо того, чтобы вернуть долг еще кому-то, приобретает машину. Небось думал, что фортуна повернулась к нему лицом. А потом звонит Соня, закатывает ему скандал. Вибров наврал ей, что Катя запретила ему говорить о Пете правду.

— Мерзавец! — взорвалась Зинаида. — Подонок. И вор в придачу!

Глава 45

Старшая Нечеткина стиснула пальцы в кулаки.

— Вибров приехал к Соне и нагромоздил гору лжи. Сказал, что Катя решила ей отомстить. За что? Просто из зависти. Моя дочь хорошо одета, любима матерью, живет в прекрасной квартире. А какая жизнь у Кати? Убогое жилье, застиранное платье, мать богомолка, которая про своего ребенка забыла. Екатерина постоянно дома одна, папаша исключительно о супруге печется, дочь ему не нужна. Поэтому Носова полна злобы к Сонечке, это она велела Вадиму привести Петю и не сообщать подруге, что с виду нищий парень в реальности очень богат. Расчет был прост: Соня не захочет общаться с Петром. Екатерина на следующее утро расскажет Софье, кто такой Иванов, и с радостью будет наблюдать, как Соня локти кусает. Кроме того, Вадим нашептал, что Носовой известна какая-то наша семейная тайна, она вроде в курсе, кому парень от меня посылки возит. Пообещала этот секрет на весь мир разнести, если Вадим Сонечке на ушко правду про Петра шепнет. Вот так! И моя наивная девочка поверила мерзавцу!

Зинаида набрала полную грудь воздуха и резко выдохнула.

— Сонечка до слез расстроилась, когда узнала, что Петр богат, а она с ним так обошлась. Мое солнышко могло и не отреагировать столь болезненно, но за неделю до дурацкой вечеринки в том клубе она пошла на кастинг телепрограммы «Замуж за олигарха». В шоу участвуют богатый мужчина и несколько женщин. Компанию селят в одном доме, там проводят всякие конкурсы, и в конце концов какая-то участница идет в загс с главным героем, свадьбу показывают в эфире.

— Хорошо, что я телик не смотрю, — заметила Юлия, — полный бред.

— Мне тоже не понравилось, — согласилась старшая Нечеткина, — но Сонечка загорелась, надела лучшее платье, она была уверена, что окажется в числе тех, кто победит в кастинге, и станет участницей съемок. Но ей сразу отказали, в первом же туре ее отсеяли вместе с тысячами неудачниц, в число тех ста человек, которые прошли во второй тур, Соня не попала. Я-то в душе обрадовалась, когда дочь, рыдая, домой вернулась. Ну что хорошего может получиться из такого брака? Но Сонюшка заливалась слезами. Еле-еле ее успокоила, накупила малышке обновок. Она вроде утешилась. И вот те на! Отшила Петра, который оказался очень богат. С дочкой прямо истерика стряслась, ее то колотило в ознобе, то пóтом от жара заливало, давление подскочило, губы тряслись, руки.

Зинаида перевела дыхание и продолжила:

— Есть кое-что, вам не известное. Незадолго до того похода в клуб Вадик приехал к нам, а через десять минут пришла моя подруга с дочкой Марианной. Девочке двадцать лет, хороша невероятно, скромна, воспитанна, обожаема мамой и отцом, который прочно поселился в списке Форбс. Надо признать, что Вадим смазлив, у него мужественное лицо, спортивная фигура. Подлец умеет поддержать любую тему, способен очаровать всех и вся вокруг. Вибров живо понял: Марианна прекрасная партия, и проявил себя во всей красе, начал с того, что заявил:

— Почему родная тетушка меня никогда с вами не знакомила?

Марианна спросила:

— Вы сын сестры Зиночки?

— Я из семьи Елизаветы, — не моргнув глазом, сказал нахал.

И ведь не солгал, просто забыл упомянуть, что является сыном второго мужа Лизы от его первого брака. Я же промолчала. В те дни у нас с Вадимом еще были очень хорошие отношения, поэтому я подумала: Марианна на выданье, денег ее отца на десять жизней хватит, еще полюбит какого-нибудь неприятного человека, не дай бог, женатого. Пусть уж лучше Вибров ее супругом станет, и мне забот меньше, олигарх зятя под крыло возьмет, я более за любимчика сестры ответственности нести не буду.

И у молодых загорелся роман. Я понятия не имела тогда о связи Вадика с Екатериной, про то, что поганец весь в долгах у банков. Считала, что он может себе на жизнь заработать. Машина у него новая, одет хорошо. Соне моей он не пара, я хочу для дочери мужа постарше, побогаче. А Марианне он вполне подойдет. Отношения у них быстро развивались. О свадьбе речи не было, женихом его не называли, но родителям девушки он нравился. Плохо, конечно, что он микроскопический бизнесмен, да отец Марианны денег в фирму зятя вольет, и не будет проблем.

Зинаида отвернулась к окну.

— Ладно. Сейчас всю правду выложу. Ту, о которой ни разу не упомянула. Я не хотела, чтобы Катерина погибла. Я не думала, что это может произойти.

Старшая Нечеткина посмотрела на Дегтярева.

— Тимофей никогда простых людей не обманывал. Да, его банк использовали криминальные группировки. Проверьте документы, в них черт ногу сломит, но опытный финансист все распутает. Обратите внимание на то, что, «умерев», Полканов оставил в открытом доступе на счетах суммы, которых хватило, чтобы простым вкладчикам их кровное вернуть. У народа к Тиме претензий нет. А вот у тех, кто незаконно в банке свои золотые запасы хранил, невесть как полученные... Вот они до сих пор мечтают Тимофея на дыбе вздернуть. Но авторитеты уверены, что он мертв. Поэтому поскрипели зубами, да и все. И вдруг Вадим шепчет, что Катя про какие-то таблетки знает, будто они у меня хранятся, она их украла, чтобы продать.

— И правда есть таблетки? — заинтересовался Дегтярев.

— Когда НИИ закрылся, — после небольшой паузы ответила Зина, — следовало запас лекарства, который для клинических испытаний имелся, уничтожить. Но кто смог бы предать огню результат многих лет своего труда? Составили акт об утилизации, а папа принес банку домой, спрятал в укромном месте, сказал мне:

— Зиночка, береги пилюли, еще придет час, когда государство захочет снова их создать. А у тебя уже есть готовые на руках.

Я всего один раз открыла тайник...

— Когда из Полканова зомби делали, — уточнил Арсений.

Нечеткина навалилась на ручку кресла.

— Это вы сказали, не я. В тот день, когда Вадим про таблетки сказал, я испугалась. Откуда Носова знает правду? Но сделала вид, что мне смешно. «Вадим, что за чушь? Все пилюли, которые я принимаю, в аптечке хранятся, ничем они не примечательны. Не повторяй чужую ложь никогда». Отправила Виброва домой, пошла посмотреть, где хранился медикамент, и... пусто там. Нет банки.

— Мама сразу бросилась ко мне, — жалобно уточнила Соня, — давай интересоваться: «К тебе Катя Носова приходит?» Я честно ответила: «Несколько раз забегала, когда тебя не было, у нее хорошего компа нет, а мне надо курсовые работы писать. Катерина на моем ноутбуке рефераты и курсовые клепала. Я ей за это две старые кофточки подарила».

— Очень щедро, — ехидно заметила Юля.

Зинаида стукнула кулаком по подлокотнику кресла.

— Понятно мне стало! Дрянь украла дело жизни моего отца! Я прямо вне себя от гнева была. Вызвала Вадима, сказала ему: «Хочешь продолжать отношения с Марианной? Тогда выполняй, что я прикажу. Откажешься? Прощайся с богатой невестой, шепну ей пару слов, тебя она больше на порог своего дома не пустит». Он мигом залебезил: «Тетечка! Все для вас сделаю». И я ему план наметила: Екатерина из Питера в Москву должна наркотики привезти. В контейнерах, их проглотить надо.

Я получила возможность утолить свое любопытство.

— Почему из Питера? Зачем такие сложности?

— Потому что там есть человек, которому я доверяю, он под видом дилера передаст Носовой лжегероин. В Москве у меня верного помощника нет, нанимать кого-то опасно, кто за деньги работает, тот перекупается. А питерец жизнью Тимофею обязан, — ответила Нечеткина. — Я сообщила анонимно в Шереметьево, что пассажирка Носова наркокурьер. Полагала, что ее задержат, найдут контейнеры, а там невинный порошок, обманул курьера поставщик. Но Катерина-то хотела героин доставить! И получит гадюка кучу неприятностей. Гору. Посадить ее не посадят, даже бесплатный адвокат отмажет, но нервы гадине навсегда испортят. И если эта дрянь что-нибудь про таблетки вякнет...

Зинаида усмехнулась.

— Кто ей, перевозчице дури, поверит? Ведь она избежала посадки лишь потому, что дилер оказался обманщиком! Я ей навсегда репутацию испорчу. Но ни на секунду не хотела Катю жизни лишать. Ну подумайте, реши я всерьез разобраться с Екатериной, могла бы положить в капсулы настоящий диацетилморфин. Его не так уж сложно достать. Вот тогда бы Носову арестовали, судили, на приличный срок за решетку сунули. Я всего-то задумала поганке неприятности организовать. Пусть в аэропорту понервничает, в отделение съездит, в больнице окажется, где ей контейнеры выгонят. Слух потом по ее друзьям распущу о доставке наркотиков... Это все!

— А зачем противозачаточное средство? — спросил Александр Михайлович.

Зинаида усмехнулась.

— Оно вызывает тошноту, отвратительное самочувствие. Давно когда-то я сама попыталась пользоваться им, да бросила, валялась в аптечке упаковка начатая. Хотела ее выбросить, да все руки не доходили. А тут полезла в коробку с лекарствами, искала, во что лучше соду расфасовать, увидела свои старые пилюли и подумала: пусть мерзавку как следует потрясет. Мой человек ей «героин» за полчаса до посадки в самолет дал и противозачаточное протянул.

Носова спросила:

— Зачем это?

Ей объяснили:

— При взлете и посадке вас может тошнить из-за того, что в желудке много контейнеров. Выпей три штуки сразу. Это средство устранит рвотный позыв.

И она послушалась. Я-то знала, что девке через минут тридцать-сорок плохо станет. Выйдет в Москве из лайнера вся зеленая. А ее там уже полиция ждет. Ни малейшего желания лишать Катю жизни я не имела. Опозорить хотела, да! Убить нет! Ну кто пытается отравить человека с помощью соды?

Глава 46

— Никто, — мрачно ответил полковник, — но у вас получилось. Екатерина ощутила недомогание, испугалась до предела, решила, что упаковка лопнула. Далее включилась психосоматика. Девочку охватил страх смерти, резко подскочило давление, ужас зашкалил за все отметки, кое-как она смогла войти в зал прилета и, думаю, увидела полицейских, которые деловито шли в ее сторону. Давайте вспомним о том, что Катя была очень законопослушной, даже улицу только на зеленый свет переходила, на перевозку героина ее толкнула безбрежная любовь к Вадиму. Наверное, несчастная подумала, что не спасет лучшего мужчину на свете, да и сама окажется в тюрьме. У Екатерины началась сильная паника, и она умерла. От страха.

— Поверьте, я не хотела такого результата, — тихо произнесла Зинаида.

— Но Катя умерла, — заметил Арсений.

— Вот что странно, — протянула я. — Почему, когда Вадим врал про Катю и таблетки, вы, совсем не глупый человек, не спросили себя: а как Носова узнала о тайнике? Ладно, пусть она неведомым образом обнаружила его в вашей квартире. Но кто ей нашептал про препарат Семена Нечеткина? Кто сообщил, что в банке находится уникальный медикамент? Встаньте на место Носовой. Предположим, она устроила обыск, чтобы найти какие-то ценности. Попалась упаковка с капсулами, названия на банке нет. Зачем их красть? Что за препарат? Как им пользоваться? Удивительно, что вы поверили Вадиму, не сообразили: банку стянул он. Сам уволок, а свалил на Катю.

Зинаида пожала плечами.

— Вибров владеет даром убеждения, прямо колдун. Врет он, как дышит, делает это так виртуозно, что вы попадаетесь на его удочку. Но через некоторое время мозг включается, вы понимаете: наврал парень. Я не сразу сообразила, что, даже сперев пилюли, Катя бы не знала, что с ними делать. А вот Вибров! Он постоянно крутился в доме, часто в квартире один оставался.

— Зачем? — удивилась я.

Зинаида Семеновна улыбнулась.

— Из-за Мышки. Собачки. Она совсем старенькой была, шестнадцать лет прожила. В последние годы жизни стала бояться одна дома находиться, плакала. Я просила Вадима с Мышкой в наше отсутствие посидеть. Один раз он у нас в квартире целый месяц жил, мы с Сонечкой полетели в Италию отдохнуть. У меня в спальне не только спрятаны лекарства в тайнике, но и доклад отца на полке стоит. Он подготовил простым, ненаучным языком написанную бумагу. Хотел ее на самый верх в правительство передать, поэтому и составил документ, в котором не обремененный специальными знаниями человек разберется, поймет действие препарата, оценит его важность для государства. Отец надеялся, что НИИ не закроют. Но отправить свой труд не успел, институт расформировали. Я вспомнила про папку с докладом, про то, как Вадим у нас месяц жил. И меня осенило: не Екатерина пилюли украла. Вибров в мое отсутствие рылся везде, нашел бумаги, отрыл таблетки. Сообразил, гаденыш, что их дорого продать можно. Я вызвала Вадима для беседы.

Зинаида замолчала.

— Не станем сейчас углубляться в детали, — произнес полковник. — Вы разорвали с ним отношения?

— Да, — сухо ответила старшая Нечеткина, — мы серьезно поговорили. Сволочь мелкая! Он все отрицал, но я ему жестко сказала: «Исчезаешь из нашей жизни. Если узнаю, что ты подошел к Сонечке или к нашему дому ближе, чем на километр, это будет последний день твоей жалкой жизни. Уж поверь, я слов на ветер не бросаю».

— Интересно, что он в лесу делал? — пробормотала я.

— Обманывал Модеста Капельфана, — неожиданно сказал Петя.

— Ой, — подпрыгнула я, — Модест Модестович Капельфан! Именно это имя было на надгробии в лесу! Вспомнила! А вы откуда знаете?

Петя поморщился.

— От Вероники. Я готов согласиться с Зинаидой Семеновной. Вадим на некоторых женщин действует, как кобра на кролика. Бабы теряют голову и начинают исполнять заказанные Вибровым танцы. Вот такой талант ему достался.

— Это правда, — признала Юля, — словно в дурмане, живешь, потом вдруг, раз! И понимаешь: боже, как я могла его любить!

— У Ники прозрение так и не наступило, — мрачно заметил Петя. — После той истории с долгом, который Вибров Невзоровой вовремя не отдал, я ей сказал: «Ты как хочешь, а я с этим типом больше на одном поле ничего делать не стану».

Она завела речь о том, какие у говнюка проблемы, что он непременно все вернет, но позднее. Я Нику остановил: «Любишь его? Не имею права запрещать тебе с кем-либо общаться. Но сам о Виброве слышать не желаю. Он мошенник. Он думает, что это я ему сотняшку отвалил, и не вернул назад. Вот я его и посылаю на три веселые буквы».

На том и порешили. Ника не говорила более о Виброве ни слова. Я бывшего приятеля из всех списков контактов вычеркнул. Вам это кажется странным в свете того, что он не мои сто тысяч заныкал? Кто насрал Нике, тот и мне нагадил. Невзорова влюбленная баба, ей...

— Странная женщина, — удивилась Юля, — мне столько неприятной информации про Вадима выложила, говорила: «Я обожала его, но теперь прозрела. Более с Вибровым дел не имею». А потом снова с ним общалась? Или я вас не так поняла?

Петр махнул рукой.

— Стадия отрезвления. Сколько раз я от Ники подобные речи слышал: «Все! Вадима больше видеть не желаю». А через пару дней: «Вадюша ранимый, ничего плохого он не сделал, люди его не понимают». Вы просто с ней встретились в тот момент, когда Вероника открытыми глазами на Виброва смотрела, а потом опять шоры появились и туннельное зрение возникло.

Петр вынул из сумки айпад.

— Ника мне прислала... Она в последнее время постоянно на головную боль жаловалась...

— Аневризма, — бормотнул Дегтярев.

— Что? — не понял Петя.

— При вскрытии выяснилось, что у Невзоровой было выпячивание одного сосуда в мозге, — начал объяснять Александр Михайлович, — по-медицински аневризма. Людям с таким диагнозом запрещают летать самолетами, нервничать, потому что любой перепад давления может привести к разрыву стенки сосуда, и все.

— Ничего себе, — испугалась Соня, — она же не старуха!

— Аневризма может быть врожденной, — уточнил полковник, — часто человек и не подозревает, что у него тяжелый недуг, в особенности, если он не достиг пенсионного возраста. Ну болит изредка голова, так поноет и перестанет. От разрыва аневризмы прямо на сцене умер Андрей Миронов, ему исполнилось всего сорок шесть лет.

— Ника на мигрень жаловалась, — повторил Петя, — аспирин глотала, и отпускало. Она думала, что на погоду реагирует.

— Это не мигрень, — заметила я, — просто головная боль. Что вам Невзорова прислала?

Иванов нажал пальцем на экран, в комнате раздался женский голос:

— Петяша! Знаю, ты не любишь аудиозаписи. Но я жутко нервничаю. Срочно нужен твой совет. И помощь. Что-то я неправильно сделала. Извини, если путано рассказывать буду. Только не бросай трубку. Речь пойдет о Вадике.

Вероника кашлянула.

— Да, ты Виброва терпеть не можешь. Я тоже сто раз решала с ним более не встречаться. И пока он не звонит, все отлично, а потом звякнет, и я бегу к нему собачкой. Может, он колдун? Все для него сделать готова. Выполню его просьбу, вернусь домой и думаю: «Какого черта я опять ему помогла?» Ладно, говорю сжато. У Вадика полная фигня с бизнесом. Прямо вижу, как ты сейчас скривился. Нет, денег я ему больше не даю. Но у Виброва реально дела не идут. Заказов совсем нет. С теткой он поругался. Зинаида Семеновна ему не заплатила за полгода работы и, чтобы деньги вообще не отдавать, из дома выперла навсегда.

— Вранье, — подпрыгнула Нечеткина, — как только он посылку в нужное место доставлял, тут же в руки деньги получал.

— Давайте просто послушаем, — попросил Арсений, — Петр, снимите запись с паузы.

В кабинете снова раздался голос Вероники:

— Вадик все время рыщет в поисках заработка. В начале этого года он познакомился с Модестом Капельфаном. Это пожилой человек, не очень умный. У него есть внучка, эстрадная певичка не первой величины, но прилично зарабатывает. Поет под именем Лаура, обожает старика, дает ему деньги на любые капризы. Модест давно хотел составить свою родословную, ему бабушка сто лет назад во времена царя Гороха рассказывала, что Капельфаны ну очень старинный род, он возник при Всеславе Полоцком[1]. Модест обращался к разным людям, просил найти его предков, но все историки в один голос твердили:

— Нет нигде записей о Капельфанах. Вы, скорей всего, немец, возможно, ваши предки

[1] Всеслав Полоцкий — один из правителей Древней Руси. 1068–1069 гг. правления.

10 - 3816

прибыли в Россию не при Всеславе Полоцком, а в начале двадцатого века.

Но Модест стоял на своем, он верил бабке, которая пятилетнему мальчику толковала про его пращуров тевтонских рыцарей из Подмосковья.

— Бред, — хмыкнул Арсений.

— Модест считал информацию верной, а сотрудников архива дураками, не способными найти нужные записи, — продолжала Ника. — И тут ему встретился Вадим, который сказал, что вмиг найдет корни Модеста хоть на Земле, хоть на Луне. Только дорого его услуги стоят.

Капельфан обрадовался, стал давать Виброву разные суммы. Почти год Вадим «доил» деда, чья внучка исправно платила за каприз старика большие деньги. Рассказывал, как по разным городам летает, в документах копается. Но потом Модест вдруг стал нервничать и спрашивать:

— Где же моя родословная?

Вадим соврал наивному пенсионеру, что нашел кладбище с могилами его предков. Погост заброшен, однако надписи на плитах сохранились, более того, он показал старику фото: лес, среди деревьев несколько надгробий. На самом большом надпись «Капельфан Модест Модестович», и год, я забыла какой. Тысяча семьсот... шестьсот... Дедок обрадовался и вдруг заявил:

— Ура! Клад мой.

Глава 47

— Какой клад? — не понял Вадим и услышал продолжение истории все той же бабки Модеста.

Оказывается, она сообщила внучку тайну. Далекий предок древнего рода привез из Крестового похода золото и завещал похоронить себя вместе с ним. Когда Модесту исполнилось десять лет, старушка умерла. Но до самой ее смерти бабуля и внучек, выехав летом на дачу, которая находилась в деревне Ложкино, ходили по местному лесу, искали сокровища. Старушка уверяла внука, что пращуры жили неподалеку в Ложкине. Она показала малышу старый заброшенный огромный дом в чаще...

— Развалины! — подпрыгнула я. — Их историю мне Валерий рассказывал, и как я потом выяснила, он ее здорово переврал.

— Не мешай, — велел Дегтярев.

Петя опять включил запись, Вероника продолжала.

Вадику название Ложкино отчего-то показалось смутно знакомым, он кивнул:

— Да, да, конечно, именно там я снимок сделал.

Повисла короткая пауза, затем Невзорова взмолилась.

— Петяша! Понимаю, как ты к услышанному отнесешься. Но на самом-то деле Вадик не гад. Ну что он такого дурного совершил? Хотел помочь старичку. Модест с головой совсем не дружит, и внучка хороша! Дает деду деньги, не проверяет, куда тот их тратит. Бабка Модеста! Вот кто все замутил! Решила внучка позабавить, напела ему идиотскую историю. Некоторые взрослые считают, что ребенка непременно день напролет развлекать надо. Вот и старалась бабка, так суетилась, что в голову внука навсегда засела история про тевтонских рыцарей из Ложкина. Или Модест к старости умом тронулся, поэтому вспомнил старухину брехню. Вадик из благих чувств для успокоения старика, который все пытается генеалогическое древо русичей, тевтонских рыцарей по фамилии Капельфан составить, отправился в лесную зону одного из московских парков, нашел подходящее местечко. Липкие ленты с любым текстом сейчас можно задешево заказать. Вадюша это сделал, присобачил на некоторые камни наклейки с крестами, а на один валун полоску с надписью «Капельфан Модест Модестович». И случайно попал в точку. Оказывается, по словам бабки, погост был в лесу. Дедуля кинулся домой за деньгами, он хотел купить фото, и вернулся с внучкой. Певица обратилась к Вадиму:

— Я не отказываюсь платить за работу. Но вы уже и так много получили. Если хотите получить еще, отведите дедулю на это кладбище.

— Не надо мне ничего, — пошел на попятную Вибров и совершил ошибку.

Голосистая дама сразу заподозрила неладное.

— Вы не хотите заработать? — спросила она. — Странно. Может, никакого погоста нет? Может, вы жулик?

— Есть, есть, — заверил Вадик, — но сейчас плохая погода, холод, грязь, давайте отложим поход до весны.

— Нет, — отрезала певица, — прямо завтра пойдем! Если вы откажетесь, то вернете все деньги, которые получили за работу. Не надейтесь исчезнуть. Под землей вас найду. У меня море нужных знакомых.

Вадик сообразил, что надо согласиться, а потом просто заблокировать телефон дамочки, и кивнул:

— Ладно, хотите бродить по чаще в самый холодный месяц года? Да пожалуйста! Вас же пожалел, вдруг простудитесь, концерты отмените.

И тут у певицы заорал мобильный, она молча выслушала, что ей сказали, ответила коротко «ок» и заявила Вадиму:

— Через десять дней дедушка пойдет смотреть на могилы предков. У меня неожиданно концерты организовались.

Петяша, если ты думаешь, что на этом все завершилось, то сильно ошибаешься, все только началось! Не успел Вадик домой приехать, в квартиру подняться, как раздается звонок в дверь и входит... Лаура.

Вибров обомлел.

— Что вам надо?

— Ничего, просто хотела реальный адрес человека, который на дедушку работает, узнать, — заявила внучка. — Знаю я таких! Телефон поменяют, и ау! И паспорт покажите, а то дедуля ничего проверить не догадался. Имейте в виду, обманете моего старика, не только деньги, полученные за работу, вернете, а и под суд как мошенник пойдете. Модест Модестович добрый и очень наивный, он людям верит.

Вероника чихнула, потом послышались булькающие звуки, похоже, Невзорова пила воду, и снова зазвенел ее голос:

— Представляешь, в какое положение Вадик попал? Надо было что-то делать! Он поехал в это Ложкино. А там засада! Деревни нет. Есть одноименный поселок, закрытый для посторонних, Виброва туда не пустили, он секьюрити деньги предложил, тот его матом послал. Вадик машину на обочине поставил, сидит в ней, размышляет, что ему делать. Вдруг видит: из проходной мужик вышел в черной куртке, в руках у него ящик с инструментами. Явно свой он в Ложкине, с охраной мирно поговорил и по шоссе почапал. Вадим из седана высунулся.

— Хотите, подвезу вас?

Мужик обрадовался.

— Не шутите? Мне надо в село поблизости.

Вадим открыл дверь.

— Садитесь. В поселке работаете? Как вас зовут?

— Валерий, — представился мужик, — всякий мелкий ремонт ложкинцам делаю. Вот повезло мне, на драндулете своем царапины замазал, сохнет сейчас. Думал, придется пешком переть. А тут вы. Спасибо.

— За поселком лес тянется, — издалека начал Вибров. — Как туда попасть?

— Любите мороженые грибы собирать? — усмехнулся Валерий. — В еловый лес хода нет. Забор там стоит сплошняком.

— Черт! — воскликнул Вадим. — Может, поможете? Надо меня и еще одного человека провести в чащу.

— Зачем вам туда? — спросил Валерий. — У меня всякие возможности есть, но хочется знать суть дела.

— Дед мой, Модест, умом тронулся, — вздохнул Вибров, — старый совсем. Ищет своих предков, кучу денег историкам-архивистам отдал. Когда старик под стол пешком ходил, он летом у бабки в Ложкине жил...

Вероника закашлялась, судя по звуку, сделала пару глотков воды и продолжила:

— Прости, в горле пересохло. Я с собой в машине всегда минералку вожу. Вадюша рассказал Валерию про бабку и тевтонских рыцарей из Подмосковья, но соврал, что дедушка его. О певице ни гугу. И объяснил: он хочет, чтобы дед наконец успокоился, поэтому найдет в лесу камни, присобачит к ним наклейки с крестами, именем, фамилией Модест Модестович Капельфан, и безумный старик успокоится.

— Скотина, — сквозь зубы процедила Зинаида.

А из айпада Иванова продолжал литься голос Ники:

— Валерий пригласил Виброва зайти к нему в избу, обсудить детали и плату за его работу. Вадим вошел в комнату и ахнул. На стене висела большая фотография Носовой. Парень никак не ожидал увидеть в деревенском доме у незнакомого мужика фото умершей Кати, он так оторопел, что с языка слетело:

— Почему здесь Катя?

— Эй, откуда ты знаешь, что мою дочь Екатериной звали? — мигом отреагировал хозяин.

Вадика осенило. Вот почему название Ложкино ему знакомым показалось. Вибров никогда не встречался с отцом погибшей девушки, но сейчас он вспомнил, что она звала его Валерием, рассказывала, как любила в детстве жить летом в деревне Ложкино, около которой есть село Вилкино.

— Отвечай, — сурово велел Носов. — Что побледнел? Никак ты отношение к ее смерти имеешь? А? Иначе почему моргаешь? Ну да ты мне все расскажешь!

Хозяин начал закатывать рукава рубашки.

Вадим испугался, включил смекалку и зачастил:

— Нет, нет, это не я! У меня есть друг по фамилии Иванов. Он был любовником Кати. И один раз он велел ей привезти из Питера наркотики. На самом деле идиот устроил розыгрыш...

Ника чем-то зашуршала.

— Петяша, Вадим сообщил ему все про соду, в его устах история звучала так: Иванов поспорил с кем-то на большие деньги, что Носова ради него на все пойдет. Вибров видел Катю в гостях у друга, она ему нравилась, умная и красивая, жаль, что полюбила гаденыша. Когда Вадик узнал про пари и про смерть Кати, он возмутился и разорвал все контакты с Ивановым.

Судя по звуку, Вероника снова начала пить воду.

Арсений изменился в лице.

— Нет слов.

— Прости, прости, — раздался вновь голос Невзоровой, — голова болит адски, жажда замучила. Носов потребовал у Виброва имя и телефон Иванова, тот ответил: «Организуй мне через несколько дней поход в лес за Ложкино, добудь пропуск моему деду. Число его визита я сброшу эсэмэской. Если все сделаешь, получишь контакты Иванова. Работаешь бесплатно. За информацию».

Валерий согласился. Он знатный гальванщик, сделал «золотые» монеты, состарил их. Потом оформил на Вадима пропуск и отвел его в лес. Вибров показал на камни.

— Эти подходят. Наклей на них это быстро!

Носов взял ленты с золотыми крестами и данными какого-то человека, аккуратно приделал их куда надо. Издали отлично выглядело, да и вблизи смотрелось так, словно все на камне написано. То, что это наклейки, непонятно. «Золотые» монеты он отдал Виброву. Вадик же мне сказал:

— Солнышко, почему я тебе честно все изложил? Прости, родная, что вот так предложение делаю. Выходи за меня замуж. Я понял, что ты самое лучшее, что у меня в жизни было. А жене надо про мужа все знать.

Вероника рассмеялась.

— Петяша! Не злись! Я согласилась. Вадик не знает, что я совладелица соцсети, он позвал в загс нищую Нику. Он меня наконец-то полюбил!

— Вот дурочка! — воскликнула Юлия. — Виброву сказать про свадьбу, как нечего делать. Да ему просто помощь Невзоровой понадобилась.

— Она ему поверила, — сказала я, — жаль Веронику, ох как жаль!

Остальные молчали, Петя ткнул пальцем в айпад.

— А еще Вадик объяснил: «Хочу из этой истории выскочить. Даю честное слово более никогда ничем подобным не заниматься, в последний раз так поступил. Просто от безысходности. Все осознал. Я устроюсь на работу. Приезжай завтра рано утром к воротам Ложкина. Оденься как безработная женщина, которая ищет место поломойки. Не бери свою машину. Сядь в таратайку горничной. Не опаздывай. К этому времени прикатит Модест, у него машина с шофером. Водитель останется на парковке, старик пойдет в поселок. Ты жди в драндулете. Скоро Модест к водителю вернется, вид у него будет бледный. Почему? Он мне у забора деньги отдаст, я калитку в изгороди отодвину, пойдем по тропинке куда надо, старик "кладбище" увидит, яму, монеты старые... Скажу ему, что уже вырыл их, и... умру. Не волнуйся! У меня есть лекарство. Если одну таблетку проглотить, то несколько суток будешь без сознания. Если четвертушку съесть, то на час отключишься».

— Нет, нет, — возразила Зинаида, — нет! Идиот! Боже! Кретин!

Петя остановил запись.

— Почему препарат отправили на доработку? — начала объяснять старшая Нечеткина. — Из-за непредсказуемости его действия. Контрольная группа принимала по одной таблетке. И что? Один отключался на четыре дня, другой на сутки, а третий пролежал меньше часа. Как работает большинство медикаментов? Примитивно говоря так: одна ложка снотворного нужна человеку сто кило весом, половина этой дозы тому, кто весит пятьдесят кг. Если первый выпьет дозу второго, то он не заснет вообще, мало ему будет. А если второй проглотит объем первого, то он может и вообще не открыть никогда глаз. Выписывая таблетки, врач обязан учесть множество факторов: возраст человека, состояние его здоровья, вес, рост, даже настроение. Но с папиным препаратом творилось непонятное. Одна таблетка, принятая людьми, похожими как близнецы, действовала на них по-разному. И деление ее на части никак на длительность состояния «смерти» не влияло. Если вы, проглотив пилюлю, отключались на сутки, то, съев четвертинку, опять уходили из жизни на двадцать четыре часа. Нонсенс! Почему так получалось? Отец начал решать эту загадку, но не успел, НИИ закрыли. Папа организовал лабораторию дома, но у него не было групп для испытаний, оборудования, поэтому процесс шел крайне медленно.

— Понятно, почему у Виброва вышло не так, как он рассчитывал, — протянул Петя, — слушайте дальше.

В кабинете снова зазвучал голос Ники:

— А мне, если через час после того, как дед уедет, не появится Вадим, надо идти в лес. На проходной я должна сказать охране: «К Васильевой, домработница на кастинг».

— С ума сойти! — подскочила я. — Откуда Вадим узнал, что я ищу новую помощницу по хозяйству? Да, я предупредила охрану: «Не задерживайте человека, который ко мне наниматься в прислуги придет». Но как Вибров это выяснил?

— Наверное, ему об этом Валерий сказал, у которого в охране знакомый был, — предположил Дегтярев. — Давайте дослушаем запись.

— Меня впустят, — продолжала Ника, — я должна пройти в самый конец поселка, миновать особняк этой Васильевой. Его легко узнать, на воротах табличка: «Замок собак», пройти мимо двух пустых коттеджей, толкнуть забор напротив сломанной березы, откроется проход, и я пойду по тропинке. Она там одна. Увижу поляну, а на ней Вадима. Вероятно, он от лекарства ослабеет, мне надо ему помочь до машины дойти и увезти его домой. Он на такси совсем рано приедет, чтобы все приготовить в лесу. Петяша, я сижу сейчас в автомобиле. Мне жутко страшно. Вчера я Вадику пообещала все выполнить. Но мне жутко. Дед из поселка вышел еле живой. Кое-как шел. Шатался. Его водитель подхватил. Старика стошнило. Что там случилось? Я боюсь! Ноги трясутся. Голова раскалываться начала. Решила посидеть не час, как велено, а больше. Петяша, прости, что тебя загрузила. Как поступить? Идти? Не ходить? А вдруг Вадику плохо? Что за таблетку он проглотил? Не знаю. Пожалуйста, позвони. Долго тебе все объясняла, хотела, чтобы ты в курсе был. Позвони мне! Прямо сейчас! Дай совет. Помоги!

Петяша! Посижу еще, подожду! Вадюша сказал, что через час точно очнется, уже два прошло, мне надо идти! Ну, еще погожу! Пусть уж точно в себя придет. Посижу два часа, нет, лучше три!

Иванов закрыл айпад.

— Это она мне утром на почту сбросила голосовым файлом. А я вечером спать лег... вернее, задрых в районе трех. Гаджеты отключил, чтобы не трезвонили, вылез из койки к полудню. Опаньки! Такая штука на емайле. Активировал телефон! Упс! Сообщение на ватсапп!

Петр положил на стол трубку, опять раздался голос Вероники:

— Плохо... голова... иду... не могу... помоги... те... кто... мне... иду... голова...

Звук глухого удара. Тишина.

— Мы так и не нашли телефон Невзоровой, — заметил Дегтярев, — нигде.

Глава 48

— Знаю, что случилось! — воскликнула Зинаида. — Таблетка оказала на Вадима очень сильное действие. Он не очнулся, как рассчитывал, через час. Вероника боялась идти в лес, она отправила Петру звуковое сообщение, не получила ответа, собрала в кулак всю силу воли и все же пошла в лес. Телефон у нее был в кармане. Невзорова увидела «труп» Виброва и перепугалась.

— Она знала, что парень выпьет лекарство, — остановил Нечеткину Арсений.

— Но ее предупредили, что его действие через час закончится, — возразила Зина, — и вспомните, как она боялась идти в лес, выждала в три, если не в четыре раза больше времени, по ее расчетам Вибров должен был уже прийти в себя. А он лежал на земле! Ее паника охватила!

— Ника бросилась за помощью, — подхватил Петя, — ей было очень плохо. Айфон, если его не заблокировать, может самопроизвольно отправить сообщение. Трубка записала то, что Ника бормотала на ходу, а потом скинула мне на ватсапп.

— Со мной такое случалось, — согласилась я, — один раз в магазине я обсуждала с продавщицей платье, а потом Александр Михайлович позвонил. К нему запись нашего разговора пришла.

— Если установлена программа автоматической отправки голосовых сообщений на какой-то чат ватсапп, то это произойдет легко, — пояснил Петя, — я ее Нике загрузил. Она не любила печатать, вечно не в ту букву пальцем тыкала, ей удобнее говорить было.

— У меня та же проблема, — призналась я.

— Похоже, она по дороге где-то упала, — предположил Арсений, — скорей всего уже в поселке, в лесу связи нет. Смогла встать, пошла к ближайшему жилому дому за помощью, а трубка из кармана при падении вывалилась. И как вы, Петр, поступили?

— Предположил, что Нике дурно стало, ближайший жилой дом принадлежит Дарье Васильевой. Скорей всего, Вероника туда направилась. Прыгнул в машину, помчался к поселку Ложкино, — ответил Иванов, — въехал в ворота...

— И как вы в него попали? — изумилась я.

Петя усмехнулся.

— Ну я же суперхакер. Знаю массу всего интересного. Пока ехал, телефон охраны на сайте «Ложкино» нашел, а еще список всех жителей.

— Наш сайт предназначен только для внутреннего пользования, — возразила я, — у жителей свои пароли на вход.

Иванов поднял бровь.

— Вы это всерьез? Взломать фиговую защиту можно за пять минут. Я позвонил на проходную: «Здрассти, вас из десятого дома беспокоят. Пропуск на машину, номер...»

Мы с Дегтяревым переглянулись.

— Припарковался на соседней от вашего особняка улице, — продолжал Иванов, — пошел пешком, а там! Полиция, криминалисты! Носилки с черным мешком в минивэн запихивают. Какой-то мужик крикнул: «Парни, проверьте дорогу до калитки. Баба по дорожке шла. У нее при себе только одна варежка, желтая, рисунок из голубых цыплят. Поищите вторую».

Петя тяжело вздохнул.

— Мешок на носилках! Слова полицейского про рукавицы. Это я их Веронике подарил, ей такая ерунда нравилась, купил в интернете у мастерицы, которая все в единичном экземпляре вяжет. Честно говоря, я был не в лучшей форме, поэтому здоровенную колдобину на дороге не заметил, влетел в нее на полной скорости. Бумс! Капец! Стоял, ждал эвакуатора. Телефон Ники не отвечал. Я же не дурак! Понял, что она умерла. Поехал домой, у подъезда мужик на меня набросился.

— Ты Иванов! Убил мою Катю!

Трясется, красный весь, потеет, куртка расстегнута, вид сумасшедший. Я его отпихнул, он упал и... заплакал. Лежит на тротуаре, рыдает, как ребенок. А мне самому плохо, понимаю, что Вероника скорее всего умерла... Наклонился над ним.

— Вы Валерий Носов?

Он так тихо мне:

— Да! Отец Кати.

Иванов вздохнул.

— Ну, в общем, привел я его к себе. Хотел правду рассказать про Вадима. А Валерий сел на диван и... заснул. Прямо выключился. Утром в себя пришел, и мы с ним спокойно поговорили. Носов больше не истерил, только жаловался, что левая рука болит и под лопатку ему будто сигаретой ткнули. Я ему дал обезболивающее. Он таблетки две-три съел, и его отпустило.

— Подобные боли предвестники инфаркта, — мрачно заметил Арсений, — Валерия следовало немедленно к врачу отправить.

— Так у него все прошло, — возразил Петя.

Милованов махнул рукой.

— Я по образованию врач, работал на «Скорой», в середине девяностых бросил медицину, решил книги издавать. Если под лопаткой жжение, боль отдает в левую руку, надо бежать к врачу. Недолго и до инфаркта.

— Не знал, — пробормотал Петя, — ему хорошо стало, я правду про Катю и Вадима рассказал. А он мне объяснил, что в шесть утра написал Вадиму: «Где адрес, имя Иванова? Если сейчас их не получу, отменяю пропуск на въезд в Ложкино для тебя и старика». Вадим ему сбросил информацию и напомнил, что Валерий обязан деда до забора в лес провести, «калитку» ему открыть, дальше ходить не надо. Старик сам потопает и скоро выйдет, его нужно из Ложкина вывести, и все, Валерий свободен, о Вадиме ему беспокоиться не надо. Носов честный человек, он не собирался свое слово нарушать. Поэтому встретил

Модеста в поселке за шлагбаумом, сопроводил до забора, показал тропинку и остался у «калитки».

Валерий полагал, что дед пробудет в чаще около получаса, поэтому приготовился к ожиданию. Но не прошло и десяти минут, как старик начал стучать в забор, у него не хватило сил отодвинуть сделанную Носовым «дверь». Мастер выпустил Модеста, а тот зашептал:

— Скорей, скорей, уведи меня. Там... там... он умер... совсем...

Валера отвел трясущегося от переживаний деда к проходной, посмотрел, как он идет к машине, как навстречу ему спешит шофер, перестал беспокоиться за судьбу Модеста и сам отправился в лес, потому что сообразил: случилась какая-то беда. Да, он нарушил договор. Вибров велел отправить старика к автомобилю, и все, Носов свободен, не надо ему в чащу соваться. Но тот занервничал и, несмотря на обещание уйти следом за Модестом, вернулся в лес.

Иванов сложил руки на груди.

— Понятно, какая картина перед ним развернулась. Валера испугался, поспешил к проходной, хотел покинуть поселок, но у детской площадки остановился. Он сообразил, что не сможет скрыть свое пребывание в Ложкине, его многие видели. Минуя шлагбаум, Валера, как всегда, поздоровался со всеми секьюрити, поболтал с ними. Охрана знает, что рабочий присматривает за домом и никогда раньше шести-семи вечера не уходит. Домой Носов не спешит, если все дела закончены им около трех-четырех часов дня, Валера тусуется около административного корпуса, ждет, вдруг кому-нибудь из жителей рабочий понадобится. Носову нужны деньги. Он водрузил на могилах Кати и Нины простые деревянные кресты, но хотел поставить там мраморных белых ангелов, а они ой какие дорогие! О том, что в лесу лежит труп Вадима, надо сообщить в полицию, непотребно оставить человека непогребенным. Вот только Носов не мог сам звонить в отделение. Почему? Неужели не понятно? Его начнут расспрашивать, поинтересуются, зачем он в лес попер, кто забор разрезал, откуда фамилию, имя мертвеца знает... Если Валера честно не расскажет, в чем дело, его заподозрят в убийстве. Если будет откровенным, то точно лишится работы в поселке, да еще комендант велит ему за свой счет изгородь чинить. Если же промолчит про труп, то его совесть замучает, каждый день он будет думать: Вадим гниет неупокоенным. Надежды на то, что случайный грибник найдет мертвеца, нет. Во-первых, зимой за лисичками-опятами не ходят, а во-вторых, лес за Ложкином считается у местных жителей проклятым. Туда ни одна душа не сунется. И как в лес попасть, если поселок охраняется?

Сколько Носов просидел, думая тяжелую думу, он не помнил. Но долго. Так ничего и не решив, Валера пошел к Мамонтовым, починил им сантехнику, выполнил мелкий ремонт у Комаровых, поменял колесо у автомобиля Заикиной... Не один час работал, но в конце концов решился на вызов полиции, придумал, как поступит. Он соврет, что случайно обнаружил проход в заборе. Ну шел мимо, поскользнулся, чтобы не упасть, схватился за ограждение, а оно в сторону отъехало. Рабочий решил проверить, все ли в порядке в лесу, двинулся по тропке, издали увидел тело и решил позвонить в отделение. К трупу он не подходил, имени-фамилии покойного не знает. Судя по криминальным сериалам, фанатами которых является Носов, сейчас в полиции много разной техники, личность Виброва живо установят.

Валера полез в наружный карман куртки за телефоном... и не нашел его. После смерти дочери позвонить Носову могла только соседка Лена Фисунова и жители Ложкина, которым ремонт нужен, поэтому молчание телефона не удивило Валеру. Носов пошел искать аппарат в домах, где сегодня работал, но не нашел его. И вдруг сообразил: он же наклонялся над трупом Вадима, щупал у него пульс. Стопроцентно мобильный выпал и лежит у тела. И как теперь говорить полиции, что не приближался к мертвецу? Надо забрать телефон. И Валерий опять отправился в лес.

Глава 49

Сотовый на самом деле лежал под боком мертвеца. Носов вышел из леса в поселок и увидел... Дарью. Валера прекрасно знает Васильеву, в курсе, что один из членов ее семьи полковник полиции. Даша излишне болтлива и любопытнее всех деревенских кошек, она мигом начала приставать к Носову с вопросами: почему забор открывается, зачем Валера в лес ходил... Носов мысленно вознес благодарность Богу. Ура! Он не станет ничего сообщать в отделение, отведет суетливую дамочку к останкам Вадима, та испугается, кинется к Дегтяреву... Валера же ни при чем, это Дарья тело нашла, а он лишь обнаружил «калитку» в заборе. Какой с него спрос? И все вышло, как он задумал. Васильева чуть в обморок не рухнула, но смогла позвонить своему полковнику.

Носов довел ее до дома, хотел покинуть поселок, поехать домой к Иванову, который стал причиной гибели Кати, и остановился. Кто делал наклейки на камнях? Он, Валерий. А о чем говорят в детективных сериалах? Об отпечатках пальцев, и почти всегда кинокриминалист восклицает:

— Ага! Преступник все протер! Но один его след остался на внутренней поверхности скотча, которым жертве рот заклеили.

— Смотрите детективы и подкуетесь на все ноги, — буркнул полковник, — кроме отпечатков преступник массу улик, сам того не зная, оставляет.

Петр пожал плечами.

— Я просто передаю рассказ Носова. Он снова вернулся в лес, оторвал все наклейки, камни потеряли вид надгробий. А еще он заметил небольшую кучку монет и забрал их. Унося телефон, Валера забыл про «старинные» деньги, очень уж нервничал. А сейчас они ему в глаза бросились. Положив «монеты» в карман, Валерий закидал ямку землей. Он подумал, что надо ликвидировать ее, чтобы никто не догадался: там что-то хранилось.

Валера здорово испачкал обувь, но не стал заруливать домой переобуваться, поспешил в Москву набить мне морду.

Петр вынул из сумки бутылку минералки и открутил пробку.

— Вот так мы и поговорили. Я предложил ему снять замаранную одежду, надеть кое-что из моих вещей. Но он категорически отказался, даже обувь свою не почистил, сказал:

— Продуло меня, похоже, сильно. С левой стороны спины опять все болит. Домой поеду, баньку затоплю.

— Вот дурак! — покачал головой Арсений. — Люди, не парьтесь при любой боли! К врачу вам надо! Не ставьте себе диагнозы сами!

Иванов сделал глоток воды.

— Выглядел он не ахти, бледный, синяки под глазами. Но ведь переживал сильно, я подумал, он от стресса такой. Последнее, что я ему сказал: «Валера, я дам вам денег на мраморных ангелов». Он уперся.

— Спасибо. Я не нищий. Сам заработаю.

И ушел.

— Кто же заложил бомбу в его избе? — растерялась я. — И зачем?

Дегтярев побарабанил пальцами по столешнице.

— На шоссе неподалеку от поворота к деревне Носова остановил сотрудник ДПС. Ему показалось подозрительным, что водитель тащится со скоростью черепахи. Гаишник подумал, что шофер выпил и крадется, чтобы его не остановили за превышение скорости и не унюхали спиртное. Дорожный полицейский проверил права, удостоверился, что Носов совершенно трезв, и поинтересовался:

— Почему тащимся еле-еле? Не новичок за рулем, не алкоголик, не наркоман.

Валера объяснил:

— Спину скрутило. Прострелило слева, да так сильно, что еле рукой шевелю. А сейчас еще в желудок отдавать стало и тошнит.

— Да у вас грипп, — покачал головой сержант. — Далеко еще ехать?

— Тут рядом, — пояснил Носов, — пять минут.

— Может, «Скорую» вызвать? — предложил сержант. — Что-то вы прямо синий.

— Не надо доктора из-за ерунды беспокоить, — отказался Носов, — ща доплюхаю и в баню.

— Давайте осторожно, — посоветовал гаишник.

И отпустил Валерия. Протокола никакого не составил.

— Наверное, ему стало совсем плохо у дома Фисуновой, — вздохнула я, — поэтому он кое-как смог войти в избу соседки.

— Похоже на то. Его автомобиль обнаружили неподалеку от дома Елены, — подтвердил Дегтярев. — Сейчас все сотрудники ДПС ведут видеозапись бесед с теми, кого останавливают. Не стану объяснять, почему мои ребята догадались проверить, не тормозил ли кто Валерия на шоссе. Нам важен итог. Мы теперь точно знаем: Носов очень плохо себя чувствовал. И вскрытие подтвердило: смерть его не насильственная. Инфаркт.

— А почему его дом взорвался? — недоумевала я.

— Одна из соседок считает Валерия виновным в том, что у ее сына нет работы, — пояснил Дегтярев, — жители Ложкина традиционно обращаются только к Носову. Баба решила сделать так, чтобы Валера не смог в очередной раз отправиться на вызов. Она поняла, что хозяина нет дома, зашла в пристройку, которая вплотную примыкает к жилому помещению. В этой кладовке, вопреки правилам безопасности, Носов хранил десять баллонов газа. Купил их оптом по дешевке. Тетка отвернула у всех вентили и убежала. В ее не очень умной голове возник коварный расчет: газ вытечет, Валерка будет не в силах заняться сваркой или гальваникой, или еще чем, заказ получит ее сын.

— Во дура! — покачал головой Петя.

— Соседка не знала, что в том же помещении у Носова стоит самодельное устройство для гальваники. Валера приводил в порядок статуэтки, выполнял чей-то заказ. Механизм включался, некоторое время гудел, потом наступала пауза, и через какое-то время он снова начинал работать. Когда соседка выпустила газ на свободу, аппарат не фурычил, но после ухода бабы он автоматически ожил, проскочила искра... Дальше объяснять?

— Не стоит, — вздохнул Арсений.

Я прижала ладони к вискам.

— Ну и денек выдался! Утром Вадим проникает в лес, там уже создано «кладбище». Приезжает Ника, сидит на парковке. Прикатывает Модест, Носов отводит его к «калитке», старик вскоре выбегает из леса. Валерий провожает его к проходной, идет посмотреть, что так напугало старика, находит «труп» Вадима. Вибров решил прикинуться мертвым, небось думал, что Капельфан увидит, что парень, который обещал отдать ему документы, скончался, и вопрос о возвращении денег за так и не полученную родословную не возникнет. Вибров рассчитывал очнуться через час, полагая, что Вероника его потом домой увезет. Валерий уходит из леса, сидит сначала на детской площадке, потом занимается работой и не знает, что ему делать. Тем временем Ника идет в лес посмотреть, что с Вадимом, и видит... труп. Невзорова знает, что Вибров принял лекарство. Но парень ей обещал скоро очнуться. А он выглядит совсем мертвым.

— Верно, — согласилась Зина, — даже врач принявшего этот препарат от покойника не отличит, а уж обыватель и подавно.

— Невзорова зачем-то берет одну монету, логично объяснить это нельзя, думаю, она в шоке сама не понимала, что делает, и бросается за помощью, — продолжала я, — входит в наш дом, и тут от стресса у нее резко подскакивает давление и... разрывается сосуд. Приезжает полковник с сотрудниками. Иванов просыпается, слышит сообщение Вероники, несется в Ложкино, сталкивается с носилками, на которых лежит тело, слышит слова про варежки, понимает, что Ника умерла, отправляется назад в Москву, попадает колесом в яму и ждет эвакуатора. В это время я иду к забору, сталкиваюсь с Валерием, который забрал свой телефон, иду с ним в лес, вижу труп Виброва. Когда я возвращаюсь домой, Носов опять идет в чащу, уничтожает все приметы «кладбища», прихватывает монеты и едет к Иванову. Петр ждет эвакуатор, поэтому отец Кати появляется в Москве первым. На следующее утро Валера возвращается в деревню, неподалеку от родных пенат его тормозит сотрудник ДПС. А соседка в это время откручивает вентиль. Носову совсем плохо, он входит к Фисуновой и падает. В кладовке включается самодельный аппарат гальваники. Бум! Взрыв! Все произошедшее похоже на пьесу, которую сочинил автор, обладающий завидной фантазией.

— Действительность подчас бывает фантастичнее вымысла, — заметила Юля. — А где Вадим? Что с ним?

— В одном из городских моргов мой сотрудник обнаружил тело неопознанного мужчины.

Он был найден утром на улице. Смерть наступила от инсульта. При трупе не было ни сумки, ни кошелька, ни телефона, кстати, ничего этого при Виброве и в лесу не было. Поэтому возникли проблемы с определением личности.

— Инсульт, — повторила Зинаида, — еще и поэтому таблетки отдали на доработку. Они кое у кого вызывали отсроченное кровоизлияние в мозг. Вроде благополучно проснулся, поел, нормально общается и... умирает.

— Вибров очнулся в морге, сообразил, куда попал, взял одежду патологоанатома, ушел и скончался на улице, — подвел итог Дегтярев. — Нечего более сказать.

Стало тихо.

— О мертвых или хорошо, или ничего, — пробормотала Юлия, — поэтому сейчас лучше помолчать.

ЭПИЛОГ

На следующий день я спросила у полковника:

— Что теперь будет с Зинаидой, Соней и остальными участниками событий?

— Ничего! — пожал плечами Дегтярев. — Смерть Кати определена как естественная.

— Зина знает, где прячется Тимофей, — напомнила я.

Толстяк махнул рукой.

— Да, но хороший адвокат вмиг ее отмажет. И, обрати внимание, у налоговой к Полканову претензий нет. Он чист перед законом. Разыскивают его авторитеты. Ну и флаг им в руки. Все фигуранты дела будут жить, как жили. А Вибров сам себя наказал. Просто словарь страны попугаев.

— Словарь страны попугаев? — повторила я.

Александр Михайлович потер затылок.

— Леня наш говорит эту фразу всякий раз, когда происходит нечто для него неприятное. На днях в столовой ему вместо куриного налили гороховый суп. Он сразу не заметил, сел к столу, взял ложку и заявил: «Ну это просто словарь страны попугаев какой-то! Где лапша с цыпленком?»

— Забавное выражение, — заметила я.

— Весело, когда в твоей жизни словарь страны попугаев не включается, — огрызнулся полковник, потом неожиданно добавил: — Петр попросил разрешения на выдачу ему тел Вероники и Валерия, хочет их достойно похоронить. И решил поставить на могиле всех Носовых белых ангелов, как хотел Валера.

— Не ожидала от него такого поступка, — призналась я.

— Люди подчас оказываются иными, чем мы о них думаем, — заявил Дегтярев, — и зачем только Модест Капельфан захотел составить свою родословную до седьмого колена?

— Вполне понятное и очень похвальное желание узнать, кто же твои предки, — вздохнула я. — К сожалению, люди иногда обращаются к нечестным специалистам или к откровенным мошенникам. И тогда они вместо подлинного генеалогического древа получают родословную до седьмого полена. Именно такую старику приготовил Вибров.

— Мусик, — крикнула снизу Манюня, — спустись!

Я пошла вниз, услышала писк, увидела на окне лестничной площадки мобильный полковника, взяла его и понесла толстяку. Вечно он расшвыривает свои вещи. Я никогда не читаю чужих сообщений, но иногда они сами лезут в глаза. Вот и сейчас, поднимаясь по ступенькам, я прочла на экране текст. «Клиника МЭМ. Господин Дегтярев, напоминаем вам: сегодня в девятнадцать часов у вас удаление котомок Буше».

— Муся, ты где? — снова крикнула Маша.

Я открыла дверь в комнату полковника, услышала, что в его ванной работает душ, положила сотовый на тумбочку у кровати и поспешила вниз. Котомки Буше? Леня уверял меня, что никаких сумок, рюкзаков, вещмешков и иже с ними в теле человека нет. Сомнительно, что патологоанатом ошибается.

Скорей всего наивный Дегтярев стал жертвой недобросовестных врачей. Надо его остановить.

— Мусик, у тебя что-то болит? — забеспокоилась Маруся.

— Нет, просто я думаю. Ты случайно не знаешь, что такое котомки Буше? — поинтересовалась я. — Хотя у животных, наверное, их нет.

Маша рассмеялась.

— Муся! Не котомки. Комки! Небольшие жировые отложения в щеках человека. Новая фенька пластических хирургов, они поют пациентке: «Овал вашего лица оплыл, потому что в нем комки Буше появились. Удалим их, и станете девочкой». Сейчас очень модно их вырезать, чтобы сделать треугольное личико. Но вот только если оно принадлежит тетке с размерами двести-двести-двести, то получается смешно, идет гора жира с крошечной мордочкой. Ерунда это. Откусывание денег. Развод, в котором участвует еще и гламурная пресса. Журналисты, как водится, не разобрались в сути вопроса, и пошла писать армия, блогеры стараются. Недавно одна девушка гордо сообщила в соцсетях, что она «вырвала из попы "куски Душе" и теперь прекрасна со всех сторон». Не поняла, где что находится.

— Я ушел! — крикнул полковник, пробегая мимо двери гостиной.

— Стой! — велела я.

Дегтярев не притормозил. Я вскочила, налетела на Афину и упала прямо на нее.

— Муся, — испугалась Маша, — ты жива?

— Да, — пробормотала я, вставая, — сейчас вернусь. Мне срочно нужен Дегтярев.

Но пока я дошла до холла, сунула ноги в угги, натянула куртку, от машины толстяка и след простыл. Я вернулась домой, схватила домашний телефон, набрала номер Дегтярева, услышала тихий звон со второго этажа и сообразила: толстяк оставил свой сотовый на тумбочке.

И тут домой вернулся Юра.

— Ну, узнал? — накинулась на него Маша.

Муж кивнул.

— И что?

— Все-таки есть номер девять. Дарья Васильева, — коротко ответил зять.

— Если говорите обо мне, то я сижу перед вами, — удивилась я. — И при чем тут номер?

Маша хихикнула и рассказала дивную историю.

Сегодня в девять утра к нам зашла наша новая соседка и, сев в гостиной, зачирикала:

— Дорогая Машенька, мы теперь живем в доме через дорогу. Меня зовут Даша. А моя дочка, как и вы, Марусенька. Ой, вы так похожи, что рост, что фигура. Ваша мама Даша? Ну, надо же, мы полные тезки. И тоже похожи! Меня сегодня в магазине поселка с ней перепутали. А вы владелица ветклиники?

— Да, — ответила Манюня.

— Чудесно, — обрадовалась гостья, — наша мопсиха Леонора такая нервная. Возить ее к доктору сплошное горе. Вам нетрудно сделать собачке прививку на дому? Идти недалеко!

Маша хотела ответить, что она, конечно, заглянет вечером к Леоноре, но не успела. Даша показала пальцем на конфетницу в центре стола.

— О! И у нас с мужем такая! Свекровь подарила мне ее на день рождения. Так и знала, что она соврала, когда говорила: «Дашунечка, я заказала ее специально для тебя у мастера». О! И скатерть, как наша! А! Сервиз идентичный. Ах! Машенька!

И тапки ваши как те, что мне Галина Петровна дарила. Честно говоря, я все подношения свекрови после ее ухода прячу. Не хочу ими пользоваться. Галина такая вредная. Нет бы выкинуть дары, а вдруг она спросит, где они. Вот и храню. Не хочу скандалов. Мда! Однако забавно, что у вас те же вещи, что мне свекровь дарила.

— А где вы их прячете? — осторожно поинтересовалась Манюня.

— Когда жили в городе, прятала презенты в отдельной гардеробной, — объяснила Даша, — а в Ложкине нам дали кладовку. Ну вы придете сделать укол собачке?

Когда соседка, продолжая громко удивляться тому, что мы пользуемся вещами, которые точь-в-точь, как подарки ее свекрови, ушла, Маруся отправила Юру к кладовкам, которые оборудованы в административном здании. На каждой двери есть номер и рамка, в которую вставлена бумажка с фамилией и инициалами владельца.

— Мусик, — торжественно заявила Манюня, — у нас чулан номер шесть, на нем написано «Д. Васильева». А у соседки девять, и там указано «Д. Васильева». Понимаешь?

Я опешила.

— Мы сто лет не заглядывали на склад, — продолжала Манюня, — намертво забыли, что туда много лет назад сложили. Женя решил посмотреть, что там спрятано...

— ...В дальних и ближних пещерах, — перебил жену Юра, — и перепутал двери. Шесть и девять в принципе похожи. А фамилии и инициал оказались одинаковыми. Теперь сообразили?

— Мы пользуемся чужими вещами, — ахнула я, — скатертями, посудой, пижамами!

— Ага! — радостно подтвердил Юра. — Свекровь соседки Даши завалила капризную невестку подарками.

— Ну это просто словарь страны попугаев, — вырвалось у меня.

— Словарь страны попугаев? — изумился Юра. — Впервые про такой слышу.

— Я тоже, — сказал до сих пор молчавший Маневин, — но это не имеет значения. Раз Даша сказала, что он есть, значит, он есть. Ох, я забыл телефон в машине!

Мой профессор поднялся и быстро вышел из гостиной.

— Некоторые мужчины во всем соглашаются с женами, — вздохнул Юра, — но я считаю, что надо всегда самому принимать решение, иначе будешь выглядеть дураком.

Я пошла на кухню. Самые большие глупости люди совершают, когда не хотят выглядеть дураками. А последнее решение, которое мужчина в своей жизни принимает самостоятельно, — это решение жениться.

Литературно-художественное издание

ИРОНИЧЕСКИЙ ДЕТЕКТИВ

Донцова Дарья Аркадьевна

РОДОСЛОВНАЯ ДО СЕДЬМОГО ПОЛЕНА

Ответственный редактор *О. Рубис*
Младший редактор *П. Рукавишникова*
Художественный редактор *В. Щербаков*
Технический редактор *Г. Этманова*
Компьютерная верстка *Л. Панина*
Корректор *О. Супрун*

ООО «Издательство «Э»
123308, Москва, ул. Зорге, д. 1. Тел.: 8 (495) 411-68-86.
Өндіруші: «Э» АҚБ Баспасы, 123308, Мәскеу, Ресей, Зорге көшесі, 1 үй.
Тел.: 8 (495) 411-68-86.
Тауар белгісі: «Э»
Қазақстан Республикасында дистрибьютор және өнім бойынша арыз-талаптарды қабылдаушының өкілі «РДЦ-Алматы» ЖШС, Алматы қ., Домбровский көш., 3«а», литер Б, офис 1.
Тел.: 8 (727) 251-59-89/90/91/92, факс: 8 (727) 251 58 12 вн. 107.
Өнімнің жарамдылық мерзімі шектелмеген.
Сертификация туралы ақпарат сайтта Өндіруші «Э»
Сведения о подтверждении соответствия издания согласно законодательству РФ о техническом регулировании можно получить на сайте Издательства «Э»

Өндірген мемлекет: Ресей
Сертификация қарастырылмаған

Подписано в печать 20.11.2017. Формат 80x100 $^{1}/_{32}$.
Гарнитура «Ньютон». Печать офсетная. Усл. печ. л. 14,81.
Тираж 14 000 экз. Заказ 3816.

Отпечатано в ООО «Тульская типография».
300026, г. Тула, пр. Ленина, 109.

Оптовая торговля книгами Издательства «Э»:
142700, Московская обл., Ленинский р-н, г. Видное,
Белокаменное ш., д. 1, многоканальный тел.: 411-50-74.

По вопросам приобретения книг Издательства «Э» зарубежными оптовыми покупателями обращаться в отдел зарубежных продаж
International Sales: International wholesale customers should contact Foreign Sales Department for their orders.

По вопросам заказа книг корпоративным клиентам, в том числе в специальном оформлении, *обращаться по тел.: +7 (495) 411-68-59, доб. 2261.*

Оптовая торговля бумажно-беловыми и канцелярскими товарами для школы и офиса:
142702, Московская обл., Ленинский р-н, г. Видное-2,
Белокаменное ш., д. 1, а/я 5. Тел./факс: +7 (495) 745-28-87 (многоканальный).

Полный ассортимент книг издательства для оптовых покупателей:
Москва. Адрес: 142701, Московская область, Ленинский р-н, г. Видное, Белокаменное шоссе, д. 1. Телефон: +7 (495) 411-50-74.
Нижний Новгород. Филиал в Нижнем Новгороде. Адрес: 603094, г. Нижний Новгород, ул. Карпинского, д. 29, бизнес-парк «Грин Плаза». Телефон: +7 (831) 216-15-91 (92, 93, 94).
Санкт-Петербург. ООО «СЗКО». Адрес: 192029, г. Санкт-Петербург, пр. Обуховской Обороны, д. 84, лит. «Е». Телефон: +7 (812) 365-46-03 / 04. **E-mail:** server@szko.ru
Екатеринбург. Филиал в г. Екатеринбурге. Адрес: 620024, г. Екатеринбург, ул. Новинская, д. 2щ. Телефон: +7 (343) 272-72-01 (02/03/04/05/06/08).
Самара. Филиал в г. Самаре. Адрес: 443052, г. Самара, пр-т Кирова, д. 75/1, лит. «Е». Телефон: +7(846)207-55-50. **E-mail:** RDC-samara@mail.ru
Ростов-на-Дону. Филиал в г. Ростове-на-Дону. Адрес: 344023, г. Ростов-на-Дону, ул. Страны Советов, д. 44 А. Телефон: +7(863) 303-62-10.
Центр оптово-розничных продаж Cash&Carry в г. Ростове-на-Дону. Адрес: 344023, г. Ростов-на-Дону, ул. Страны Советов, д. 44 В. Телефон: (863) 303-62-10. Режим работы: с 9-00 до 19-00.
Новосибирск. Филиал в г. Новосибирске. Адрес: 630015, г. Новосибирск, Комбинатский пер., д. 3. Телефон: +7(383) 289-91-42.
Хабаровск. Филиал РДЦ Новосибирск в Хабаровске. Адрес: 680000, г. Хабаровск, пер. Дзержинского, д. 24, литера Б, офис 1. Телефон: +7(4212) 910-120.
Тюмень. Филиал в г. Тюмени. Центр оптово-розничных продаж Cash&Carry в г. Тюмени. Адрес: 625022, г. Тюмень, ул. Алебашевская, д. 9А (ТЦ Перестройка+). Телефон: +7 (3452) 21-53-96/ 97/ 98.
Краснодар. Обособленное подразделение в г. Краснодаре
Центр оптово-розничных продаж Cash&Carry в г. Краснодаре
Адрес: 350018, г. Краснодар, ул. Сормовская, д. 7, лит. «Г». Телефон: (861) 234-43-01(02).
Республика Беларусь. Центр оптово-розничных продаж Cash&Carry в г. Минске. Адрес: 220014, Республика Беларусь, г. Минск, пр-т Жукова, д. 44, пом. 1-17, ТЦ «Outleto». Телефон: +375 17 251-40-23; +375 44 581-81-92. Режим работы: с 10-00 до 22-00.
Казахстан. РДЦ Алматы. Адрес: 050039, г. Алматы, ул. Домбровского, д. 3 «А». Телефон: +7 (727) 251-58-12, 251-59-90 (91,92,99).
Украина. ООО «Форс Украина». Адрес: 04073 г. Киев, ул. Вербовая, д. 17а. Телефон: +38 (044) 290-99-44. **E-mail:** sales@forsukraine.com

Полный ассортимент продукции Издательства «Э» можно приобрести в магазинах «Новый книжный» и «Читай-город».
Телефон единой справочной: 8 (800) 444-8-444. Звонок по России бесплатный.

В Санкт-Петербурге: в магазине «Парк Культуры и Чтения БУКВОЕД», Невский пр-т, д. 46. Тел.: +7(812)601-0-601, www.bookvoed.ru

Розничная продажа книг с доставкой по всему миру. Тел.: +7 (495) 745-89-14.

BOOK24.RU
ИНТЕРНЕТ-МАГАЗИН

ISBN 978-5-04-089607-3
9 785040 896073 >